Mary Higgins Clark

Twee meisjes in het blauw

SIJTHOFF

© 2006 Nederlandse vertaling
Uitgeverij Luitingh ~ Sijthoff B.V., Amsterdam
Alle rechten voorbehouden
Oorspronkelijke titel: *Two Little Girls in Blue*
Vertaling: Mieke Trouw
Omslagontwerp: Edd, Amsterdam
Omslagfotografie: Andreanna Seymore / Getty Images

ISBN 90 245 5578 7 / 9789024555789
NUR 332

Voor Michael V. Korda
Redacteur en vriend
Met veel liefs

TWEE MEISJES IN HET BLAUW

Two little girls in blue, lad, two little girls in blue
They were sisters and we were brothers, we learned
to love them too
But one of those girls in blue, lad, who wrung your
father's heart
Became your mother, I married the other, and we was
ripped apart

Twee meisjes in 't blauw, knul, twee meisjes in 't
blauw gekleed
Zij waren zusjes en wij waren broers, we legden ons
hart voor hen neer
Maar een van die meisjes in 't blauw, knul, bezorgde
je vader veel leed
Zij werd je moeder, ik huwde de ander, nu zien we
elkaar niet meer

Amerikaans liedje, uitgebracht door Charles Graham in
1893

'Wacht even, Rob, volgens mij hoor ik een van de meisjes huilen. Ik bel je wel terug.'

De negentienjarige Trish Logan legde haar mobieltje neer, stond op van de bank en haastte zich door de woonkamer. Het was de eerste keer dat ze oppaste bij de familie Frawley, die vriendelijke mensen die een paar maanden geleden in het stadje waren komen wonen. Trish had de Frawleys meteen aardig gevonden. Mrs. Frawley had haar verteld dat ze als kind vaak met haar familie bij vrienden in Connecticut was geweest en het er zo leuk had gevonden dat ze er zelf ook had willen wonen. 'Vorig jaar gingen we op zoek naar een huis. Toen we toevallig door Ridgefield reden, wist ik meteen dat dit mijn woonplaats moest worden,' had ze tegen Trish gezegd.

De Frawleys hadden de oude boerderij van de familie Cunningham gekocht, een 'opknapper' die volgens Trish' vader meer een 'afknapper' was die met de grond gelijk gemaakt moest worden. Vandaag, donderdag 24 maart, was de eeneiige tweeling van de Frawleys drie jaar geworden. Trish was de hele dag ingehuurd om bij het feestje van de meisjes te helpen. Vanavond paste ze op de kinderen omdat hun ouders in avondkleding een chic diner in New York bijwoonden.

Na alle opwinding van het feestje had ik durven zweren dat de kinderen onder zeil waren, dacht Trish, terwijl ze de trap op liep om een kijkje in de slaapkamer van de meisjes te nemen. De Frawleys hadden de versleten vloerbedekking uit het huis gesloopt en de negentiende-eeuwse treden kraakten onder haar voeten.

Boven aan de trap bleef ze staan. Ze had het licht in de gang aan gelaten, maar het was nu donker. Waarschijnlijk was er weer een stop doorgeslagen. De elektrische bedrading in het oude huis was waardeloos. In de keuken was vanmiddag ook al een zekering doorgebrand.

De slaapkamer van de tweeling was aan het einde van de gang. Er klonk nu geen enkel geluid meer uit de kamer. Waarschijnlijk heeft een van de kinderen in haar slaap gehuild, dacht Trish. Voetje voor voetje liep ze door de donkere gang. Opeens stond ze stil. Er was meer aan de hand dan een kapotte zekering. Ik had de deur van hun kamer open laten staan, zodat ik ze kon horen als ze wakker werden. De deur is nu dicht. Maar als die een minuut geleden ook dicht was geweest, had ik de kinderen nooit kunnen horen.

Omdat ze opeens bang werd, spitste ze haar oren. Wat was dat voor een geluid? In een misselijkmakende flits wist ze wat ze hoorde: zachte voetstappen. Flarden van een al even zachte ademhaling. De scherpe geur van transpiratie. *Er kwam iemand achter haar aan.*

Trish probeerde te gillen, maar er kwam alleen maar een kreun over haar lippen. Ze wilde wegrennen, maar haar benen wilden niet bewegen. Ze voelde dat iemand haar haren beetgreep en haar hoofd achterovertrok. Het laatste wat ze zich herinnerde, was dat er op haar hals werd gedrukt.

De greep van de indringer verslapte en hij liet Trish op de vloer zakken. Hij was in zijn nopjes dat hij haar zo effectief en pijnloos buiten westen had gekregen. Hij klikte zijn zaklamp aan en bond haar armen en benen vast. Daarna deed hij haar een blinddoek voor en stopte een prop in haar mond. Hij richtte de zaklamp op de grond, stapte om haar heen en liep vlug naar het einde van de gang, waar hij de slaapkamerdeur van de tweeling opendeed.

De driejarige Kathy en Kelly lagen samen in het tweepersoonsbed dat ze deelden. Hun blik was tegelijkertijd slaperig en doodsbang. Kathy hield met haar rechterhand Kelly's linkerhand vast. Met hun andere hand probeerden ze de doek voor hun mond weg te trekken.

De man die alle details van de ontvoering had voorbereid,

stond naast het bed. 'Weet je zeker dat ze je niet heeft gezien, *Harry*?' snauwde hij.

'Ja, dat weet ik zeker. Ik bedoel, dat weet ik zeker, *Bert*,' antwoordde de ander. Ze gebruikten allebei bewust de naam die ze voor deze klus hadden aangenomen. Het waren de namen van twee tekenfilmfiguren in een bierreclame uit de jaren zestig.

Bert tilde Kathy op en grauwde: 'Pak jij dat andere kind. Sla een deken om haar heen, want het is koud buiten.'

Hun voetstappen roffelden nerveus over de vloer. Ze renden de trap aan de achterkant van het huis af en holden door de keuken naar de oprit. Ze namen niet eens de moeite om de deur achter zich dicht te doen. In het busje ging Harry met de tweeling in zijn gespierde armen achterin op de grond zitten. Met Bert aan het stuur reed de auto uit de donkere schaduw van de veranda.

Twintig minuten later arriveerden ze bij het huis waar Angie Ames al zat te wachten. 'Wat een schatjes,' kirde ze, toen de mannen de kinderen naar binnen droegen om hen in het klaarstaande ledikant te leggen. Het bed had spijltjes en deed aan een ziekenhuisledikant denken. Met een soepel, handig gebaar haalde Angie de mondproppen weg die ervoor hadden gezorgd dat de meisjes geen lawaai konden maken.

De kinderen pakten elkaar vast en begonnen te huilen. 'Mammie, mammie,' gilden ze in koor.

'Stil maar, stil maar, jullie hoeven niet bang te zijn,' suste Angie, terwijl ze de zijkant van het bedje omhoogtrok. Omdat de zijkant zo hoog was dat ze er niet overheen kon reiken, stak ze haar armen tussen de spijlen door om troostend op hun donkerblonde krulletjes te kloppen. 'Niet huilen,' zei ze op zangerige toon. 'Ga maar lekker slapen. Kathy, Kelly, ga maar slapen. Mona zorgt voor jullie. Mona houdt van jullie.' Ze had opdracht gekregen om in het bijzijn van de tweeling de naam Mona te gebruiken. 'Dat vind ik geen mooie naam,' had ze geklaagd toen ze hem te horen kreeg. 'Waarom moet het per se Mona zijn?'

'Omdat hij bijna als "mama" klinkt. Omdat we straks, als we het geld hebben gekregen en die mensen hun kinderen ophalen, niet willen dat de kinderen zeggen: "Een mevrouw die Angie heette, heeft voor ons gezorgd." Verder trek je een gezicht als een Mona-toetje, dus dat is nog een goede reden om je die naam te geven,' had de man die Bert heette gebitst.

'Zorg dat ze hun mond houden,' commandeerde hij nu. 'Ze maken te veel lawaai.'

'Maak je niet dik, Bert. Niemand kan ze horen,' suste Harry, die in werkelijkheid Clint Downes heette.

Hij heeft gelijk, dacht Bert, die eigenlijk Lucas Wohl heette. Een van de redenen waarom hij na lang wikken en wegen had besloten om Clint bij de klus te betrekken, was dat Clint negen maanden per jaar conciërge van de Danbury Country Club was en in een huisje op het terrein van de club woonde. Tussen de eerste maandag van september en 31 mei was de club gesloten en zaten de hekken op slot. Het huisje was niet eens zichtbaar vanaf de ventweg die Clint gebruikte om het terrein op te komen, en hij moest een code invoeren om het hek van de ventweg open te maken.

Het was een ideale plek om de tweeling te verbergen. Het feit dat Clints vriendin Angie vaak als kinderoppas werkte, kwam helemaal goed uit.

'Ze houden straks wel op met huilen,' zei Angie. 'Ik weet hoe kleine kinderen in elkaar zitten. Ze gaan zo wel slapen.' Ze begon de kinderen over hun rug te wrijven en zong vals: 'Twee meisjes in het blauw, knul, twee meisjes in 't blauw gekleed...'

Lucas vloekte binnensmonds en liep behoedzaam tussen het ledikant en het tweepersoonsbed door. Hij wandelde de slaapkamer uit en liep door de woonkamer naar de keuken. Daar deden Clint en hij hun handschoenen en jas met capuchon pas uit. De volle fles whisky en de twee lege glazen die ze als beloning voor hun succesvolle missie hadden klaargezet, stonden al op hen te wachten.

De mannen gingen elk aan een uiteinde van de tafel zitten en staarden elkaar zwijgend aan. Terwijl Lucas minachtend naar zijn medeplichtige keek, bedacht hij weer dat ze in alle opzichten elkaars tegenpool waren. Hij was heel nuchter over zijn uiterlijk en deed soms net alsof hij zichzelf van een afstand bekeek en zijn verschijning moest omschrijven: broodmager, rond de vijftig, gemiddelde lengte, kalend, smal gezicht, dicht bij elkaar staande ogen. Als zelfstandige chauffeur van een limousine wist hij dat hij er perfect in was geslaagd om over te komen als een gedienstige werknemer, die het anderen graag naar de zin wilde maken. Zodra hij zijn zwarte chauffeursuniform aantrok, nam hij deze rol aan.

Hij had Clint ontmoet toen ze allebei in de gevangenis zaten. In de loop der jaren hadden ze samen een aantal inbraken gepleegd, waarbij Lucas altijd zo voorzichtig te werk was gegaan dat ze nooit waren gesnapt. Omdat Lucas zijn eigen nest niet wilde bevuilen, hadden ze in Connecticut nog nooit een strafbaar feit gepleegd. Deze klus was erg riskant geweest, maar te mooi om te laten liggen. Daarom was hij voor deze keer van zijn eigen regel afgeweken.

Nu keek hij toe terwijl Clint de fles openmaakte en hun glazen tot de rand toe volschonk. 'Op volgende week, wanneer we met uitpuilende zakken op een boot in St. Kitts zitten,' zei Clint. Met een hoopvolle glimlach liet hij zijn blik onderzoekend over Lucas' gezicht dwalen.

Lucas staarde nogmaals met een taxerende blik terug. Clint was begin veertig en had een beroerde lichamelijke conditie. Omdat hij twintig kilo te zwaar was voor zijn kleine gestalte, begon hij bij het minste of geringste te zweten. Ook nu transpireerde hij, hoewel het maart was en het buiten opeens erg koud was geworden. Zijn vierkante borstkas en dikke armen pasten niet bij zijn engelachtige gezicht en lange paarden-staart, die hij had laten groeien omdat Angie er ook een had. Angie was al jaren Clints vriendin. Mager als een wandelen-de tak, dacht Lucas minachtend. Een erg slechte huid. Net als Clint zag ze er altijd slonzig uit, gekleed in een oud T-shirt en een versleten spijkerbroek. In Lucas' ogen was haar enige goede eigenschap dat ze ervaring had als kinderoppas. Er mocht niets met die kinderen gebeuren voordat het losgeld was betaald en ze ergens konden worden afgezet. Nu herin-nerde Lucas zich dat er nog iets in Angies voordeel sprak. Ze is hebberig. Ze wil het geld. Ze wil op een boot in het Caraï-bisch gebied wonen.

Lucas bracht het glas naar zijn lippen en nam een slok van de Chivas Regal, die fluweelzacht op zijn tong aanvoelde. Hij voelde het kalmerende effect toen hij de warmte door zijn keel liet glijden. 'Tot nu toe mogen we niet klagen,' zei hij ef-fen. 'Ik ga naar huis. Staat het mobieltje dat ik je heb gegeven aan?'

'Ja.'

'Als de baas belt, zeg dan maar dat ik morgenochtend om vijf uur een vrachtje heb. Ik zet mijn mobieltje uit. Ik heb behoef-te aan een paar uur slaap.'

'Wanneer mag ik hem eens zien, Lucas?'

'Nooit.' Lucas dronk de rest van het glas leeg en schoof zijn stoel achteruit. In de slaapkamer konden ze Angie nog steeds horen zingen.

'Zij waren zusjes en wij waren broers, we legden ons hart voor hen neer…'

2

Toen hoofdinspecteur Robert 'Marty' Martinson van de po-litie van Ridgefield een auto met piepende banden voor het huis tot stilstand hoorde komen, wist hij dat de ouders van de vermiste tweeling waren gearriveerd.

Vlak na het telefoontje naar het alarmnummer hadden ze het politiebureau gebeld. 'Mijn naam is Margaret Frawley,' had de vrouw gezegd. Haar stem had getrild van angst. 'We wonen op Old Woods Road 10 en we kunnen onze kinderoppas niet te pakken krijgen. We hebben haar bij ons thuis en op haar mobieltje gebeld, maar ze neemt niet op. Ze past op onze tweeling van drie. Misschien is er iets gebeurd. We zijn vanuit de stad onderweg naar huis.'

'We rijden er meteen naartoe om een kijkje te nemen,' had Marty beloofd. Omdat de ouders al op de snelweg zaten en waarschijnlijk erg van streek waren, had het hem niet zinvol geleken om te zeggen dat hij al wist dat er iets akeligs was gebeurd. De vader van de kinderoppas had zojuist vanaf Old Woods Road 10 gebeld: 'Mijn dochter is vastgebonden en heeft een prop in haar mond. Ze moest op een tweeling passen, maar de kinderen zijn verdwenen. In de slaapkamer ligt een briefje waarin om losgeld wordt gevraagd.'

Nu, een uur later, was er al afzetlint rond het huis en de oprit gespannen. De politie wachtte op de komst van het forensisch team. Marty had het nieuws het liefst voor de media verborgen willen houden, maar hij wist dat dat niet zou lukken. Op de eerstehulpafdeling van het ziekenhuis, waar Trish Logan naartoe was gebracht om behandeld te worden, hadden de ouders van de oppas al tegen iedereen gezegd dat de tweeling was verdwenen. Het kon nooit lang duren voordat er journalisten opdoken. De FBI was gebeld en er waren agenten onderweg.

Marty zette zich schrap toen de keukendeur openging en de ouders naar binnen renden. Vanaf de dag waarop hij als eenentwintigjarig groentje bij de politie aan de slag was gegaan, had hij zichzelf aangeleerd om bij elke misdaad zijn eerste indruk van alle betrokkenen goed te onthouden, of het nu om slachtoffers, daders of getuigen ging. Later schreef hij die eerste indrukken op. In politiekringen stond hij bekend als 'De observeerder'.

Begin dertig, dacht hij, toen Margaret en Steve Frawley op hem afsnelden. Een knap stel, allebei in avondkleding. Het lange, bruine haar van de moeder hing losjes rond haar schouders. Ze was slank, maar haar gebalde handen zagen er sterk uit. Haar vingernagels waren kort en gelakt met een kleurloze nagellak. Waarschijnlijk een goede atlete, dacht Marty. Haar indringende ogen hadden een donkerblauwe tint, die wel zwart leek toen ze naar hem staarde.

Steve Frawley, de vader, was een lange man. Hij was ruim een meter vijfentachtig en had donkerblond haar en lichtblauwe ogen. Hij had zulke brede schouders en gespierde armen dat de naden van zijn te kleine smokingjasje onder spanning stonden. Hij kan wel een nieuw jasje gebruiken, dacht Marty.

'Is er iets met onze dochters gebeurd?' wilde Frawley weten.

Marty zag dat Frawley zijn handen op zijn vrouws armen legde, alsof hij haar wilde ondersteunen als ze vreselijk nieuws te horen kregen.

Er was geen enkele manier om het nieuws te verzachten dat hun kinderen waren ontvoerd, en dat er op het bed een briefje was gevonden waarin om acht miljoen dollar losgeld werd gevraagd. Het verbijsterde ongeloof op het gezicht van het jonge stel kwam oprecht op Marty over. Hij zou de reactie in zijn notitieboekje opschrijven, maar er toch een vraagteken bij zetten.

'Acht miljoen dollar? Acht miljóén dollar? Waarom vragen ze niet meteen tachtig miljoen?' vroeg Steve Frawley met een asgrauw gezicht. 'We hebben ons geld tot de laatste cent in dit huis gestoken. Er staat ongeveer vijftienhonderd dollar op onze lopende rekening. Meer niet.'

'Heeft een van u beiden misschien een rijk familielid?' informeerde Marty.

De Frawleys begonnen te lachen. Het was een hoog, schril geluid, een bewijs dat ze hysterisch waren. In het bijzijn van Marty draaide Steve zijn vrouw naar zich toe. Toen ze hun armen om elkaar heen sloegen, vermengde het rauwe geluid van zijn droge gesnik zich met haar gejammer. 'Ik wil mijn kinderen terug. Ik wil mijn kinderen terug.'

3

Om elf uur begon het speciale mobieltje te piepen. Clint nam op. 'Dag, meneer,' zei hij.

'Met de Rattenvanger.'

Clint wist nog steeds niet wie de Rattenvanger was, maar hij dacht wel te horen dat de man zijn stem onherkenbaar probeerde te maken. Hij liep naar de andere kant van de kleine woonkamer om aan Angie te ontsnappen, die zachtjes liedjes voor de tweeling zong. Die kinderen slapen allang, dacht hij geïrriteerd. Hou verdorie je mond.

'Wat is dat lawaai op de achtergrond?' vroeg de Rattenvanger scherp.

'Mijn vriendin zingt voor de kinderen die ze onder haar hoede heeft.' Clint wist dat hij de Rattenvanger daarmee precies vertelde wat de man wilde horen. Hun missie was geslaagd.

'Ik kan Bert niet te pakken krijgen.'

'Hij vroeg of ik u wilde vertellen dat hij morgenochtend om vijf uur iemand naar Kennedy Airport moet brengen. Hij is naar huis gegaan om te slapen en heeft zijn mobieltje afgezet. Ik hoop dat...'

'Harry, zet de televisie aan,' onderbrak de Rattenvanger hem. 'Er wordt op het nieuws over een ontvoering gepraat. Ik bel jullie morgenochtend.'

Clint pakte de afstandsbediening en zette vlug de televisie aan. Het volgende moment kwam het huis aan Old Woods

Road in beeld. Het was een donkere, bewolkte avond, maar zelfs in het licht van de buitenlamp was te zien dat de verf afbladderde en de luiken scheef hingen. Het gele afzetlint waarmee de pers en pottenkijkers op een afstandje werden gehouden, was helemaal tot aan de weg gespannen.

'De nieuwe eigenaars, Stephen en Margaret Frawley, wonen hier pas een paar maanden,' zei de verslaggever. 'Buren hadden verwacht dat het huis gesloopt zou worden, maar in plaats daarvan hoorden ze dat de Frawleys van plan zijn om het stukje bij beetje te renoveren. Vanmiddag waren een aantal kinderen uit de buurt nog op een feestje ter gelegenheid van de derde verjaardag van de vermiste tweeling. We hebben een foto van het feestje, die slechts een paar uur geleden is gemaakt.'

Opeens werd het hele scherm gevuld met de gezichtjes van de eeneiige tweelingzusjes, die met grote, opgewonden ogen naar hun verjaardagstaart keken. Aan beide kanten van de feesttaart waren drie kaarsjes gezet en in het midden brandde een grotere. 'Een van de buren vertelde ons dat die grote kaars voor het komende jaar is. De tweelingzusjes lijken zoveel op elkaar dat hun moeder grapte dat het zonde zou zijn om er een tweede kaars voor het komende jaar bij te zetten.'

Clint schakelde over naar een andere zender, waar ze een andere foto van de tweeling in hun blauwe fluwelen feestjurkjes lieten zien. Op de foto hielden ze elkaars hand vast.

'Kijk toch hoe lief ze eruitzien, Clint. Ze zijn beeldschoon.'

Hij schrok van Angies stem. 'Zelfs in hun slaap houden ze elkaars handje nog vast. Vind je dat niet schattig?'

Hij had haar niet horen aankomen. Nu legde ze haar armen om zijn hals. 'Ik heb altijd al een baby willen hebben, maar ze zeiden dat ik geen kinderen kon krijgen,' zei ze, terwijl ze met haar neus zachtjes over zijn wang streek.

'Ik weet het, schatje,' zei hij geduldig. Dit verhaal had hij al eerder gehoord.

'En toen kon ik heel lang niet bij je zijn.'

'Je moest naar dat speciale ziekenhuis, lieverd. Je had iemand heel erg pijn gedaan.'

'Maar nu krijgen we heel veel geld en gaan we op een boot in het Caraïbisch gebied wonen.'

'Daar hebben we het vaak over gehad. Binnenkort wordt die droom werkelijkheid.'

'Ik heb een goed idee. Laten we de kleine meisjes meenemen.'

Clint zette abrupt de televisie uit en sprong overeind. Hij draaide zich om en greep haar polsen beet. 'Angie, waarom hebben wij die kinderen?'

Ze keek hem aan en slikte nerveus. 'We hebben ze ontvoerd.'

'Waarom?'

'Om heel veel geld te krijgen en op een boot te kunnen wonen.'

'In plaats van als zigeuners rond te trekken en in de zomer van het terrein af te moeten als die professionele golfer hier intrekt. Wat gebeurt er als de politie ons te pakken krijgt?'

'Dan gaan we heel lang naar de gevangenis.'

'Wat had jij beloofd?'

'Dat ik voor de kinderen zou zorgen. Ik moet met ze spelen, ze eten geven en ze aankleden.'

'Ben je van plan je daar netjes aan te houden?'

'Ja. Ja. Het spijt me, Clint. Ik hou van je. Je mag me Mona noemen. Ik vind het geen mooie naam, maar het geeft niet als ik even zo moet heten.'

'In het bijzijn van de tweeling mogen we onze echte namen nooit gebruiken. Over een paar dagen geven we de kinderen terug en krijgen we ons geld.'

'Clint, kunnen we dan misschien...' Angie maakte haar zin niet af. Ze wist dat hij boos zou worden als ze voorstelde om een van de meisjes te houden. Maar dat ben ik wel van plan, dacht ze sluw. Ik weet al hoe ik dat moet doen. Lucas vindt zichzelf een slimmerik, maar hij is niet zo slim als ik.

4

Margaret Frawley vouwde haar handen om de dampende kop thee. Ze had het ijskoud. Steve had een wollen deken van de bank in de woonkamer gehaald en om haar heen geslagen, maar desondanks bleef ze over haar hele lichaam trillen.

De tweeling werd vermist. Kathy en Kelly waren weg. Iemand had ze meegenomen en een losgeldbriefje achtergelaten. Ze begreep er niets van. De woorden bleven als een litanie ritmisch door haar hoofd dreunen: de tweeling wordt vermist. Kathy en Kelly zijn weg.

Van de politie mochten ze de slaapkamer van de meisjes niet meer in. 'Het is onze taak om de meisjes terug te krijgen,' had hoofdinspecteur Martinson gezegd. 'Als u naar binnen gaat, kan het zijn dat er vingerafdrukken en DNA-materiaal verloren gaan. Dat risico kunnen we niet nemen.'

Ze mochten ook niet meer boven in de gang komen, waar iemand de oppas had aangevallen. Met Trish zou alles weer goed komen. Ze lag in het ziekenhuis en had de politie alles verteld wat ze zich kon herinneren. Ze had met haar mobieltje met haar vriend zitten bellen toen ze dacht dat ze een van de tweeling hoorde huilen. Ze was naar boven gegaan en had meteen geweten dat er iets mis was omdat het licht in de gang niet meer brandde. Op dat moment was tot haar doorgedrongen dat er iemand achter haar aan was gelopen. Daarna herinnerde ze zich niets meer.

Margaret vroeg zich af of er misschien ook nog iemand in de slaapkamer bij de meisjes was geweest. Kelly was altijd snel wakker, maar Kathy was misschien een beetje rusteloos. Misschien wordt ze wel verkouden.

Als een van de meisjes had gehuild, had iemand haar dan het zwijgen opgelegd?

Margaret liet haar kop thee vallen. Haar gezicht vertrok toen de hete thee over de blouse en rok spetterde die ze speciaal voor deze avond en het chique etentje van Steves werk in het Waldorf had gekocht.

Ze had de kleren in een winkel met afgeprijsde artikelen gevonden. Op Fifth Avenue zou ze er drie keer zoveel voor hebben betaald, maar desondanks was de prijs ver boven hun budget geweest.

Steve zei dat ik ze moest nemen, dacht ze dof. Het was een belangrijk etentje van zijn werk. Nou ja, ik wilde me vanavond sowieso mooi aankleden. We zijn al minstens een jaar niet meer in avondkleding naar een diner geweest.

Steve probeerde haar kleren met een handdoek droog te deppen. 'Gaat het, Mar? Heb je je verbrand?'

Ik moet naar boven, dacht Margaret. Misschien verstopt de tweeling zich wel in de kast. Ik weet nog dat ze dat een keer hebben gedaan. Ik deed net of ik ze zocht. Ik kon ze horen giechelen toen ik hun namen riep.

'Kathy... Kelly... Kathy... Kelly... waar zitten jullie?'

Op dat moment kwam Steve thuis. Ik riep naar beneden: 'Steve... Steve... onze tweeling is weg.'

Nog meer gegiechel uit de kast.

Steve hoorde aan mijn stem dat ik een grapje maakte. Hij kwam naar boven en liep naar hun kamer. Ik wees naar de kast. Hij liep ernaartoe en schreeuwde: 'Misschien zijn Kathy en Kelly wel weggelopen. Misschien vinden ze ons niet lief meer. Nou ja, het heeft niet veel zin om ze te zoeken. Ik stel voor dat we het licht uitdoen en uit eten gaan.'

Meteen vloog de kastdeur open. 'We vinden jullie wel lief, we vinden jullie wel lief,' hadden de meisjes in koor gejammerd.

Margaret herinnerde zich de doodsbange blik op hun snoetjes. Waarschijnlijk waren ze ook doodsbang toen ze werden meegenomen, dacht ze. Nu worden ze door iemand anders verstopt.

Dit kan niet waar zijn. Het is een nachtmerrie en straks word ik wakker. Ik wil mijn kinderen terug! Waarom doet mijn arm pijn? Waarom doet Steve er iets kouds op?

Margaret sloot haar ogen. Vaag registreerde ze dat hoofdinspecteur Martinson met iemand stond te praten.

'Mrs. Frawley.'

Ze keek op. Er was nog iemand binnengekomen.

'Mrs. Frawley, mijn naam is Walter Carlson. Ik werk voor de FBI. Ik heb zelf drie kinderen en ik begrijp hoe u zich voelt. Ik kom u helpen om uw kinderen terug te krijgen, maar daarbij hebben we uw hulp nodig. Wilt u een paar vragen beantwoorden?'

Walter Carlson had vriendelijke ogen. Hij was hooguit een jaar of vijfenveertig, dus zijn kinderen waren waarschijnlijk nog niet volwassen. 'Waarom zou iemand mijn kinderen willen ontvoeren?' vroeg ze aan hem.

'Dat gaan we uitzoeken, Mrs. Frawley.'

Carlson schoot snel naar voren om Margaret op te vangen toen ze van de stoel dreigde te glijden.

5

De klant die Lucas de volgende ochtend om vijf uur moest ophalen, was Franklin Bailey, de financieel directeur van een supermarktketen die in handen van één familie was. Omdat hij voor zijn werk vaak langs de oostkust van de Verenigde Staten heen en weer reisde, maakte hij vaak van Lucas' diensten gebruik. Soms, zoals vandaag, moest Lucas hem naar een vergadering in Manhattan brengen. Lucas wachtte dan tot Bailey klaar was en bracht hem dan weer naar huis.

Het kwam niet eens bij Lucas op om te zeggen dat hij vanochtend niet kon rijden. Een van de eerste dingen die de politie zou doen, was kijken welke werklieden in de buurt van het huis van de Frawleys waren geweest. Lucas zou best eens op hun lijst kunnen belanden, want Bailey woonde op High Ridge, twee straten van Old Woods Road.

Hij stelde zichzelf gerust met de gedachte dat de politie geen enkele reden had om hem met argwaan te bekijken. Ik pik al twintig jaar mensen in deze stad op en heb me altijd onopvallend gedragen. Hij wist dat zijn buren in het nabijgelegen Danbury hem beschouwden als een rustige eenling, die uit liefhebberij met een klein vliegtuigje vloog dat op Danbury Airport stond. Hij vond het ook leuk om anderen te vertellen dat hij graag lange wandelingen maakte. Dat was een smoes die hij gebruikte als hij een invaller moest regelen om een klus van hem over te nemen. Doorgaans wandelde hij alleen door de huizen waar hij had ingebroken.

Toen hij die ochtend op weg naar Bailey was, weerstond hij de verleiding om langs het huis van de Frawleys te rijden. Het zou ontzettend dom zijn om dat te doen. In gedachten zag hij alle activiteit in het huis al voor zich. Zou de FBI zich er al mee bemoeien? Zo ja, wat zouden ze ontdekken? De vragen amuseerden hem. Zouden ze ontdekken dat je het slot van de achterdeur met een creditcard kon openmaken? Dat je vanachter de verwilderde struiken tegen het huis ongehinderd uitzicht had op de oppas en dat je haar onderuit op de bank in haar mobieltje kon zien kletsen? Dat je door het keukenraam meteen zag dat een indringer via de trap aan de achterkant naar boven kon lopen zonder dat de oppas het in de gaten had? Dat de klus door minstens twee mensen moest zijn geklaard, een om de oppas uit te schakelen en een om de kinderen rustig te houden?

Om vijf minuten voor vijf reed hij de oprit van Franklin Bailey op. Hij liet de motor lopen, zodat de vooraanstaande accountant in een lekker warme auto kon stappen. Terwijl hij wachtte, fantaseerde hij over het deel van het losgeld dat hij straks zou krijgen.

De voordeur van het mooie huis in tudorstijl ging open. Lucas sprong uit de auto om het portier voor zijn cliënt te openen. Als vriendelijk gebaar naar zijn cliënten had hij de voorstoelen altijd zover mogelijk naar voren staan, waardoor de mensen achterin extra veel beenruimte hadden.

Bailey, een man van achter in de zestig met zilvergrijs haar, mompelde afwezig een groet. Maar toen de auto begon te rijden, zei hij: 'Lucas, rij eens over Old Woods Road. Ik wil kijken of de politie daar nog steeds is.'

Lucas kreeg het een beetje benauwd. Waarom wilde Bailey zo graag over die weg rijden? Hij was niet het type om naar andermans ellende te staren. Hij moest er een goede reden voor hebben. Lucas herinnerde zich dat Bailey een belangrijk man in Ridgefield was. Hij was zelfs burgemeester van het stadje geweest. Het feit dat hij daar zijn gezicht liet zien, zou geen aandacht vestigen op de limousine waarin hij was verschenen. Maar Lucas vertrouwde altijd op het klamme zweet en de prikkende nekhaartjes die hij voelde als hij in de buurt van de politieradar kwam, en hij kon beide verschijnselen nu waarnemen.

'Zoals u wilt, Mr. Bailey. Maar waarom zou er politie op Old Woods Road moeten zijn?'

'Je hebt zeker niet naar het journaal gekeken, Lucas. Gisteravond is er een driejarige tweeling ontvoerd. Het zijn de kinderen van het stel dat onlangs in het oude huis van Cunningham is gaan wonen.'

'Ontvoerd? Dat meent u niet, meneer.'

'Ik ben bloedserieus,' zei Franklin Bailey grimmig. 'Het is de eerste keer dat zoiets in Ridgefield gebeurt. Ik heb de Frawleys een paar keer ontmoet, en ik vind ze bijzonder aardig.'

Lucas reed twee straten door en draaide Old Woods Road op. Voor het huis waar hij acht uur geleden had ingebroken en waarvandaan hij de kinderen had meegenomen, waren nu politiebarricades neergezet. Ondanks zijn ongemakkelijke gevoel en de wetenschap dat hij nu beter ergens anders kon zijn, dacht hij zelfvoldaan: jullie moesten eens weten, stelletje sukkels.

Tegenover het huis van de Frawleys waren busjes van de pers geparkeerd. Voor de barricades stonden twee politiemensen om ervoor te zorgen dat niemand de oprit op kon rijden. Lucas zag dat ze notitieboekjes bij zich hadden.

Toen Franklin Bailey het achterraampje opendraaide, herkende de dienstdoende brigadier hem meteen. De man zei verontschuldigend dat Bailey hier helaas niet mocht parkeren.

Bailey liet hem niet eens uitpraten. 'Ned, ik was niet van plan om hier te parkeren. Ik dacht dat ik misschien iets kon doen. Ik heb om zeven uur een ontbijtbespreking in New York en ik ben tegen elven terug. Wie is erbinnen? Marty Martinson?'

'Ja, meneer. En de FBI.'

'Ik weet hoe dit soort zaken gaan. Geef Marty mijn kaartje maar. Ik heb de halve nacht naar de nieuwsberichten geluisterd. De Frawleys wonen nog maar net in Ridgefield, en ik heb de indruk dat ze geen familie in de buurt hebben waarop ze kunnen terugvallen. Zeg maar tegen Marty dat hij mij mag bellen als hij een contactpersoon tussen de politie en de ontvoerders nodig heeft. Zeg maar dat ik me de verslagen van de Lindbergh-ontvoering nog herinner. De professor die toen zijn diensten als contactpersoon aanbood, was degene met wie de ontvoerders contact opnamen.'

'Ik zal het tegen hem zeggen, meneer.' Brigadier Ned Barker nam het kaartje van hem aan en maakte een aantekening in zijn boekje. Daarna zei hij enigszins verontschuldigend: 'Ik moet de identiteit van alle passanten controleren, meneer. Ik neem aan dat u daar begrip voor hebt.'

'Natuurlijk.'

Barker keek naar Lucas. 'Mag ik uw rijbewijs zien, meneer?'

Lucas toonde hem zijn gewillige, alles-om-het-u-naar-de-zin-te-maken-glimlach. 'Natuurlijk, agent, natuurlijk.'

'Ik kan voor Lucas instaan,' zei Bailey. 'Hij is al jaren mijn chauffeur.'

'Ik volg alleen maar orders op, Mr. Bailey. Ik neem aan dat u daar begrip voor hebt.'

De brigadier bestudeerde het rijbewijs en liet zijn blik even over Lucas' gezicht dwalen. Zonder iets te zeggen gaf hij het rijbewijs terug en schreef hij iets in zijn boekje.

Franklin Bailey deed het raampje dicht en leunde achterover. 'Goed, Lucas, geef maar flink gas. Waarschijnlijk had mijn gebaar niet veel nut, maar ik vond dat ik iets moest doen.'

'Ik vond het een fantastisch gebaar, meneer. Ik heb nooit kinderen gehad, maar je hebt niet veel fantasie nodig om te bedenken hoe die ouders zich nu moeten voelen.' Ik kan alleen maar hopen dat ze zich zo ellendig voelen dat ze acht miljoen dollar ophoesten, dacht hij met een binnenpretje.

6

Dankzij de Chivas Regal was Clint als een blok in slaap gevallen, maar nu werd hij ruw gewekt door de stemmen van twee kinderen die hardnekkig om hun moeder bleven roepen. Omdat er geen reactie kwam, probeerden ze over de hoge spijlen van hun ledikantje te klimmen.

Naast hem lag Angie te snurken. Ze was zich totaal niet bewust van de kinderstemmen of het lawaai van het rammelende ledikant. Hij vroeg zich af hoeveel ze had gedronken nadat hij naar bed was gegaan. Angie vond het heerlijk om met een fles wijn de halve nacht op te blijven en naar oude films te kijken. Charlie Chaplin, Greer Garson, Marilyn Monroe, Clark Gable - ze vond ze allemaal geweldig. 'Dat waren échte acteurs,' zei ze dan, met een stem waarin het effect van de alcohol goed te horen was. 'Tegenwoordig zien ze er allemaal hetzelfde uit. Blond. Beeldschoon. Botox. Facelifts. Liposuctie. Maar acteren, ho maar.'

Hoewel ze al jaren bij elkaar waren, had Clint onlangs pas begrepen dat Angie jaloers was. Ze wilde mooi zijn. Dat was een van de argumenten die had hij gebruikt om haar zover te krijgen dat ze op de kinderen wilde passen. 'Straks hebben we zoveel geld dat je van alles aan je uiterlijk kunt doen. Je kunt naar een kuuroord, je haar verven of aan een fantastische plastisch chirurg vragen of hij je nog mooier maakt. Het enige wat je hoeft te doen, is goed voor de kinderen zorgen. Het duurt maar een paar dagen, hooguit een week.'

Nu porde hij met zijn elleboog in haar zij. 'Opstaan.'

Ze begroef haar hoofd nog dieper in het kussen.

Hij schudde haar aan haar schouder heen en weer. 'Opstaan, zei ik,' snauwde hij.

Met tegenzin tilde ze haar hoofd op en keek in de richting van het ledikant.

'Ga liggen, jullie! Ga weer slapen!' bitste ze.

Bij het zien van de boze blik op haar gezicht begonnen Kathy en Kelly te huilen. 'Mammie… pappie…'

'Kop dicht, zei ik! Kop dicht!'

Jammerend gingen de meisjes met hun armen om elkaar heen liggen. Het zachte geluid van hun gesmoorde gesnik dreef uit het ledikantje.

'Ik zei dat jullie je kop moesten houden!'

Het gesnik ging over in een hikkend geluid.

Angie gaf Clint een por. 'Om negen uur is Mona bereid om van ze te houden. Geen minuut eerder.'

7

Margaret en Steve bleven de hele nacht op met Marty Martinson en Walter Carlson van de FBI. Margaret was flauwgevallen, maar had geweigerd naar het ziekenhuis te gaan toen ze weer bijkwam. 'U hebt zelf gezegd dat u mijn hulp nodig hebt,' had ze koppig volgehouden.

Samen beantwoordden Steve en zij Carlsons vragen. Ook nu ontkenden ze weer met nadruk dat ze over een grote som geld konden beschikken, laat staan miljoenen dollars.

'Mijn vader is gestorven toen ik vijftien was,' zei Margaret tegen Carlson. 'Mijn moeder woont met haar zuster in Florida en is secretaresse in een dokterspraktijk. Ik ben nog tien jaar bezig om de leningen voor mijn rechtenstudie af te betalen.'

'Mijn vader was brandweercommandant in New York,' vertelde Steve. 'Hij is inmiddels gepensioneerd en woont met mijn moeder in een appartement in North Carolina. Ze hebben dat appartement gekocht voordat de prijzen zo vreselijk omhooggingen.'

Toen Carlson naar de rest van hun familie vroeg, erkende Steve dat hij niet goed overweg kon met zijn halfbroer Richie. 'Hij is zesendertig, vijf jaar ouder dan ik. Mijn moeder was een jonge weduwe toen ze mijn vader ontmoette. Richie heeft altijd een onberekenbaar karakter gehad en onze onderlinge band is nooit goed geweest. Tot overmaat van ramp heeft hij Margaret eerder leren kennen dan ik.'

'Ik heb nooit iets met hem gehad,' haastte Margaret zich te zeggen. 'We waren toevallig op dezelfde bruiloft en ik heb een paar keer met hem gedanst. Hij heeft me een keer gebeld en een boodschap achtergelaten, maar ik heb hem niet teruggebeld. Het was toeval dat ik Steve een maand later op de rechtenfaculteit leerde kennen.'

'Waar is Richie nu?' vroeg Carlson aan Steve.

'Hij laadt bagage in en uit op Newark Airport. Hij is twee keer gescheiden. Hij heeft zijn middelbare school niet afgemaakt en is jaloers dat ik ben gaan studeren en mijn rechtenbul heb gehaald.' Hij aarzelde even. 'Ik kan het u net zo goed meteen vertellen. Hij heeft een strafblad. Hij heeft jeugdde-

28

licten gepleegd en heeft vijf jaar in de gevangenis gezeten wegens medeplichtigheid aan witwaspraktijken. Maar zoiets als dit zou hij nooit doen.'

'Misschien niet, maar we gaan zijn bezigheden natrekken,' zei Carlson. 'Kan het zijn dat iemand een wrok tegen u koestert? Iemand die in contact is gekomen met de tweeling en heeft besloten hen te ontvoeren? Hebt u sinds de verhuizing werklieden over de vloer gehad?'

'Nee. Mijn vader had twee rechterhanden en was een goede docent,' legde Steve uit. Zijn stem klonk hol van vermoeidheid. 'Ik heb veel vrije avonden en weekends aan hoognodige reparaties besteed. Ik denk dat ik de beste klant ben van de plaatselijke bouwmarkt.'

'Wie heeft u geholpen bij de verhuizing?'

'Politiemensen die geen dienst hadden.' Even verscheen er bijna een glimlach op Steves gezicht. 'Ze hebben allemaal kinderen. Ze hebben me zelfs foto's laten zien. Een paar van hen zijn net zo oud als onze tweeling.'

'En uw collega's?'

'Ik werk pas drie maanden bij dit bedrijf. C.F.G.&Y. is een beleggingsmaatschappij die gespecialiseerd is in pensioenfondsen.'

Carlson haakte in op het feit dat Margaret tot de geboorte van de tweeling als pro-Deoadvocate in Manhattan had gewerkt. 'Mrs. Frawley, kan het zijn dat een van de mensen die u hebt verdedigd een wrok tegen u koestert?'

'Volgens mij niet.' Ze aarzelde even. 'Er was wel een man die levenslang kreeg. Ik had hem gesmeekt schuld te bekennen, omdat hij in ruil daarvoor strafvermindering zou krijgen. Dat wilde hij niet, maar toen hij uiteindelijk schuldig werd bevonden, legde de rechter hem de maximale straf op. Zijn familie maakte me uit voor rotte vis toen ze hem meenamen.'

Vreemd, dacht ze toen ze Carlson de naam van de veroordeelde verdachte zag opschrijven. Op dit moment voel ik me alleen maar verdoofd. Verder voel ik helemaal niets.

Om zeven uur, toen er al licht tussen de dichte gordijnen door begon te schemeren, stond Carlson op. 'Ik raad u aan om naar bed te gaan en een paar uur te slapen. U kunt ons veel beter van dienst zijn als u fit en uitgerust bent. Ik blijf hier. U kunt erop rekenen dat we u roepen zodra de ontvoerders contact met ons opnemen, en misschien vragen we u aan het einde van de dag om een persverklaring af te leggen. U mag naar uw slaapkamer gaan, maar kom niet in de buurt van de kamer van de meisjes. Het forensisch team is daar nog steeds aan het werk.'

Steve en Margaret knikten zwijgend en stonden op. Ze lieten hun schouders vermoeid hangen toen ze door de woonkamer naar de trap liepen.

'Ze spreken de waarheid,' zei Carlson mat tegen Martinson. 'Daar zou ik mijn hand voor in het vuur durven steken. Ze hebben geen geld. Daarom vraag ik me af of dat losgeld misschien een afleidingsmanoeuvre is. Misschien wil iemand de kinderen hebben en probeert hij ons met dat briefje op het verkeerde spoor te zetten.'

Martinson knikte. 'Daar heb ik ook aan gedacht. De meeste losgeldbriefjes zouden de ouders waarschuwen dat ze de politie niet mogen inschakelen.'

'Precies. Ik kan alleen maar bidden dat die kinderen op dit moment niet in een vliegtuig naar Zuid-Amerika zitten.'

8

Op vrijdagochtend was de ontvoering van de zusjes Frawley langs de hele oostkust voorpaginanieuws. Tegen de middag maakte de pers in het hele land er melding van. De verjaardagsfoto van de mooie, driejarige kinderen met hun engelensnoetjes, lange blonde haren en blauwe fluwelen feestjurkjes werd op televisiejournaals getoond en overal in het land in kranten afgedrukt.

In de eetkamer van Old Woods Road 10 werd een crisiscentrum ingericht. Om vijf uur 's middags verschenen Steve en Margaret op de televisie. Staand voor hun huis smeekten ze de gijzelnemers goed voor de meisjes te zorgen en hen ongedeerd terug te brengen. 'We hebben geen geld,' zei Margaret op smekende toon. 'Maar we krijgen al de hele dag telefoontjes van vrienden. Ze zamelen geld voor ons in. Ze hebben bijna tweehonderdduizend dollar bij elkaar gekregen. Alstublieft. U ziet ons ten onrechte aan voor mensen die acht miljoen dollar bij elkaar kunnen brengen. Dat lukt ons niet. Maar doe onze meisjes alstublieft geen kwaad. Geef ze terug. Ik garandeer u dat we tweehonderdduizend dollar in contanten voor u hebben.'

Steve had zijn arm om Margaret heen gelegd en zei: 'Neem alstublieft contact met ons op. We willen weten of onze meisjes nog leven.'

Na deze oproep verscheen hoofdinspecteur Martinson in beeld. 'We tonen u het telefoonnummer en het faxnummer van Franklin Bailey, die in het verleden burgemeester van dit stadje is geweest. Als u niet rechtstreeks contact op durft te nemen met het echtpaar Frawley, neemt u dan alstublieft contact met hem op.'

Maar de vrijdagavond, zaterdag en zondag gingen voorbij zonder dat ze iets hoorden.

Op maandagochtend werd Katie Couric onderbroken toen ze tijdens het programma *Today* een gepensioneerde FBI-medewerker over de ontvoering interviewde. Ze hield halverwege een vraag opeens haar mond en drukte haar hand tegen haar oortje. Nadat ze even aandachtig had geluisterd, zei ze: 'Ik weet niet of dit een misselijke grap is of dat het juist heel belangrijk is, maar we hebben iemand aan de telefoon die beweert dat hij de tweelingzusjes Frawley heeft ontvoerd. Op zijn verzoek zullen onze technici zijn stem nu laten horen.'

Een hese, duidelijk vervormde stem zei boos: 'Zeg tegen de Frawleys dat de tijd begint te dringen. We hebben acht miljoen geëist en daar blijven we bij. Hier komen de kinderen.'

Twee kinderstemmen zeiden in koor: 'Mammie, ik hou van je. Pappie, ik hou van je.' Toen jammerde een van de meisjes: 'We willen naar huis.'

Het geluidsfragment werd vijf minuten later ook voor Steve en Margaret afgedraaid. Martinson en Carlson hoefden niet te vragen of het echt om de stemmen van de tweeling ging. Bij het zien van de blikken van de Frawleys wisten ze dat er eindelijk contact met de ontvoerders was gelegd.

9

Lucas, die duidelijk steeds nerveuzer begon te worden, kwam zowel zaterdagavond als zondagavond bij Clint langs. Omdat hij liever niets met de tweeling te maken wilde hebben en dacht dat ze rond negen uur wel zouden slapen, plande hij zijn bezoekjes rond dat tijdstip.

Zaterdagavond probeerde hij moed te putten uit de verhalen van Clint, die opschepte dat Angie zo goed met de kinderen kon omgaan. 'Ze hebben heel goed gegeten. Angie heeft spelletjes met de meisjes gedaan en ze hebben de hele middag netjes geslapen. Angie is dol op die kinderen. Ze heeft zelf ook altijd kinderen willen hebben. Maar weet je, het is bijna griezelig om ze zo samen bezig te zien. Het is net of ze twee helften van één persoon zijn.'

'Heb je hun stemmen opgenomen?' snauwde Lucas.

'Jazeker. We hebben ze allebei zover gekregen dat ze zeiden: "Mammie, ik hou van je. Pappie, ik hou van je." Dat klonk

32

heel goed. Toen begon een van hen te gillen: "We willen naar huis." Angie werd kwaad en hief haar hand op alsof ze een klap wilde uitdelen, en toen begonnen ze allebei te huilen. Dat hebben we ook allemaal opgenomen.'

Dan heb je voor het eerst iets verstandigs gedaan, dacht Lucas, terwijl hij het bandje in zijn zak stopte. Zoals hij al met de baas had afgesproken, reed hij vervolgens naar Clancy's Pub aan Route 7, waar hij om halfelf aankwam. Hij parkeerde de limousine op de drukke parkeerplaats en ging naar binnen om een biertje te drinken. Hij had opdracht gekregen om de auto niet af te sluiten en het bandje op de voorstoel te leggen. Toen hij terugkwam, was het bandje verdwenen.

Dat was zaterdagavond geweest. Zondagavond werd duidelijk dat Angies geduld opraakte. 'Die ellendige wasdroger is kapot en we kunnen niemand bellen om hem te repareren. Je snapt natuurlijk wel dat "Harry" het zelf niet kan.' Terwijl ze de woorden uitspuwde, haalde ze twee dezelfde t-shirts met lange mouwen en tuinbroekjes uit de wasmachine om ze op goedkope kleerhangertjes te hangen. 'Je zei dat het een paar dagen zou duren. Hoe lang moet ik dit nog volhouden? Het duurt nu al drie dagen.'

'We horen van de Rattenvanger wanneer en waar we de kinderen moeten afzetten,' hielp Lucas haar herinneren. Het liefst had hij gezegd dat ze naar de hel kon lopen.

'En als hij nou eens bang wordt en de benen neemt? Dan zitten wij met die kinderen opgescheept.'

Lucas was eigenlijk niet van plan geweest om Angie en Clint over het plan van de Rattenvanger te vertellen, maar nu vond hij het nodig om haar te kalmeren. 'Dat gebeurt niet. Morgenochtend tussen acht en negen gaat hij in het programma *Today* om het losgeld vragen.'

Dat was voldoende geweest om Angie het zwijgen op te leggen. Toen Lucas de volgende ochtend naar *Today* keek en de dramatische reactie op het telefoontje van de Rattenvanger zag, was hij trots op zijn baas. Dat heeft hij goed gedaan, dacht hij. Nu wil de hele wereld wel geld sturen om die kinderen terug te krijgen.

Maar wij zijn degenen die risico lopen, dacht hij uren later, toen hij op alle radiozenders presentatoren over de ontvoering hoorde snateren. Wij hebben de kinderen meegenomen. Wij verstoppen ze. Wij moeten het geld ophalen als ze dat bedrag bij elkaar hebben. Ik weet wie de baas is, maar er zijn geen sporen die van mij naar hem leiden. Als wij worden betrapt, kan hij alles ontkennen. Als ik hem aanwijs als het brein achter deze ontvoering, kan hij zeggen dat ik gek ben.

Tot de volgende dag, dinsdag, had Lucas geen klussen meer. Om twee uur 's middags kon hij er niet meer tegen om duimendraaiend in zijn appartement te blijven zitten. De Rattenvanger had gezegd dat hij die avond naar het journaal op CBS moest kijken, omdat er dan weer contact zou worden gelegd. Hij besloot dat hij wel tijd had voor een vluchtje in een vliegtuig. Hij reed naar Danbury Airport, waar hij lid was van een vliegclub. Daar huurde hij een eenmotorig propellertoestel en steeg op. Zijn favoriete vlucht voerde hem via de kust van Connecticut naar Rhode Island en van daaruit een stukje de Atlantische Oceaan op. Als hij tweeduizend voet boven de aarde vloog, had hij het gevoel dat hij alles in de hand had. Aan dat gevoel had hij op dit moment hevig behoefte.

Het was een koude dag met een lichte bries en wat wolken in het westen. Prima weer om te vliegen. Hoewel Lucas zijn best deed om zich in de cockpit te ontspannen en van de vrijheid in de lucht te genieten, bleven de onrust en de angst aan hem knagen.

Hij was ervan overtuigd dat hij iets over het hoofd had gezien, maar wist niet wat. Dat was nu juist het probleem. Het was niet moeilijk geweest om de kinderen mee te nemen. De oppas herinnerde zich alleen dat er iemand met een zweetlucht achter haar was komen staan.

Er is niets mis met haar neus, dacht Lucas grijnzend, terwijl hij over Newport vloog. Angie zou Clints shirts na gebruik meteen in de wasmachine moeten stoppen.

De wasmachine...

Dat was het! Die kleren die ze had uitgewassen. Twee setjes met precies dezelfde kleren, t-shirtjes en tuinbroekjes. Hoe kwam ze daaraan? Ze hadden de kinderen in hun pyjamatjes meegenomen. Was die domme koe kleertjes gaan kopen voor een tweeling van drie jaar?

Vast wel. Lucas wist het zeker. Het kon nooit lang duren voordat het kwartje viel bij degene die haar de kleren had verkocht.

Een ijzige woede maakte zich van hem meester. Zonder dat hij het wilde, rukte hij aan de knuppel, waardoor de neus van het vliegtuig bijna loodrecht omhoogging. Toen hij besefte wat hij had gedaan, werd hij nog bozer en probeerde hij zijn fout vlug te herstellen. Hij reageerde echter te laat en kon niet voorkomen dat het vliegtuig werd overtrokken. Met bonzend hart duwde hij de neus omlaag en wist hij het vliegtuig weer snelheid te geven, waardoor een complete overtrek kon worden voorkomen. Nog even en dat stomme mens gaat met die kinderen bij McDonald's een hamburger eten, dacht hij, compleet over zijn toeren.

10

Er was geen enkele manier waarop Walter Carlson de volgende boodschap van de ontvoerder kon verzachten. Nadat hij maandagavond was gebeld, liep hij naar de woonkamer, waar Margaret en Steve Frawley naast elkaar op de bank zaten. 'De ontvoerder heeft een kwartier geleden tijdens het nieuws van CBS naar de televisie gebeld,' vertelde hij grimmig. 'Ze herhalen dat fragment nu op tv. Het is dezelfde band die ze vanochtend bij Katie Couric hebben laten horen, maar er is nog iets aan toegevoegd.'

Het is alsof je mensen in een ketel kokende olie gegooid ziet worden, dacht hij bij het zien van de pijn op hun gezicht toen ze een kinderstemmetje hoorden klagen: 'We willen naar huis...'

'Kelly,' fluisterde Margaret.

Het bleef even stil.

Daarna begon de tweeling te huilen.

Margaret begroef haar gezicht in haar handen. 'Ik kan dit niet... ik kan niet... ik kan niet...'

Het volgende moment grauwde een barse, overduidelijk vervormde stem: 'Ik had acht miljoen gezegd. Ik wil het nú hebben! Dit is jullie laatste kans.'

'Margaret,' onderbrak Walter Carlson de stem. Zijn toon dwong haar naar hem te luisteren. 'Er is een lichtpuntje. De ontvoerder praat met ons. Je hebt een bewijs dat de meisjes nog leven. We zullen ze vinden.'

'Weet je dan ook acht miljoen dollar losgeld op te hoesten?' informeerde Steve op bittere toon.

Carlson wist niet of hij het echtpaar al hoop mocht geven. Zijn collega Dom Picella, die aan het hoofd van een team FBI-agenten stond, had de dag doorgebracht bij C.F.G.&Y., de beleggingsmaatschappij waar Steve sinds kort werkte. Hij had Steves collega's ondervraagd om erachter te komen of ze iemand kenden die een hekel aan Steve had, of iemand wisten die Steves baan had willen hebben. Het bedrijf was onlangs negatief in het nieuws geweest wegens handel met voorkennis, en Picella had gehoord dat er halsoverkop een directievergadering was belegd waarin directeuren over de hele wereld zouden worden gebeld. Het gerucht ging dat het bedrijf overwoog om het losgeld voor de tweelingzusjes Frawley te betalen.

'Een van de secretaresses is een wandelend nieuwsblad,' had

Picella aan het einde van de middag tegen Carlson gezegd. 'Ze zegt dat het bedrijf voor schut staat door een paar stunts die ze hebben uitgehaald. Ze hebben net maar liefst vijfhonderd miljoen boete moeten betalen aan de beurscommissie en hebben heel veel negatieve publiciteit gehad. Zij denkt dat c.f.g.&y. zijn imago wil oppoetsen door het losgeld te betalen. Dat gaat sneller dan wanneer ze een hele batterij pr-bedrijven moeten inschakelen om hun reputatie te verbeteren. De directievergadering vindt vanavond om acht uur plaats.'

Carlson bekeek de Frawleys, die in de drie dagen na de ontvoering wel tien jaar ouder leken te zijn geworden. Ze waren allebei bleek, hadden zware, vermoeide ogen en lieten hun schouders hangen. Hij wist dat ze die dag allebei nog geen hap hadden gegeten. Uit ervaring wist hij dat dit meestal het moment was waarop familieleden kwamen opdraven, maar hij had Margaret aan de telefoon met haar moeder horen praten. Ze had haar moeder gesmeekt om in Florida te blijven. 'Ik heb er meer aan als je de hele dag voor me bidt,' had ze met gebroken stem gezegd, 'We houden jullie op de hoogte, maar ik denk niet dat ik ertegen kan als je hier op de bank met me komt meehuilen.'

Steves moeder had onlangs nieuwe knieën gekregen en kon niet reizen of alleen gelaten worden. De telefoon had roodgloeiend gestaan door telefoontjes van vrienden, maar die hadden allemaal te horen gekregen dat ze de lijn niet lang bezet mochten houden voor het geval de ontvoerders de Frawleys rechtstreeks belden.

Walter Carlson wist niet of hij er goed aan deed om er al over te beginnen, maar na een korte aarzeling zei hij: 'Margaret, Steve, ik hoop niet dat ik jullie blij maak met een dooie mus, maar de directeur van Steves bedrijf heeft vanavond een crisisvergadering voor directieleden belegd. Ik heb begrepen dat ze misschien gaan stemmen of ze het losgeld zullen betalen.'

Laat het alsjeblieft geen valse hoop zijn, bad hij, toen hij de hoop in hun ogen zag opvlammen. 'Ik weet niet hoe het met jullie is, maar ik heb honger,' zei hij. 'Jullie buurvrouw heeft de politie een briefje gegeven. Ze heeft voor jullie gekookt en wil het eten naar jullie toe laten brengen zodra jullie er zin in hebben.'

'Dan gaan we iets eten,' zei Steve gedecideerd. Hij keek naar Carlson. 'Ik weet dat het belachelijk klinkt. Ik werk nog maar net voor C.F.G.&Y., maar ik moet zeggen dat de gedachte al bij me was opgekomen dat ze misschien, heel misschien, wel bereid zouden zijn om ons het geld te geven. Acht miljoen dollar is een schijntje voor ze.'

O nee, dacht Carlson. Misschien is de halfbroer niet de enige rotte appel in deze familie. Zou Steve Frawley hierachter kunnen zitten?

11

Kathy en Kelly keken op van de bank. Ze hadden naar videobanden van Barney zitten kijken, maar Mona had overgeschakeld naar de televisie en luisterde naar het nieuws. Ze waren allebei bang voor Mona. Een poosje geleden had Harry een telefoontje gekregen en was hij tegen Mona gaan schreeuwen. Hij was boos dat ze kleren voor hen had gekocht.

'Hadden ze van jou soms drie dagen in hun pyjama moeten blijven lopen?' had Mona teruggeschreeuwd. 'Het is toch logisch dat ik wat kleren heb gekocht? Ik heb ook speelgoed en een paar videobanden van Barney aangeschaft. En voor het geval je het was vergeten, ik heb het ledikant bij een zorgwinkel gekocht. Ik heb trouwens ook cornflakes, sinaasappelsap en fruit gehaald. En nu moet je je kop houden en voor ons allemaal hamburgers gaan halen. Ik ben het zat om te koken. Begrepen?'

Op het moment dat Harry terugkwam met de hamburgers, hoorden ze de man op de televisie zeggen: 'We worden misschien gebeld door de ontvoerder van de tweelingzusjes Frawley.'

'Dat zijn wij,' fluisterde Kathy.

Ze luisterden en hoorden Kelly's stem op de televisie zeggen: 'We willen naar huis.'

Kathy vocht tegen haar tranen. 'Ik wil echt naar huis,' zei ze. 'Ik wil naar mama. Ik voel me niet lekker.'

'Ik begrijp geen woord van wat dat kind zegt,' mopperde Harry.

'Ik begrijp er soms ook niks van als ze met elkaar praten,' reageerde Angie kortaf. 'Dat is een speciaal tweelingentaaltje. Daar heb ik over gelezen.' Ze begon over iets anders. 'Waarom heeft de Rattenvanger niet gezegd waar ze het geld moeten achterlaten? Waar wacht hij op? Waarom zei hij nou: "Jullie horen nog van me?"'

'Bert zegt dat het een manier is om hun weerstand te slopen. Hij neemt morgen weer contact op.'

Clint/Harry stond nog steeds met de zak van McDonald's in zijn hand. 'Ik stel voor dat we die hamburgers opeten nu ze nog warm zijn. Kom maar aan tafel, kinderen.'

Kelly sprong van de bank, maar Kathy ging liggen en krulde zich op in foetushouding. 'Ik wil niet eten. Ik voel me niet lekker.'

Angie haastte zich naar de bank om aan Kathy's voorhoofd te voelen. 'Deze krijgt koorts.' Ze keek naar Clint. 'Eet vlug die hamburger op en ga dan wat kinderaspirine halen. We zitten er niet op te wachten dat er eentje longontsteking krijgt.'

Ze boog zich over Kathy. 'Niet huilen, lieverd. Mona zal wel voor je zorgen. Mona houdt van je.' Ze keek boos in de richting van de tafel, waar Kelly haar tanden in een hamburger had gezet. Daarna gaf ze Kathy een kusje op haar wang.

'Mona houdt het meest van jou, Kathy. Je bent liever dan je zusje. Je bent Mona's kleine meid, hè?'

12

In de directiekamer van C.F.G.&Y. op Park Avenue wachtte voorzitter en algemeen directeur Robinson Alan Geisler ongeduldig tot alle directieleden in andere steden hadden bevestigd dat ze hem konden horen. Als gevolg van de commotie rond de boete die de beurscommissie had opgelegd, liep zijn baan al gevaar. Geisler wist dat een verkeerde beslissing in de hartverscheurende zaak-Frawley hem de nekslag kon geven. Hij werkte al twintig jaar bij het bedrijf, maar hij bekleedde de toppositie pas elf maanden, en hij wist dat mensen hem nog steeds wantrouwden omdat hij nauw met de vorige directeur had samengewerkt.

De vraag was simpel. Als C.F.G.&Y. aanbood om het losgeld van acht miljoen dollar te betalen, was dat dan een fantastisch pr-gebaar, zoals sommige directieleden dachten, of was het een aanmoediging voor andere mensen om ook iemand te ontvoeren?

Gregg Stanford, de hoogste financieel directeur, dacht het laatste. 'Het is een tragedie, maar stel dat we betalen om de kinderen van Frawley terug te krijgen. Wat doen we dan als de vrouw of het kind van een andere werknemer wordt ontvoerd? We zijn een mondiaal bedrijf. Ik kan wel tien vestigingen op riskante locaties noemen waar zoiets zou kunnen gebeuren.'

Geisler wist dat minstens vijf van de vijftien directieleden die mening deelden. Maar wat zou men zeggen van een bedrijf dat net vijfhonderd miljoen boete had betaald, maar weigerde een fractie van dat bedrag te betalen om twee kleine meisjes te redden? Dat was de vraag die hij op tafel wilde leggen.

En als ik me vergis, als we het geld betalen en er volgende week weer een kind van een werknemer wordt ontvoerd, kost het mij de kop, dacht hij grimmig.

Op zijn zesenvijftigste had Rob Geisler eindelijk de baan die hij wilde hebben. Als klein, iel mannetje had hij alle vooroordelen moeten overwinnen die in de zakenwereld tegen kleine mensen bestonden. Hij had de top bereikt omdat hij bekendstond als financieel genie en had aangetoond dat hij wist hoe hij macht moest uitoefenen en consolideren. Maar op weg naar de top had hij talloze vijanden gemaakt, van wie er nu minstens drie bij hem aan tafel zaten.

Toen het laatste telefonisch vergaderende directielid zich had gemeld, richtten alle ógen zich op Geisler. 'We weten allemaal waarom we hier zijn,' zei hij bruusk. 'Ik weet heel goed dat sommigen van jullie vinden dat we voor ontvoerders door de knieën gaan als we aanbieden het geëiste losgeld te betalen.'

'Zo denkt een deel van ons er inderdaad over, Rob,' zei Gregg Stanford rustig. 'Dit bedrijf heeft al meer dan genoeg negatieve publiciteit gehad. We zouden niet eens moeten overwegen criminelen hun zin te geven.'

Geisler keek minachtend naar zijn collega. Hij deed niet eens moeite om te verbergen dat hij een hekel aan de man had. Op het eerste gezicht was Stanford het toonbeeld van een geslaagde zakenman met een toppositie. Hij was zesenveertig, een meter negentig lang en opvallend knap met zijn door de zon gebleekte, lichtbruine haar. Als hij lachte, wat hij veel en vaak deed, werd een rij perfecte tanden zichtbaar. Stanford was altijd onberispelijk gekleed en was altijd charmant, zelfs wanneer hij een vriend een achterbakse streek leverde. Hij was in het bedrijfsleven ingetrouwd: zijn derde en huidige echtgenote was een erfgename van de familie die tien procent van de aandelen van het bedrijf bezat.

Geisler wist dat Stanford op zijn baan aasde. Hij wist ook dat de media zich op hem zouden storten als Stanford in zijn onverzettelijke positie volhardde en het bedrijf bekendmaakte dat er geen losgeld werd betaald.

Hij knikte naar de secretaresse die notulen maakte. Ze stond op en zette de televisie aan. 'Ik wil dat jullie hier allemaal naar kijken,' zei hij bits. 'Daarna wil ik dat jullie je in de Frawleys verplaatsen.'

Hij had door de media-afdeling een videoband over het verloop van de ontvoering laten maken. De band toonde de buitenkant van het huis van de Frawleys, de wanhopige smeekbedes van de ouders op televisie, het telefoontje naar Katie Couric en het tweede telefoontje naar CBS. De band eindigde met het kleine kinderstemmetje dat zei: 'We willen naar huis.' Dat zinnetje werd nog gevolgd door het doodsbange gehuil van de tweeling en de dreigende eisen van de ontvoerders.

'De meesten van jullie hebben kinderen,' zei Geisler. 'We zouden in elk geval ons best kunnen doen om die kinderen te redden. Ik weet niet of het ons lukt. Ik weet ook niet of we het geld ooit nog terugkrijgen. Maar ik begrijp er niets van als jullie tegen het betalen van het losgeld stemmen.'

Alle hoofden draaiden zich in Gregg Stanfords richting om naar zijn reactie te kijken. 'Wie met pek omgaat, wordt ermee besmet. Ik vind dat we criminelen nooit hun zin mogen geven,' zei Stanford, terwijl hij naar de tafel keek en met zijn pen speelde.

Norman Bond was het volgende directielid dat zijn mening gaf. 'Ik heb Steve Frawley aangenomen en ik vind dat ik een uitstekende keuze heb gemaakt. Ik weet dat het daar nu niet over gaat, maar die jongen zal het hier ver schoppen. Ik vind dat we het losgeld moeten betalen, en ik wil erop aandringen dat het bestuur hier een unaniem besluit over neemt. Ik wil Gregg eraan herinneren dat J. Paul Getty jaren geleden weigerde losgeld voor een van zijn kleinkinderen te betalen, maar van gedachten veranderde toen hij het oor van zijn kleinzoon via de post kreeg opgestuurd. Deze kinderen lopen gevaar. Hoe sneller we iets doen om hen te redden, des te groter is de kans dat de ontvoerders niet in paniek raken en die meisjes iets aandoen.'

Deze steunbetuiging had Geisler niet verwacht, want tijdens bestuursvergaderingen had hij het vaak met Bond aan de stok. Bond had Frawley aangenomen terwijl drie andere mensen binnen het bedrijf stonden te trappelen om die baan te krijgen. Voor de juiste man was het een springplank naar de hoogste functies. Geisler had Bond gewaarschuwd dat het niet verstandig was om iemand van buitenaf aan te nemen, maar Bond had per se Frawley willen hebben. 'Hij heeft een MBA en hij heeft rechten gestudeerd,' had hij gezegd. 'Hij is slim en betrouwbaar.'

Geisler had min of meer verwacht dat Bond, die achter in de veertig was en na een kinderloos huwelijk was gescheiden, tegen zijn voorstel zou stemmen. Hij had gedacht dat Bond zich verantwoordelijk zou voelen, omdat het bedrijf niet in deze positie zou verkeren als Bond Frawley niet had aangenomen.

'Dank je, Norman,' zei hij. 'Voor diegenen die nog steeds niet weten of het wel verstandig is om als bedrijf een wanhopige werknemer te helpen, stel ik voor dat we de band nog een keer bekijken en dan stemmen.'

Om kwart voor negen werd het voorstel om het losgeld te betalen met veertien tegen een aangenomen. Geisler wendde zich tot Stanford. 'Ik wil een unaniem besluit,' zei hij ijzig. 'Daarna mag je je eigen mening laten horen, zoals gewoonlijk. Wat mij betreft laat je via een anonieme bron naar de pers uitlekken dat jij vindt dat het betalen van het losgeld de kinderen juist in gevaar zou kunnen brengen. Maar zolang ik hier de lakens uitdeel en jij niet, wil ik een unaniem besluit.'

De glimlach van Gregg Stanford leek wel een spottende

grijns. Hij knikte. 'Het wordt een unaniem besluit,' zei hij. 'En morgenochtend, wanneer je voor die bouwval van de Frawleys voor de media poseert, zijn de bestuursleden hier aan tafel vast wel bereid met je op de foto te gaan.'

'Jij ook, neem ik aan?' zei Geisler sarcastisch.

'Nee,' zei Stanford, terwijl hij opstond van zijn stoel. 'Ik laat mijn gezicht wel een andere keer aan de media zien.'

13

Margaret slaagde erin om een paar hapjes te eten van de gebraden kip die haar buurvrouw, Rena Chapman, had laten brengen. Terwijl Steve met Walter Carlson van de FBI de uitslag van de vergadering bij C.F.G.&Y. afwachtte, glipte ze naar boven, naar de slaapkamer van de tweeling.

Het was de enige kamer die ze helemaal hadden ingericht voordat ze in het huis trokken. Steve had de muren lichtblauw geschilderd en had een coupon witte vloerbedekking op de vale houten vloerplanken vastgeniet. Daarna waren ze zich te buiten gegaan aan een antiek wit hemelbed met bijpassende ladekast.

We wisten dat het onzin was om twee bedden te kopen, dacht Margaret. Ze ging op de lage, gestoffeerde stoel zitten, die in haar jeugd in haar eigen slaapkamer had gestaan. De meisjes kruipen toch bij elkaar, en het was weer een manier om geld uit te sparen.

De FBI had de lakens, dekens, sprei en kussenslopen meegenomen om ze op DNA te onderzoeken. Ze hadden het meubilair nagekeken op vingerafdrukken en hadden de kleding meegenomen die de tweeling na het feestje had gedragen. Die kleding was besnuffeld door politiehonden, die met hun verzorgers van de Connecticut State Police al drie dagen lang door de parken in de buurt liepen. Margaret wist wat dergelijke speurtochten betekenden. Het zou kunnen dat degene die de tweeling had meegenomen de meisjes meteen had vermoord en in de buurt had begraven. Maar dat geloof ik niet, zei ze bij zichzelf. Ze zijn niet dood! Als dat zo was, zou ik het voelen.

Toen het forensisch team zaterdag zijn taak had afgerond en zij en Steve hun smeekbede op tv hadden laten horen, was het een emotionele uitlaatklep geweest om naar boven te gaan, de slaapkamer van de meisjes schoon te maken en het bed met de andere set Assepoester-lakens op te maken. Margaret redeneerde dat de kinderen waarschijnlijk moe en bang zouden zijn als ze thuiskwamen. Als ze thuiskomen, ga ik samen met mijn meisjes in bed liggen tot ze rustig zijn.

Ze huiverde. Ik krijg het maar niet warm, dacht ze. Zelfs met een trui onder een joggingpak krijg ik het maar niet warm. Zo moet Anne Morrow Lindbergh zich ook hebben gevoeld toen haar kind werd ontvoerd. Ze schreef erover in een boek dat ik op de middelbare school heb gelezen. Het heette *Hour of Gold, Hour of Lead*.

Lead. Lood. Ik ben ook van lood. Ik wil mijn kinderen terug. Margaret stond op en liep naar de zitplaats bij het raam. Ze bukte zich en raapte eerst de ene en vervolgens de andere versleten teddybeer van de grond. Het waren de favoriete knuffelbeesten van de tweeling. Margaret drukte de teddyberen dicht tegen zich aan.

Toen ze uit het raam keek, zag ze tot haar verbazing dat het was gaan regenen. Het was de hele dag zonnig geweest - koud, maar zonnig. Kathy was een beetje verkouden geweest. Er welde een snik op in Margarets keel. Ze vocht tegen haar tranen en probeerde zich vast te houden aan wat Walter Carlson had gezegd.

Er zijn tientallen mensen van de FBI op zoek naar de tweeling. Op het hoofdkwartier van de FBI in Quantico doen agenten onderzoek naar mensen die een dossier wegens afpersing of misbruik van kinderen hebben. In de hele regio worden plegers van zedendelicten ondervraagd.

Laat dat alsjeblieft niet aan de orde zijn, dacht ze huiverend. Laat ze alsjeblieft met hun vingers van mijn kinderen afblijven.

Hoofdinspecteur Martinson stuurt politiemensen langs alle deuren om te vragen of ze misschien verdachte personen hebben gezien. Ze hebben zelfs de makelaar ondervraagd die ons dit huis heeft verkocht, om erachter te komen wie destijds nog meer belangstelling voor het huis had en op de hoogte van de indeling zou kunnen zijn. Hoofdinspecteur Martinson en Walter Carlson zeggen allebei dat ze vast een keer aanknopingspunten krijgen. Iemand moet iets hebben gezien. Ze zetten de foto's van de meisjes op folders en sturen die het hele land door. Hun foto's staan op internet. Ze staan op elke voorpagina.

Met de teddyberen in haar armen liep Margaret naar de kast. Ze deed de deur open en streek met haar hand over de fluwelen jurkjes die haar dochters op hun verjaardag hadden gedragen. Ze staarde er even naar. De meisjes hadden hun pyjama aangehad toen ze werden ontvoerd. Zouden ze die nu nog steeds dragen?

De deur van de slaapkamer ging open. Margaret draaide zich om en keek naar Steves gezicht. Bij het zien van de opgeluchte blik in zijn ogen wist ze dat zijn werkgever had aangeboden het losgeld te betalen. 'Ze maken het nieuws vanavond nog bekend,' zei hij. Hij had zo'n haast om het te vertellen dat hij bijna over zijn woorden struikelde. 'Morgenochtend komen de algemeen directeur en een paar directieleden hier om voor de camera met ons te poseren. Dan vragen we instructies hoe we het geld moeten afleveren, en eisen we een bewijs dat de meisjes nog leven.'

Hij aarzelde even. 'Margaret, de FBI wil dat we allebei een test met een leugendetector ondergaan.'

14

Op maandagavond zat Lucas in zijn appartement boven een sjofele ijzerhandel in de buurt van Main Street in Danbury televisie te kijken. Om kwart over negen werd de normale programmering onderbroken voor een extra nieuwsuitzending. C.F.G.&Y. had toegezegd het losgeld voor de tweeling van Frawley te betalen. Vrijwel meteen ging zijn telefoon. Lucas zette het recordertje aan dat hij had gekocht toen hij van het vliegveld naar huis reed.

'Het gaat beginnen,' fluisterde de hese stem.

Deep Throat, dacht Lucas sarcastisch. De politie heeft allerlei technische snufjes om stemmen te herkennen. Als er iets misgaat, heb ik een opname waarmee ik een deal kan sluiten. Dan verlink ik je.

'Ik zat al op de aankondiging te wachten,' zei hij.

'Een uur geleden heb ik Harry gebeld,' vertelde de Rattenvanger. 'Ik kon een van de kinderen horen huilen. Ben je er al geweest om te kijken of alles goed gaat?'

'Ik ben er gisteravond geweest. Volgens mij gaat alles goed.'

'Zorgt Mona goed voor de tweeling? Ik wil geen domme fouten.'

Die kans was te mooi om te laten liggen. 'Dat domme wijf zorgt zo goed voor die kinderen dat ze identieke setjes kleren voor ze heeft gekocht,' antwoordde Lucas.

De beller deed nu geen moeite meer om zijn stem onherkenbaar te maken. 'Waar?'

'Dat weet ik niet.'

'Is ze van plan om de kinderen netjes aan te kleden als we ze dumpen? Zodat de politie de kleding kan traceren en een of andere winkelbediende zegt: "Ja hoor, ik kan me de vrouw nog wel herinneren die twee dezelfde setjes kleren voor kinderen van drie heeft gekocht?"'

Lucas vond het prettig dat de Rattenvanger zich zo opwond,

want dat nam iets van zijn eigen knagende angst weg. Er kon van alles misgaan. Dat wist hij. Hij moest die zorgen met iemand delen. 'Ik heb tegen Harry gezegd dat hij haar thuis moet houden,' zei hij.

'Over achtenveertig uur is dit allemaal voorbij en zitten we gebakken,' zei de Rattenvanger. 'Morgen zoek ik contact om instructies over de betaling te geven. Woensdag halen jullie het geld op. Woensdagavond vertel ik je waar je de kinderen moet achterlaten. Zorg dat ze precies dezelfde kleren aanhebben als tijdens de ontvoering.'

De verbinding werd verbroken.

Lucas drukte op de knop om de opname te beëindigen. Jij wilt zeven miljoen en Clint en ik moeten één miljoen delen, dacht hij. Dat kun je op je buik schrijven, meneer de Rattenvanger.

15

Robinson Geisler zou dinsdagochtend om tien uur met Margaret en Steve Frawley de media te woord staan. Geen van de andere directieleden wilde bij de gebeurtenis aanwezig zijn. Een van hen zei tegen Geisler: 'Ik heb voor het betalen van het losgeld gestemd, maar ik heb zelf drie kleine kinderen. Ik wil niet dat iemand het idee krijgt om hen ook te ontvoeren.' Margaret deed die nacht nauwelijks een oog dicht en stond om zes uur op om een lange, warme douche te nemen. Terwijl het warme water over haar huid stroomde, hief ze haar gezicht op naar de douchekop, in de hoop dat de warme straal de ijzige kou in haar lichaam kon wegnemen. Daarna kroop ze in Steves dikke badjas weer in bed. Steve was al opgestaan en ging een rondje hardlopen. Om de pers te ontlopen, glipte hij door een aantal achtertuinen weg. Margaret was opeens doodmoe van de slapeloze nacht en merkte dat haar ogen dichtvielen.

Om negen uur maakte Steve haar wakker. Hij zette een dienblad met koffie, toast en sinaasappelsap op het nachtkastje en zei: 'Mr. Geisler is net gearriveerd. Tijd om je aan te kleden, lieverd. Ik ben blij dat je nog een paar uurtjes hebt geslapen. Ik kom je wel halen als het tijd is om naar buiten te gaan.'

Margaret dwong zichzelf om het sinaasappelsap op te drinken en een paar hapjes toast te nemen. Daarna nam ze een slokje van haar koffie en stond op om zich aan te kleden. Toen ze een zwarte spijkerbroek over haar benen omhoog wilde trekken, hield ze haar handen plotseling stil. Vorige week dinsdag ben ik 's avonds naar het outletwinkelcentrum aan Route 7 gegaan om feestjurkjes voor de meisjes te kopen, dacht ze. Ik ben toen ook even de sportzaak binnengerend om een nieuw joggingpak te kopen, een rood pak, omdat de tweeling mijn oude rode pak zo mooi vond. Misschien mogen ze van de mensen bij wie ze zijn televisie kijken. Misschien kunnen ze ons over een klein halfuurtje zien.

'Ik vind rood mooi omdat ik er blij van word,' had Kelly haar op plechtige toon verteld.

Dan trek ik vandaag voor de meisjes iets roods aan, dacht Margaret. Ze trok het nieuwe jasje en de broek van het hangertje. Terwijl ze zich vlug aankleedde, dacht ze aan wat Steve haar had verteld. Na de televisie-uitzending moesten ze de leugendetectortest ondergaan. Ze vroeg zich af hoe ze het in hun hoofd haalden dat Steve en zij hier iets mee te maken hadden.

Toen ze haar gymschoenen had gestrikt, maakte ze het bed op en ging ze met gebogen hoofd en gevouwen handen op de rand zitten. Lieve God, laat ze alsjeblieft veilig thuiskomen. Alsjeblieft. Alsjeblieft!

Ze had niet door dat Steve de slaapkamer binnen was gekomen tot ze hem hoorde vragen: 'Ben je klaar, lieverd?' Hij kwam naar haar toe, nam haar gezicht tussen zijn handen en gaf haar een kus. Daarna liet hij zijn vingers over haar schouders glijden en speelde met haar haren.

Margaret wist dat hij op het punt had gestaan om in te storten voordat ze het nieuws hadden gehoord dat zijn werkgever het losgeld zou betalen. Ze had die nacht gedacht dat hij sliep, maar op een gegeven moment had hij zachtjes gezegd: 'Mar, mijn broer is de enige reden waarom de FBI ons aan die leugendetector wil hebben. Ik weet wat ze denken. Ze denken dat Richie vrijdagochtend alleen maar naar mam in North Carolina is gereden om een alibi te hebben. Hij is al een jaar niet meer bij haar op bezoek geweest. En op het moment dat ik me tegen Carlson liet ontvallen dat ik me had afgevraagd of mijn baas het losgeld zou betalen, besefte ik dat ik op de lijst van verdachten was gezet. Maar Carlson doet gewoon zijn werk. Ik wil juist dat hij iedereen met de nodige achterdocht bekijkt.'

Het is Carlsons taak om mijn kinderen op te sporen, dacht Margaret, terwijl ze met Steve de trap af liep. In de gang liep ze naar Robinson Geisler toe. 'Ik ben u en uw bedrijf heel erg dankbaar,' zei ze. Steve deed de deur open en pakte haar hand toen de camera's begonnen te flitsen. Samen met Geisler liepen ze naar de tafel en stoelen die voor het interview waren klaargezet. Franklin Bailey, de man die had aangeboden om als contactpersoon op te treden, was tot Margarets genoegen ook aanwezig. Ze had hem voor het eerst op het postkantoor ontmoet, toen ze postzegels nodig had. Kelly was de deur uit gerend en Bailey had haar op de stoep tegengehouden voordat ze de drukke straat op kon rennen.

Het had die nacht geregend, maar het was inmiddels weer droog geworden. Op deze ochtend aan het einde van maart waren er al tekenen van de lente te bespeuren. Margaret keek met een wezenloze blik naar de verzamelde pers, de politieagenten die de toeschouwers op een afstandje hielden, en de rij van mediabusjes langs de weg. Ze had gehoord dat stervende mensen hun eigen situatie soms vanaf een afstandje zagen, alsof ze toeschouwers waren in plaats van deelnemers aan de gebeurtenissen om hen heen. Ze hoorde dat Robinson Geisler aanbood om het losgeld te betalen en dat Steve aandrong op bewijs dat de meisjes nog steeds in leven waren. Daarna hoorde ze Franklin Bailey zijn diensten als tussenpersoon aanbieden en langzaam zijn telefoonnummer opzeggen. 'Mrs. Frawley, wat is uw grootste angst nu u aan de eisen van de ontvoerder tegemoet bent gekomen?' vroeg iemand.

Wat een domme vraag, dacht Margaret, voordat ze antwoord gaf. 'Mijn grootste angst is natuurlijk dat er iets misgaat tussen het betalen van het losgeld en de terugkeer van onze kinderen. Hoe langer we het uitstellen, hoe groter de kans is dat er iets misgaat. Volgens mij begon Kathy verkouden te worden toen ze werd meegenomen. Ze heeft erg snel last van bronchitis. Toen ze nog een baby was, zijn we haar bijna kwijtgeraakt.' Ze staarde in de camera. 'Ik smeek u, breng haar alstublieft naar een dokter als ze ziek is, of geef haar anders medicijnen. De meisjes droegen alleen maar een pyjama toen u ze meenam.'

Haar stem stierf weg. Ik wist niet eens dat ik dat wilde zeggen, dacht ze. Waarom heb ik dat eigenlijk gezegd? Alles had een reden, maar de reden hiervoor wist ze niet meer. Het had iets te maken met de pyjama's.

Mr. Geisler, Steve en Franklin Bailey beantwoordden vragen. Er waren erg veel vragen. Stel dat de meisjes nu naar de televisie keken. Ik moet met ze praten, dacht Margaret. Ze onderbrak een journalist abrupt met de woorden: 'Ik hou van je, Kelly. Ik hou van je, Kathy. Ik beloof jullie dat we heel gauw een manier vinden om jullie weer thuis te krijgen.'

Toen de camera's zich op haar richtten, hield ze haar mond. Ze dwong zichzelf om de woorden in te slikken die bijna over haar lippen rolden: er is een bepaald verband dat ik nu niet zie! Er is me iets ontschoten!

16

Om vijf uur die middag bonsde de gepensioneerde rechter Benedict Sylvan op de deur van zijn buurman Franklin Bailey. Toen Bailey de deur openrukte, flapte de ademloze Sylvan er meteen uit: 'Franklin, ik ben net gebeld. Volgens mij was het de ontvoerder. Hij belt je over exact drie minuten bij mij thuis terug. Hij zei dat hij instructies voor je had.'

'Dan weet hij vast dat mijn telefoon wordt afgeluisterd,' zei Bailey. 'Daarom belt hij jou.'

De twee mannen renden over de grote grasvelden tussen hun huizen. Ze waren nog maar net bij de openstaande voordeur van de rechter toen de telefoon in de werkkamer begon te rinkelen. De rechter rende vooruit om op te nemen. Snakkend naar adem slaagde hij erin om uit te brengen: 'Ik heb Bailey bij me.' Daarna gaf hij de hoorn aan zijn buurman.

De beller stelde zich voor als de Rattenvanger. Zijn instructies waren kort en duidelijk: C.F.G.&Y. moest de volgende ochtend om tien uur telefonisch zeven miljoen dollar naar een buitenlandse rekening overmaken. Het overgebleven miljoen moest in contanten klaarstaan. Het moest uit gebruikte briefjes van vijftig en twintig bestaan en hun serienummers moesten willekeurig zijn. 'Als het geld is overgemaakt, volgen instructies waar de bankbiljetten moeten worden afgeleverd.'

Bailey had alles op een notitieblokje op het bureau van de rechter geschreven. 'We moeten bewijs hebben dat de meisjes nog leven,' zei hij met onvaste, gespannen stem.

'Hang nu op. Over een minuut hoort u de stem van de twee meisjes in het blauw.'

Franklin Bailey en rechter Sylvan staarden elkaar aan terwijl Bailey de hoorn op de haak legde. Even later begon de telefoon weer te rinkelen. Toen Bailey opnam, hoorde hij een kinderstemmetje zeggen: 'Hallo, Mr. Bailey, we hebben u vanochtend met papa en mama op tv gezien.'

Een tweede stemmetje fluisterde: 'Hallo, Mr...' Ze kon haar zin niet afmaken, omdat ze moest hoesten. Het was een hevige, blaffende hoest, die in Baileys hoofd bleef nagalmen toen de verbinding werd verbroken.

17

Terwijl de Rattenvanger Franklin Bailey instructies gaf, duwde Angie haar winkelwagentje door de gangen van drogisterij cvs. Ze zocht naar spullen die konden voorkomen dat Kathy nog zieker werd. Ze had al kinderaspirine, neusdruppeltjes, een ontsmettingsmiddel en een inhalator in haar karretje gegooid.

Toen ik klein was, deed mijn oma altijd Vick's in een inhalator, dacht ze. Zou dat nog steeds zo moeten? Misschien kan ik het beter aan Julio vragen. Dat is een goede apotheker. Toen Clint zijn schouder had verrekt, gaf Julio me precies het goede middeltje mee.

Ze wist dat Lucas een rolberoerte zou krijgen als hij wist dat ze spullen voor kleine kinderen kocht. Maar wat wil hij dan? Ik kan het kind moeilijk laten doodgaan, dacht ze.

Ze had die ochtend met Clint naar een interview op tv zitten kijken, waarin de baas van Steve Frawleys bedrijf had beloofd dat hij het losgeld zou betalen. Ze hadden de kinderen tijdens het programma in de slaapkamer gehouden, want ze wilden niet dat de kleintjes van streek zouden raken als ze hun vader en moeder op tv zagen.

Dat bleek een foute inschatting te zijn, want na het programma had de Rattenvanger gebeld om te zeggen dat ze een bandopname van de kinderen moesten maken. Daarop moesten de meisjes met Bailey praten alsof ze het programma hadden gezien, maar toen ze de kinderen in het mobieltje wilden laten praten, stribbelde Kelly, de lastigste van de twee, hevig tegen.

'We hebben die meneer niet gezien en we hebben papa en mama niet op tv gezien en we willen naar huis,' had ze volgehouden. En Kathy begon telkens te hoesten wanneer ze 'Hallo, Mr. Bailey' wilde zeggen.

Uiteindelijk hebben we Kelly zover gekregen dat ze meewerkte door te beloven dat we haar naar huis zouden brengen, dacht Angie. Toen Clint het bandje aan de Rattenvanger liet horen, zei deze dat het niet erg was dat Kathy maar een paar woorden had gezegd. Hij vond het leuk dat ze zo hevig moest hoesten. Hij maakte er een opname op zijn eigen telefoon van.

Toen ze haar karretje in de richting van de apotheekafdeling duwde, werd haar mond plotseling droog. Naast de toonbank hing een levensgrote foto van de tweeling. Met grote letters stond erboven: VERMIST. BELONING VOOR DEGENE DIE INFORMATIE HEEFT OVER HUN VERBLIJFPLAATS.

Er stond niemand in de rij en Julio wenkte haar. 'Hallo Angie,' zei hij. Hij wees naar de foto. 'Afschuwelijk hè, die ontvoering. Je vraagt je af wie zoiets doet.'

'Ja, het is afschuwelijk,' beaamde Angie.

'Ik ben blij dat je in Connecticut nog steeds de doodstraf kunt krijgen. Als er iets met die kinderen gebeurt, ben ik persoonlijk bereid om de dodelijke injectie voor die ellendige daders klaar te maken.' Hij schudde zijn hoofd. 'We kunnen alleen maar bidden dat ze weer veilig thuiskomen. Wat kan ik voor je doen, Angie?'

Omdat Angie voelde dat haar voorhoofd klam werd van de zenuwen, begon ze heel demonstratief in haar tas te rommelen. 'Niet veel,' antwoordde ze schouderophalend. 'Volgens mij ben ik het recept vergeten.' Zelfs in haar eigen oren klonk het als een slappe smoes.

'Ik kan je dokter wel even bellen.'

'Dat is aardig, maar die zit in New York. Ik weet dat hij nu niet in zijn praktijk aanwezig is. Ik kom wel een keer terug.'

Ze dacht terug aan die keer dat ze dat smeersel voor Clints schouder had gekregen. Ze had toen een paar minuten met Julio gebabbeld en verteld dat ze met Clint in de conciërgewoning van de countryclub woonde. Dat was al minstens zes maanden geleden, maar Julio had zich haar voornaam meteen herinnerd. Dan zou hij waarschijnlijk ook nog wel weten waar ze woonde.

Julio was een lange, Latijns-Amerikaanse man van haar leeftijd. Hij droeg een sexy bril, die zijn ogen accentueerde. Ze zag zijn blik even afdwalen naar de inhoud van haar karretje. Hij kon precies zien wat ze had ingeslagen. Kinderaspirine. Neusdruppels voor kinderen. Ontsmettingsmiddel. De inhalator.

Zou hij zich afvragen waarom ze spulletjes voor een ziek kind kocht? Angie probeerde die angstaanjagende vraag uit haar hoofd te zetten. Daar wilde ze liever niet over nadenken. Ze was hier gekomen met een missie. Ik koop gewoon een pot Vicks en stop wat in de inhalator, besloot ze. Toen ik klein was, werkte dat ook.

Ze haastte zich terug naar het derde gangpad, graaide een pot Vick's uit het schap en rende naar de kassa. Een van de kassa's was dicht en bij de andere stonden al zes mensen in de rij. Drie klanten werden vlug geholpen, maar toen riep de caissière: 'Mijn dienst zit erop. Heel even geduld, alstublieft.' Stomme trut, dacht Angie, toen de nieuwe caissière er eindeloos lang over deed om haar plaats achter de kassa in te nemen.

Schiet toch eens op, dacht ze, terwijl ze een ongeduldige duw tegen haar karretje gaf.

De klant vóór haar, een zwaargebouwde man met een volle winkelwagen, draaide zich naar haar om. Meteen maakte

55

zijn geërgerde blik plaats voor een brede grijns. 'Hallo Angie, probeer je me van mijn sokken te rijden?'

'Hallo, Gus.' Angie deed haar best om te glimlachen. Gus Svenson was een irritante kerel die Clint en zij soms tegenkwamen als ze in de Danbury Pub gingen eten. Gus was zo'n etter die altijd een praatje met de mensen aan de bar wilde aanknopen. Hij was een loodgieter met een eigen bedrijf en deed in het seizoen vaak klusjes op de golfclub. Het feit dat zij en Clint buiten het seizoen in de conciërgewoning woonden, was voor Gus aanleiding om te doen of ze iets belangrijks met elkaar gemeen hadden. Bloedbroeders omdat ze allebei vuil werk opknapten voor rijke mensen, dacht ze minachtend.

'Hoe gaat het met mijn maat Clint?' informeerde Gus.

Andere klanten draaiden zich naar hen om. Gus is met luidsprekers op zijn stembanden geboren, dacht Angie.

'Uitstekend, Gus. Hé, volgens mij zit die harde werker achter de kassa klaar om je te helpen.'

'Ik kom al, ik kom al.' Gus zette zijn aankopen op de toonbank, draaide zich om en keek in Angies karretje. 'Kinderaspirine. Neusdruppels voor kinderen. Hebben jullie soms een leuk nieuwtje voor me?'

Bij de apotheker had Angie al een onaangenaam gevoel gekregen, maar nu sloeg dat gevoel om in regelrechte angst. Lucas had gelijk, dacht ze. Ik moet niets voor de kinderen kopen, in elk geval niet op plaatsen waar ze me kennen. 'Doe niet zo mal, Gus,' snauwde ze. 'Ik pas op het kind van een vriendin, en het kind is verkouden aan het worden.'

'Dat wordt dan honderdtweeëntwintig dollar en achttien cent,' zei de caissière tegen Gus.

Hij pakte zijn portefeuille en haalde zijn creditcard eruit. 'Welja, of het me op de rug groeit.' Hij draaide zich om naar Angie. 'Luister, als jij met dat kind thuis moet blijven, heeft mijn oude maat Clint misschien wel zin om een paar biertjes met me te gaan drinken. Ik haal hem wel op. Dan hoef je je ook geen zorgen te maken of hij te veel drinkt. Je kent mij. Ik weet precies wanneer ik genoeg heb gedronken. Ik bel hem wel.'

Nog voordat ze iets kon zeggen, had hij zijn handtekening op het creditcardbonnetje gezet, zijn boodschappen verzameld en was hij al op weg naar de uitgang. Angie ramde de inhoud van haar karretje op de toonbank. Het totaalbedrag kwam uit op drieënveertig dollar. Ze wist dat ze maar vijfentwintig dollar in haar portemonnee had, dus ze zou haar creditcard moeten gebruiken. Daar had ze niet aan gedacht toen ze de inhalator uit het schap haalde.

Lucas had hun contant geld gegeven om het bedje te kopen. 'Dan kunnen ze nooit achterhalen wie de boodschappen heeft gedaan.' Dat zouden ze nu wel kunnen traceren. Ze had haar creditcard moeten gebruiken om de kinderkleertjes bij de outlet te kopen, en nu moest ze hem weer gebruiken.

Nog een paar dagen geduld, dacht ze, terwijl ze naar de uitgang liep. Bij de deur stond iemand van de beveiligingsdienst. Ze liet haar karretje staan en pakte haar boodschappen eruit. Nu zul je zien dat het alarm afgaat, dacht ze, terwijl ze langs de bewaker liep. Dat krijg je als die suffe caissières het spul niet scannen.

Nog hooguit twee dagen, dan hebben we het geld en kunnen we weg, dacht ze. Over de parkeerplaats liep ze naar Clints twaalf jaar oude Chevy-bus en stapte in. Naast haar reed net een Mercedes-Benz weg. In het licht van haar koplampen zag ze het type van de auto. Het was een SL500.

Kost waarschijnlijk meer dan honderdduizend dollar, dacht Angie. Misschien moeten wij er ook maar een kopen. Over twee dagen hebben we vijf keer zoveel, en allemaal in contant geld.

Tijdens de korte rit naar huis dacht ze na over de planning. Volgens Lucas zou de Rattenvanger morgen het overgemaakte geld krijgen. Morgenavond zouden ze een miljoen dollar cash ontvangen. Als ze alles hadden nageteld, zouden ze de kinderen donderdagochtend ergens afzetten en de ouders laten weten waar ze waren.

Dat is de planning van Lucas, dacht Angie. Maar de mijne ziet er heel anders uit.

18

Maart roert zijn staart, en woensdagochtend was het weer bitter koud geworden. In de eetkamer, waar Steve en Margaret met Walter Carlson en zijn collega Tony Realto zaten, liet de bijtende wind de ramen in hun sponningen rammelen.

Carlson vond dat hij niet het recht had om Franklin Baileys nieuws te verzachten. De ouders moesten weten dat een van hun dochters hevig hoestte, alsof ze bronchitis had. 'Steve en Margaret, ik weet dat het een angstaanjagende gedachte is dat Kathy ziek is,' zei hij. 'Anderzijds bewijst het dat Bailey heel goed heeft geluisterd. Jullie waren al bang dat Kathy verkouden begon te worden.'

'Denken jullie niet dat de Rattenvanger nu wel uitkijkt om Baileys buurman nog een keer te bellen?' vroeg Steve. 'Hij is vast slim genoeg om te weten dat jullie die lijn inmiddels afluisteren.'

'Steve, misdadigers maken fouten. Ze denken dat ze overal aan hebben gedacht, maar toch maken ze fouten.'

'Ik vraag me af of de daders Kathy iets geven om te voorkomen dat ze longontsteking krijgt.' Margarets stem brak toen ze de woorden uitsprak.

Carlson keek over de tafel naar haar. De huid van Margaret Frawley was krijtwit, en ze had dikke kringen onder haar donkerblauwe ogen. Telkens wanneer ze iets zei, perste ze haar lippen vlug op elkaar, alsof ze bang was voor wat er daarna over haar lippen zou rollen.

'Ik denk dat de daders de kinderen veilig willen teruggeven.'

Het was kwart voor tien. De Rattenvanger had gezegd dat hij om tien uur contact zou opnemen. Het gesprek aan tafel viel stil. Ze konden niets anders doen dan wachten.

Om tien uur kwam Rena Chapman aanhollen, de buurvrouw die voor de Frawleys had gekookt. 'Ik heb iemand aan de lijn die de FBI wil spreken, omdat hij belangrijke informatie over de tweeling heeft,' bracht ze ademloos uit tegen de politieman die buiten de wacht hield.

Met Steve en Margaret op hun hielen renden Carlson en Realto naar het huis van de familie Chapman. Carlson greep de telefoon en vertelde wie hij was.

'Hebt u pen en papier bij de hand?' vroeg de beller.

Carlson haalde zijn notitieboekje en pen uit zijn borstzak.

'Er moet zeven miljoen dollar worden overgemaakt op rekeningnummer 507964 van de Nemidonam Bank in Hongkong,' zei de Rattenvanger. 'U krijgt drie minuten de tijd om het te regelen. Zodra ik weet dat alles geregeld is, bel ik terug.'

'Het wordt meteen geregeld,' snauwde Carlson. Nog voordat hij zijn zin kon afmaken, werd de verbinding verbroken.

'Is het de ontvoerder?' wilde Margaret weten. 'Waren de meisjes bij hem?'

'Het was de ontvoerder. Hij heeft het niet over de meisjes gehad. Het ging alleen over het losgeld.' Carlson toetste het privénummer van Robinson Geisler in de directiekamer van C.F.G.&Y. in. Geisler had beloofd dat hij zou klaarstaan om de instructies over de geldoverdracht in ontvangst te nemen. Met zijn zakelijke, afgemeten stem herhaalde hij het rekeningnummer en de naam van de bank in Hongkong. 'Het geld wordt binnen een minuut op die rekening bijgeschreven, en de koffers met contant geld staan klaar om afgeleverd te worden,' verzekerde hij de FBI-agent.

Margaret luisterde terwijl Carlson instructies blafte naar de verbindingsgroep van de FBI. Hij wilde dat ze door middel van triangulatie probeerden te bepalen waar de Rattenvanger zich bevond wanneer hij de Chapmans terugbelde.

Hij is te slim om zich zo te laten pakken, dacht Margaret. Nu heeft hij zijn zeven miljoen dollar. Zouden we ooit nog iets van hem horen?

Carlson had haar en Steve uitgelegd dat sommige buitenlandse banken tegen een provisie elektronische overboekingen accepteerden en toestonden dat die bedragen vervolgens meteen weer naar een andere rekening werden overgemaakt.

Stel dat hij daarop uit is, dacht Margaret met een angstige knoop in haar maag. Stel dat we nooit meer iets van hem horen. Maar gisteren had Franklin Bailey de stemmen van de meisjes gehoord. Ze hadden gezegd dat ze ons met hem op tv hadden gezien. Gisterochtend leefden ze nog.

'Mr. Carlson. Vlug. Er is weer gebeld. Drie huizen verderop.'

Een politieman uit Ridgefield, die bij het huis van de Frawleys de wacht hield, was naar Rena Chapmans keuken gerend en kwam binnen zonder te kloppen.

De wind blies Margarets haren in haar ogen toen ze hand in hand met Steve achter Carlson en Realto aan naar een huis in de buurt rende. Ze had de bewoner nog nooit ontmoet, maar hij stond in zijn voortuin koortsachtig te gebaren dat ze binnen moesten komen.

De Rattenvanger had opgehangen, maar belde binnen een minuut terug. 'U bent erg verstandig geweest,' zei hij tegen Carlson. 'Bedankt voor het overgemaakte geld. Luister nu goed. Uw behulpzame vriend, Franklin Bailey, moet vanavond om acht uur voor het gebouw van Time Warner op Columbus Circle in Manhattan staan. Zeg dat hij een blauwe das moet dragen en een rode das in zijn zak moet stoppen. Hij moet de koffers met geld en een mobieltje bij zich hebben. Wat is het nummer van uw mobieltje, meneer de FBI-agent?'

'917-555-3291,' antwoordde Carlson.

'Ik herhaal het nummer: 917-555-3291. Geef uw mobieltje aan Franklin Bailey. Vergeet niet dat we hem in de gaten houden. Als u hem volgt, of degene die de koffers in ontvangst neemt arresteert, ziet u de tweeling nooit meer terug. Het alternatief is als volgt: wanneer we eenmaal hebben vastgesteld dat het geld echt is en dat het juiste bedrag is afgeleverd, krijgt iemand na middernacht een telefoontje waar u de tweeling kunt ophalen. Ze hebben veel last van heimwee en een van de meisjes heeft koorts. U kunt dus maar beter zorgen dat er niets misgaat.'

19

Margaret hield Steves arm stevig vast toen ze terug naar hun eigen huis liepen. Ze deed haar best om te geloven dat de tweeling binnen vierentwintig uur weer thuis zou zijn. Ik móét het gewoon geloven, zei ze tegen zichzelf. Ik hou van je, Kathy. Ik hou van je, Kelly. Ik hou van jullie.

In haar haast om in Rena Chapmans huis en vervolgens in het huis van de andere buurtbewoner te komen, had ze niet eens gezien dat er busjes met journalisten langs de weg stonden. Nu verdrongen de journalisten zich bij hun huis en riepen ze luid om een verklaring.

'Hebben de ontvoerders contact met u gezocht?'

'Is het losgeld betaald?'

'Hebt u een bewijs dat de tweeling nog leeft?'

'Op dit moment hebben we geen commentaar,' reageerde Carlson bruusk.

Margaret en Steve deden net of ze de schreeuwende stemmen niet hoorden en holden het tuinpad op. Op de veranda stond hoofdinspecteur Martinson op hen te wachten. Vanaf vrijdagavond was hij al met grote regelmaat in hun huis te vinden. Soms overlegde hij onder vier ogen met agenten van de FBI, soms was het gewoon prettig om zijn geruststellende aanwezigheid te voelen. Margaret wist dat de politie van Ridgefield en de staatspolitie van Connecticut honderden posters met een foto van de meisjes naast hun verjaardagstaart hadden verspreid. Margaret had er een zien hangen, vergezeld van de vraag: KENT U IEMAND DIE EEN ROYAL TYPEMACHINE HEEFT (GEHAD)?

Dat was het type machine waarop het losgeldbriefje voor de tweeling was getikt.

Gisteren hadden ze van Martinson gehoord dat de inwoners van Ridgefield tienduizend dollar beloning hadden uitgeloofd voor een tip die tot de veilige terugkeer van de tweeling kon leiden. Zou er iemand op dat bericht hebben gereageerd? Was er iemand naar voren gekomen die informatie voor hen had? Marty ziet eruit alsof hij van streek is, maar hij heeft vast geen slecht nieuws voor ons. Met die gedachte liep Margaret de gang van hun huis in. Hij weet vast nog niet dat er afspraken over de aflevering van het losgeld zijn gemaakt.

Alsof Martinson bang was dat de pers hun gesprek kon horen, wachtte hij tot ze in de woonkamer waren voordat hij het woord nam. 'We hebben een probleem,' zei hij. 'Franklin Bailey is vanochtend flauwgevallen. Hij is na een telefoontje van zijn huishoudster naar het ziekenhuis gebracht. Er was niets te zien op het hartfilmpje. Volgens zijn huisarts is hij door de stress gaan hyperventileren.'

'We hebben net van de ontvoerder gehoord dat Bailey vanavond om acht uur voor het gebouw van Time Warner moet staan,' grauwde Carlson. 'Als hij niet komt opdagen, denkt de dader dat we hem in de val willen laten lopen.'

'Maar hij móét daar vanavond staan!' Margaret hoorde de hysterische ondertoon in haar stem en beet zo hard op haar lip dat ze bloed proefde. 'Hij moet daar staan,' herhaalde ze nog eens fluisterend. Ze keek naar de foto van de tweeling, die aan de andere kant van de kamer op de piano stond. Mijn twee kleine meisjes in het blauw, dacht ze. O God, breng ze alstublieft weer veilig bij me terug.

'Dat is hij ook van plan,' zei Martinson. 'Hij wilde niet in het ziekenhuis blijven.' Hij wisselde een blik met de agenten.

Steve was degene die verwoordde wat ze allemaal dachten. 'Maar stel nu dat hij weer een inzinking heeft. Stel dat hij in de war raakt of flauwvalt wanneer hij instructies krijgt hoe hij het geld moet afleveren. Wat doen we dan? Als Bailey geen contact legt, krijgen we onze kinderen volgens de Rattenvanger nooit meer te zien.'

Agent Tony Realto zei niets over zijn toenemende bezorgdheid, die in zijn gedachten al bijna was uitgegroeid tot zekerheid. We hadden Bailey er nooit bij moeten betrekken. En waarom vond hij het toch zo belangrijk om zijn 'hulp' aan te bieden?

20

Woensdagochtend stond Lucas om tien voor halfelf uit het raam van zijn appartement te staren. Nerveus rookte hij zijn vijfde sigaret van die dag. Stel dat de Rattenvanger zijn zeven miljoen dollar incasseert en ons dumpt... Ik heb zijn stem op band, maar misschien is dat niet genoeg, dacht hij. Wat moeten we met de kinderen doen als hij ons nu laat zitten?

Zelfs als de Rattenvanger zich aan de afspraken houdt en regelt dat er een miljoen in contanten wordt afgeleverd, moeten Clint en ik het geld samen ophalen en hem smeren voordat ze ons kunnen pakken. Er gaat vast iets verkeerd. Lucas voelde het aan zijn water en vertrouwde doorgaans op zijn intuïtie. Zijn voorgevoelens waren ook uitgekomen toen hij nog minderjarig was en door de politie was gesnapt. Als volwassene had hij het voorgevoel genegeerd en daar met zes jaar gevangenisstraf voor moeten boeten. Bij die ene inbraak had hij van tevoren geweten dat hij niet naar binnen moest gaan, ook al was hij erin geslaagd om het alarm te omzeilen. Hij had gelijk gekregen. Er was nog een ander beveiligingssysteem geweest, en de camera's hadden al zijn handelingen vastgelegd. Als Clint en hij vanavond werden gepakt, kon hij levenslang krijgen.

En hoe ziek was dat ene kind? Als ze doodging, zagen de zaken er nog veel beroerder uit.

De telefoon ging. Het was de Rattenvanger. Lucas zette zijn recorder aan.

'Het verloopt allemaal volgens plan, Bert,' zei de Rattenvanger. 'Het geld is netjes overgemaakt. Het is me wel duidelijk dat de FBI de overdracht van de kinderen niet in gevaar zal brengen door je op de hielen te zitten.'

Hij liet zijn stem barser klinken dan normaal, alsof hij daardoor onherkenbaar zou worden. Lucas drukte zijn peuk uit in de vensterbank. Blijven praten, vriend, dacht hij.

'Nu komt het verder op jou neer,' vervolgde de Rattenvanger. 'Als je vanavond je geld wilt tellen, moet je heel goed naar mijn plan luisteren. Zoals je weet, moet je een voertuig stelen. Je hebt me verzekerd dat dat Harry geen moeite zal kosten.'

'Dat klopt. Dat is het enige waar hij goed in is.'

'We leggen vanavond om acht uur contact met Franklin Bailey, die op Columbus Circle voor het gebouw van Time Warner staat. Op dat tijdstip moeten Harry en jij op West Fifty-sixth Street staan, ter hoogte van de doorgang naar Fifty-seventh Street ten oosten van Sixth Avenue. Jullie zitten in het gestolen voertuig. Jullie hebben de kentekenplaten van die auto of dat busje vervangen door platen van een ander voertuig.'

'Geen probleem.'

'Verder doen we het als volgt.'

Lucas luisterde naar de instructies van de Rattenvanger. Hoewel hij het niet graag toegaf, moest hij erkennen dat het plan een goede kans van slagen had. Nadat hij de Rattenvanger nog eens ten overvloede had verzekerd dat hij zijn speciale mobieltje mee zou nemen, hoorde hij de klik ten teken dat de verbinding was verbroken.

Oké, dacht hij. Ik weet wat we moeten doen. Misschien werkt het wel. Terwijl hij een nieuwe sigaret opstak, ging zijn eigen mobieltje.

Omdat het toestel op het ladekastje in zijn slaapkamer lag, haastte hij zich naar het andere vertrek. 'Lucas,' klonk een zwakke, gespannen stem, 'met Franklin Bailey. Ik heb je vanavond nodig. Mocht je al een klusje hebben, regel daarvoor dan alsjeblieft vervanging. Ik moet om dringende redenen naar Manhattan en moet om acht uur op Columbus Circle staan.'

Lucas dacht koortsachtig na. Hij klemde het toestel tussen zijn oor en schouder en haalde tegelijkertijd een halfleeg pakje sigaretten uit zijn zak. 'Ik heb inderdaad een afspraak, maar misschien is er wel een mouw aan te passen. Hoe lang duurt uw afspraak, Mr. Bailey?'

'Dat weet ik niet.'

Lucas dacht aan de achterdochtige blik van de politieagent toen Bailey hem afgelopen vrijdag had gevraagd om naar het huis van de Frawleys te rijden om zijn hulp aan te bieden. Als de FBI het een goed idee vond als Bailey zijn eigen chauffeur meenam en die chauffeur vervolgens niet beschikbaar bleek te zijn, zouden ze zich kunnen afvragen wat er nu belangrijker was dan een opdracht van een vaste klant.

Ik kan deze klus niet weigeren, dacht Lucas. Hij deed zijn best om zijn gebruikelijke, inschikkelijke toon aan te slaan. 'Mr. Bailey, ik vraag wel iemand anders voor dat andere klusje. Hoe laat moet ik bij u zijn?'

'Om zes uur. Dan zijn we waarschijnlijk wel iets te vroeg, maar ik kan niet riskeren dat ik te laat kom.'

'Klokslag zes uur, meneer.'

Lucas gooide het mobieltje op zijn bed, liep in een paar tellen terug naar zijn sjofele woonkamer en pakte het andere mobieltje. Toen de Rattenvanger opnam, veegde Lucas nerveus het zweet van zijn voorhoofd en vertelde wat er was gebeurd. 'Ik kon niet weigeren, dus nu moeten we de plannen wijzigen.'

Hoewel de Rattenvanger nog steeds zijn best deed om onherkenbaar te klinken, was er een geamuseerde toon in zijn stem te bespeuren. 'Ja en nee, Bert. Je kon inderdaad niet weigeren, maar we veranderen onze plannen niet. Deze ontwikkeling zou juist heel gunstig kunnen zijn. Je bent zeker van plan om vanmiddag te gaan vliegen?'

'Ja, zodra ik de spullen bij Harry heb opgehaald.'

'Neem de typemachine mee waarop het losgeldbriefje is getikt, en vergeet de gekochte kleren en het speelgoed van de kinderen niet. Je mag in Harry's huis niet kunnen zien dat er kinderen zijn geweest.'

'Dat weet ik. Dat weet ik.' Dit deel van het plan hadden ze al doorgenomen.

'Zeg dat Harry me belt als hij een auto heeft geregeld. Jij belt mij zodra je Bailey voor het gebouw van Time Warner hebt afgezet. Dan zal ik je vertellen wat je daarna moet doen.'

21

Om halfelf zat Angie met de tweeling aan het ontbijt. Nu ze aan haar derde kop zwarte koffie bezig was, begon de mist in haar hoofd een beetje op te trekken. Ze had die nacht beroerd geslapen. Ze keek naar Kathy. Ze kon merken dat de aspirine en de inhalator het kind goed hadden gedaan. De slaapkamer rook nog steeds naar Vicks, maar de stoom had haar hoest een beetje losgemaakt. Toch was het meisje nog steeds flink ziek, en ze had die nacht veel wakker gelegen en om haar moeder gehuild. Ik ben moe, dacht Angie. Dood-moe. Gelukkig heeft het andere meisje vrij goed geslapen, al begon Kelly wel eens mee te hoesten als Kathy een flinke hoestbui kreeg.

'Wordt zij ook ziek?' had Clint wel vijf keer gevraagd.

'Nee. Ga slapen,' had Angie gecommandeerd. 'Ik wil dat je vanavond niet zit te suffen.'

Ze keek naar Kelly, die haar aanstaarde. Angie had zin om het brutale wicht een klap te geven. 'We willen naar huis,' bleef ze constant zeggen. 'Kathy en ik willen naar huis. Je had beloofd dat je ons naar huis zou brengen.'

Ik zal blij zijn als je eindelijk naar huis gaat, dacht Angie.

Het was duidelijk dat Clint bloednerveus was. Hij had zijn koffie meegenomen naar de bank bij de televisie en zijn vingers trommelden constant op het lelijke, aftandse ding dat een salontafel moest voorstellen. Hij had naar het nieuws gekeken omdat hij wilde weten of er nieuws over de ontvoering was, maar hij was verstandig genoeg geweest om het geluid met de afstandsbediening uit te zetten. De kinderen zaten met hun rug naar de tv.

Angie had cornflakes voor de kinderen klaargemaakt en Kelly had er wat van gegeten. Kathy had ook een paar kleine hapjes genomen. Angie moest erkennen dat ze allebei een wit gezichtje hadden en dat hun haren een puinhoop waren. Even overwoog ze om er een borstel doorheen te halen, tot ze bedacht dat ze geen zin had in gehuil als ze er klitten uit moest halen. Laat maar zitten, dacht ze.

Ze schoof haar stoel naar achteren. 'Zo, meiden. Tijd voor een dutje.'

Ze waren eraan gewend geraakt om meteen na het ontbijt weer in het ledikant te worden gelegd. Kathy tilde zelfs haar armen op om zich te laten optillen. Ze weet dat ik van haar hou, dacht Angie. Het volgende moment vloekte ze binnensmonds, omdat Kathy met haar elleboog tegen haar kommetje stootte en cornflakes en melk op haar pyjama morste.

Kathy begon te huilen. Het was een ziekelijk gejammer, dat eindigde in een hoestbui.

'Het is niet erg, het is niet erg,' gromde Angie. Ze vroeg zich af wat ze nu moest doen. Die eikel van een Lucas kon elk moment arriveren en hij zei dat ik die kinderen de hele dag in hun pyjama moest laten zitten. Misschien wordt het wel droog als ik een handdoek onder het natte gedeelte speld.

'Stil,' zei ze ongeduldig, terwijl ze Kathy optilde en met haar naar de slaapkamer liep. Haar eigen shirt werd nat van de kleddernatte pyjama. Kelly kwam van haar stoel af en liep met hen mee. Ze stak haar hand omhoog om zachtjes op haar zusjes voet te kloppen.

Angie legde Kathy in het ledikant en pakte een handdoek van de ladekast. Tegen de tijd dat ze de handdoek onder het pyjamajasje had vastgemaakt, was Kathy in een foetushouding gaan liggen en had ze haar duim in haar mond gestoken. Dat is iets nieuws, dacht Angie, terwijl ze Kelly optilde en haar in het ledikant legde.

Kelly krabbelde meteen overeind en pakte de spijltjes van het bed stevig beet. 'We willen nu naar huis,' zei ze. 'Dat had je beloofd.'

'Je gaat vanavond naar huis,' zei Angie. 'Dus hou nu maar gewoon je mond.'

De rolgordijnen in de slaapkamer waren helemaal dicht. Angie wilde er een omhoogtrekken, maar op het laatste moment bedacht ze zich. Als het hier donker blijft, vallen ze misschien wel in slaap, dacht ze. Ze liep terug naar de keuken en knalde de deur achter zich dicht, als waarschuwing aan Kelly dat ze zich netjes moest gedragen. Gisteravond, toen het kind het ledikant heen en weer wilde schudden, had Angie haar flink in haar arm geknepen om haar te laten voelen dat dat niet mocht.

Clint zat nog steeds televisie te kijken. Angie begon de tafel af te ruimen. 'Raap die Barney-banden eens op,' commandeerde ze, terwijl ze de borden in de gootsteen kwakte. 'Stop ze maar in die doos met de typemachine.'

De Rattenvanger, wie dat dan ook mocht zijn, had Lucas opgedragen om alle spullen die met de ontvoering in verband konden worden gebracht in zee te dumpen. 'Hij bedoelt de typemachine waarmee we het losgeldbriefje hebben getikt en alle kleren, speelgoed, lakens en dekentjes waar hun DNA op te vinden kan zijn,' had Lucas tegen Clint gezegd.

Ze weten geen van allen hoe goed dat in mijn plannen past, dacht Angie.

'Angie, deze doos is veel te groot,' protesteerde Clint. 'Het zal Lucas niet meevallen om dit ding te dumpen.'

'Hij is helemaal niet te groot,' bitste ze. 'Ik doe de inhalator er ook in. Kijk maar. Dat moest toch?'

'Jammer dat we het ledikant er niet in kunnen doen.'

'Als we de kinderen hebben afgezet, kun je naar huis gaan om dat ding uit elkaar te halen. Dan zorg je dat je het morgen ergens kwijtraakt.'

Twee uur later was ze voorbereid op Lucas' woedende reactie toen hij de doos zag. 'Konden jullie niets kleiners vinden?' blafte hij.

'Natuurlijk wel. Ik had zelfs naar de supermarkt kunnen gaan om er een te halen. Dan had ik kunnen zeggen waar ik hem voor nodig had en wat erin moest. Deze stond in de kelder. Je kunt er toch alles in kwijt?'

'Angie, volgens mij hebben we beneden wel kleinere dozen staan,' zei Clint bereidwillig.

'Ik heb deze doos nu al helemaal dichtgeplakt,' schreeuwde Angie. 'Hij doet het er maar mee.'

Het deed haar intens genoegen om Lucas even later de zware, grote doos naar zijn auto te zien zeulen.

22

Lila Jackson, een van de verkoopsters van Abby's Quality Discount aan Route 7, was in de ogen van haar familie en vrienden bijna een beroemdheid geworden. Zij was degene die Margaret Frawley twee dagen voor de ontvoering de blauwe fluwelen jurkjes voor de tweeling had verkocht.

Lila, een energieke, kleine vrouw van vierendertig, had recentelijk haar goedbetaalde baan als secretaresse bij een bedrijf in Manhattan opgezegd en was bij haar moeder ingetrokken, die weduwe was. Daarna was ze bij Abby's gaan werken. 'Ik besefte dat ik het vreselijk vond om achter een bureau te zitten,' legde ze aan haar verbaasde vrienden uit. 'Ik kreeg pas plezier in mijn werk toen ik parttime bij Bloomingdale's werkte. Ik ben dol op kleren. Ik vind het heel leuk om ze te verkopen. Zodra het kan, begin ik een eigen zaak.' Om die droom te verwezenlijken, volgde ze naast haar werk de benodigde cursussen.

Op de dag dat de nieuwsberichten melding maakten van de ontvoering had Lila zowel Margaret als de jurkjes op de foto's van de ontvoerde tweeling herkend.

'Ze was ontzettend aardig,' vertelde Lila ademloos aan een steeds groter wordende groep mensen, die het fascinerend vonden dat zij twee dagen voor de ontvoering contact had gehad met de moeder van de tweeling. 'Mrs. Frawley is een heel stijlvolle, rustige, aardige vrouw. En ze weet wat kwaliteit is. Ik vertelde haar dat dezelfde jurkjes bij Bergdorf's het hele seizoen vierhonderd dollar per stuk hadden gekost, en dat het echt een koopje was dat ze bij ons voor tweeënveertig dollar per stuk hingen. Ze zei dat dat nog te duur voor haar was, dus toen liet ik haar een aantal andere dingen zien. Toch kwam ze steeds weer terug op die twee jurkjes, en uiteindelijk heeft ze die ook gekocht. Ze moest een beetje lachen toen ze afrekende. Ze zei dat ze hoopte dat ze een mooie foto van haar kinderen kon maken voordat ze iets op de jurkjes knoeiden.'

Lila haalde alle details van hun ontmoeting naar boven. 'We hebben even gezellig staan babbelen,' zei ze. 'Ik vertelde Mrs. Frawley dat er net een andere mevrouw was geweest die twee dezelfde setjes kleren voor een tweeling had gekocht. Ik denk niet dat ze de moeder was, want ze wist niet precies welke maat ze moest hebben. Ze vroeg mij om raad en vertelde dat het om een driejarige tweeling van gemiddelde lengte ging.'

Toen Lila zich woensdagmorgen klaarmaakte om naar haar werk te gaan, volgde ze het nieuws op de televisie. Bij het zien van de videoband waarop Margaret en Steve Frawley halsoverkop naar het huis van een van hun buren renden, schudde ze meelevend haar hoofd. Even later zag ze het echtpaar naar een ander huis verderop rennen.

'Hoewel het echtpaar Frawley en de FBI niets willen bevestigen, lijkt het erop dat de Rattenvanger, zoals de ontvoerder zichzelf noemt, vanochtend via de telefoons van de buren met de Frawleys contact heeft opgenomen om zijn eisen omtrent het losgeld door te geven,' vertelde de nieuwslezer van CBS.

Lila keek naar een close-up van Margaret Frawley. Op haar gezicht waren haar verdriet en de vermoeide kringen onder haar ogen duidelijk te zien.

'Algemeen directeur Robinson Geisler van C.F.G.&Y. was niet beschikbaar voor commentaar op de vraag of er op dit moment geld wordt overgedragen,' vervolgde de verslaggever. 'Maar als dat wel het geval is, zijn de komende vierentwintig uur duidelijk van cruciaal belang. Het is de zesde dag van de ontvoering. Vorige week donderdag zijn Kathy en Kelly rond negen uur 's avonds uit hun slaapkamer weggehaald.'

Dan droegen ze op dat moment waarschijnlijk pyjama's, dacht Lila, terwijl ze haar autosleutel pakte. Het was een gedachte die haar tijdens de rit naar haar werk voortdurend bleef plagen. Ze bleef er ook nog aan denken toen ze haar jas ophing en een kam door haar dikke rode haren haalde, die door de wind op de parkeerplaats waren verwaaid. Nadat ze haar kaartje met de tekst WELKOM BIJ ABBY'S – MIJN NAAM IS LILA had opgespeld, liep ze naar het kantoortje van de boekhouding.

'Ik wil mijn verkopen van afgelopen woensdag nog even bekijken, Jean,' zei ze tegen de boekhoudster. Ik weet niet meer hoe die vrouw heette die kleertjes voor een tweeling kocht, dacht ze, maar het staat wel op het bonnetje. Ze kocht twee dezelfde tuinbroekjes, poloshirts, onderbroekjes en sokken. Ze kocht geen schoenen, omdat ze geen idee had welke maat ze moest nemen.

Binnen een paar minuten had ze gevonden wat ze zocht. Het bonnetje voor de kleren was ondertekend door Mrs. Clint Downes en was betaald met een Visa-creditcard. Lila dacht even na. Zal ik Jean vragen om Visa op te bellen en haar adres te vragen? Stel je niet aan, zei ze tegen zichzelf, voordat ze zich terug naar de winkel haastte.

Toch liep ze later terug naar de boekhoudster, omdat ze het onplezierige gevoel dat ze dit moest uitzoeken niet van zich af kon schudden. In het kantoortje vroeg ze Jean om het adres op te vragen van de vrouw die twee dezelfde setjes kleren voor een driejarige tweeling had gekocht.

'Geen probleem, Lila. Als ze moeilijk doen, zeg ik gewoon dat die mevrouw hier een pakje heeft laten liggen.'

'Bedankt, Jean.'

Bij Visa konden ze haar vertellen dat Mrs. Clint Downes op Orchard Avenue 100 in Danbury woonde.

Nu wist Lila helemaal niet meer wat ze moest doen, tot ze zich herinnerde dat een gepensioneerde politieman uit Danbury vanavond bij haar moeder kwam eten. Ze zou de hele kwestie aan deze Jim Gilbert voorleggen.

Toen ze thuiskwam, bleek haar moeder met het eten te hebben gewacht. Ze zat in de studeerkamer met Jim Gilbert een cocktail te drinken. Lila schonk voor zichzelf een glas wijn in en ging met haar rug naar het vuur op de ombouw van de open haard zitten. 'Jim, waarschijnlijk heeft moeder je wel verteld dat ik die blauwe fluwelen jurkjes aan Margaret Frawley heb verkocht.'

'Ja, dat heb ik gehoord.' Jim was maar een klein mannetje en Lila vond zijn diepe bariton helemaal niet bij hem passen. Zijn vriendelijke gezicht kreeg een hardere uitdrukking toen hij verder ging. 'Let op mijn woorden: ze krijgen die kinderen helemaal niet meer terug, dood of levend. Ik denk dat ze allang het land uit zijn en dat dat losgeld alleen als afleidingsmanoeuvre dient.'

'Jim, ik weet dat het heel raar klinkt, maar een paar minuten voordat ik die jurkjes aan Margaret Frawley verkocht, heb ik een vrouw geholpen die twee dezelfde setjes kleren voor driejarige meisjes kocht. Ze wist niet eens welke maat ze moest hebben.'

'Wat wil je daarmee zeggen?'

Lila besloot het erop te wagen. 'Ik bedoel, zou het niet frappant zijn als die vrouw bij de ontvoering betrokken was en kleertjes kocht omdat ze wist dat ze die nodig zouden hebben? De tweelingdochters van de familie Frawley zijn in hun pyjama meegenomen. Kinderen van die leeftijd knoeien veel. Ze kunnen niet vijf dagen lang dezelfde kleren hebben gedragen.'

'Lila, je fantasie slaat op hol,' reageerde Jim Gilbert glimlachend. 'Weet je hoeveel soortgelijke tips bij de politie van Ridgefield en de FBI binnenkomen?'

'De vrouw heet Mrs. Clint Downes en ze woont op Orchard Avenue 100 hier in Danbury,' hield Lila vol. 'Ik heb zin om naar haar toe te rijden en aan te bellen met een smoes dat een van de poloshirts uit een zending met fabricagefouten kwam.

Al was het alleen maar om mijn eigen nieuwsgierigheid te bevredigen.'

'Lila, hou jij je nou maar bij de mode. Ik ken Clint Downes. Hij is conciërge van de club en woont in een huisje op het terrein. Orchard Avenue 100 is het adres van de club. Was het een magere vrouw met een slordige paardenstaart?'

'Ja.'

'Dat is Angie, Clints vriendin. Ze heeft misschien getekend als Mrs. Downes, maar zij en Clint zijn niet getrouwd. Ze past vaak op kinderen van anderen. Schrap die twee maar van je verdachtenlijstje, Lila. Het bestaat niet dat ze zo'n ontvoering hebben georganiseerd. Daar zijn ze gewoon te dom voor.'

23

Lucas wist dat Charley Fox, die nog maar net als monteur op het vliegveld werkte, naar hem stond te kijken terwijl hij met de grote doos in zijn armen in het vliegtuig stapte. Hij vraagt zich af waarom ik zoiets meeneem, en daarna beseft hij dat ik die doos ga dumpen, zei hij tegen zichzelf. Daarna bedenkt hij dat ik de inhoud dus erg graag kwijt wil, of dat ik ergens drugs naartoe breng. Dus de eerstvolgende keer dat er een politieagent komt vragen of er verdachte figuren op het vliegveld zijn geweest, vertelt hij hem over mij.

Toch moest hij toegeven dat het een goed idee was om alle sporen van de tweeling uit het huis te verwijderen. Hij zette de doos met een plof op de stoel van de copiloot. Vanavond, als we de kinderen hebben afgezet, help ik Clint om het ledikant uit elkaar te halen en gooien we de losse onderdelen weg. Het DNA van de kinderen is natuurlijk over de hele matras te vinden.

Toen hij voor vertrek al zijn instrumenten controleerde, verscheen er een zuur glimlachje op zijn gezicht. Hij had ergens gelezen dat eeneiige tweelingen hetzelfde DNA hadden. Dan kunnen ze dus hooguit bewijzen dat we een van die meisjes hadden, dacht hij. Dat is boffen!

Het waaide nog steeds hard. Het was geen ideale dag om met een licht toestel te gaan vliegen, maar Lucas vond het altijd prettig als er een zeker risico aan vastzat. Vandaag zou het de aandacht afleiden van zijn groeiende bezorgdheid over de gebeurtenissen van die avond. Laat dat contante geld toch zitten, fluisterde een stemmetje in zijn achterhoofd voortdurend. Zeg tegen de Rattenvanger dat hij ons een miljoen van het overgemaakte geld moet betalen. Dump de kinderen op een plaats waar ze gevonden zullen worden. Op die manier weet je zeker dat je niet wordt achtervolgd en wordt gepakt.

Maar daar gaat de Rattenvanger natuurlijk niet mee akkoord, dacht Lucas bitter, toen hij de wielen van het vliegtuig van de grond voelde loskomen. Het moet ons vanavond lukken om het geld op te halen, want anders zitten we met lege handen. Als we worden gepakt, zitten we zelfs met een aanklacht wegens ontvoering.

Het was een korte vlucht, net lang genoeg om een paar kilometer boven zee te komen. Hij hield de knuppel stevig tussen zijn knieën vast, minderde vaart en wist zijn handen met de nodige moeite om de doos heen te krijgen. Daarna trok hij de doos op schoot en deed de deur voorzichtig open. Vervolgens gaf hij de doos een zetje en keek het ding tijdens de val na. Onder hem was de oceaan grijs en ruw. De doos verdween tussen de golven en zond een fontein van schuim de lucht in. Lucas trok de deur dicht en legde zijn hand om de knuppel. En nu op naar het zware werk, dacht hij.

Na de landing op het vliegveld zag hij Charley Fox niet meer. Mooi zo, dacht hij. Nu weet Fox niet of ik met die doos ben teruggekomen.

Het was bijna vier uur. De wind nam in kracht af, maar boven zijn hoofd vormden zich dreigende wolken. Was het gunstig als het ging regenen, of maakte dat de klus juist lastiger? Lucas liep naar de parkeerplaats en stapte in zijn auto. Daar bleef hij even zitten piekeren over de vraag of het beter was als het droog bleef. We zullen wel zien, dacht hij uiteindelijk. Nu moest hij de limousine uit de garage gaan halen en ermee naar de wasstraat rijden, zodat de auto er voor Mr. Bailey piekfijn uitzag. Als de FBI toevallig bij Bailey thuis was, zou hij op die manier kunnen laten zien dat hij een plichtsgetrouwe chauffeur was. Niet meer en niet minder.

Daarnaast gaf het hem iets te doen. Als hij nu in zijn appartement moest afwachten, werd hij gek. Hij knikte en draaide de contactsleutel om.

Twee uur later reed een fris gewassen en keurig geschoren Lucas in zijn nette chauffeursuniform met zijn schone, opgepoetste limousine de oprit van Franklin Baileys huis op.

24

'Margaret, voor zover de technologie kan nagaan, heb je niets met de verdwijning van de tweeling te maken,' zei agent Carlson. 'De uitslag van je tweede leugendetectortest laat geen duidelijk resultaat zien en was zelfs nog vager dan je eerste. Dat zou aan je emotionele toestand kunnen liggen. In tegenstelling tot alles wat je in boeken leest en op de televisie ziet, zijn leugendetectortests helemaal niet altijd betrouwbaar. Daarom mogen ze bij een rechtszaak ook niet als bewijsmateriaal worden gebruikt.'

'Wat zeg je nu allemaal?' Margarets toon klonk bijna onverschillig. Het doet er allemaal niet toe, dacht ze. Toen ik de test onderging, begreep ik de vragen nauwelijks. Het was een brij van woorden. Een uur geleden had ze op Steves dringende verzoek een kalmeringsmiddel genomen dat de dokter had voorgeschreven. Hoewel ze eigenlijk om de vier uur een tablet moest nemen, was dit haar eerste van vandaag. Ze vond het niet prettig dat ze er zo'n zweverig gevoel van kreeg. Het kostte haar moeite zich op de woorden van de FBI-agent te concentreren.

'Bij beide tests is gevraagd of je wist wie achter de ontvoering zat,' herhaalde Walter Carlson kalm. 'Toen je zei dat je dat niet wist, gaf de leugendetector de tweede keer aan dat je loog.' Hij hief zijn hand op toen hij zag dat ze wilde protesteren. 'Nee, Margaret, luister. We weten dat je niet liegt, maar het zou kunnen dat je onbewust iemand verdenkt van medeplichtigheid. Zonder dat je het zelf weet, beïnvloedt dat je testresultaten.'

Het wordt donker, dacht Margaret. Het is zeven uur. Over een uur staat Franklin Bailey bij het gebouw van Time Warner te wachten tot iemand hem benadert. Als hij het geld aflevert, krijg ik mijn kinderen vanavond misschien terug.

'Margaret, luister,' klonk Steves stem dringend.

Margaret hoorde dat de ketel met water begon te fluiten. Rena Chapman was langs geweest met een macaronischotel met kaas en plakjes gebraden Virginia-ham. We hebben fijne buren, dacht ze. Ik heb nog nauwelijks de kans gehad om ze te leren kennen. Als we de tweeling terug hebben, nodig ik iedereen uit om ze te bedanken.

'Margaret, ik wil dat je nog eens kijkt naar de dossiers van een aantal cliënten die je hebt verdedigd,' zei Carlson. 'We hebben er drie of vier mensen uitgehaald, die jou de schuld gaven van het feit dat ze hun proces hadden verloren.'

Margaret dwong zichzelf om zich op de namen van de verdachten te concentreren. 'Ik heb die mensen zo goed mogelijk verdedigd. Het bewijsmateriaal sprak voor zich,' zei ze. 'Ze waren allemaal schuldig en ik had geregeld dat ze in ruil voor een schuldbekentenis strafvermindering konden krijgen. Ze weigerden mee te werken. Toen ze tijdens hun proces schuldig werden bevonden, kregen ze zwaardere straffen dan de gevangenisstraf die ze bij een schuldbekentenis zouden hebben gekregen. Daarvan gaven ze mij de schuld. Dat gebeurt vaak met pro-Deoadvocaten.'

'Donny Mars heeft zich na zijn veroordeling in zijn cel opgehangen,' drong Carlson aan. 'Tijdens zijn begrafenis schreeuwde zijn moeder: "Wacht maar tot Frawley zelf ervaart wat het is om een kind kwijt te raken."'

'Dat was vier jaar geleden, lang voordat de meisjes werden geboren,' zei Margaret. 'Dat mens was hysterisch.'

'Dat zou kunnen, maar ze lijkt in het niets te zijn verdwenen. Haar andere zoon ook. Denk je dat je haar in je onderbewustzijn verdenkt?'

'Ze was hysterisch,' herhaalde Margaret rustig. Het verbaasde haar dat ze zo nuchter kon klinken. 'Donny was manisch-depressief. Ik heb de rechter gesmeekt om hem naar een ziekenhuis te sturen. Hij had medische zorg nodig. Zijn broer bood later schriftelijk zijn verontschuldigingen aan voor wat zijn moeder had gezegd. Ze meende het niet.' Ze sloot haar ogen en deed ze langzaam weer open.

'Nu weet ik weer wat ik me verder nog probeerde te herinneren,' zei ze abrupt.

Carlson en Steve staarden haar aan. Ze is er met haar gedachten niet meer bij, dacht Carlson. Het kalmeringsmiddel begint te werken en ze wordt slaperig. Haar stem werd zachter en hij moest zich naar voren buigen om haar te kunnen verstaan. 'Ik moet dokter Harris bellen,' fluisterde Margaret. 'Kathy is ziek. Als we de meisjes terugkrijgen, wil ik dat dokter Harris Kathy behandelt.'

Carlson keek naar Steve. 'Is dokter Harris een kinderarts?'

'Ja. Ze werkt in het New York-Presbyterian in Manhattan en heeft veel over het gedragspatroon van tweelingen gepubliceerd. Toen we wisten dat we een tweeling kregen, heeft

Margaret haar gebeld. Sindsdien gaan we met de meisjes altijd naar haar.'

'Als we weten waar we de meisjes kunnen ophalen, worden ze meteen in een nabijgelegen ziekenhuis onderzocht,' zei Carlson. 'Misschien kunnen we afspreken dat dokter Harris ook naar dat ziekenhuis komt.'

We praten erover alsof we zeker weten dat we de tweeling terugkrijgen, dacht Steve. Zouden ze nog steeds hun pyjama dragen? Hij draaide zijn hoofd naar het raam, waar de regen tegenaan begon te striemen. Daarna keek hij naar Carlson. Hij dacht dat hij wist waar Carlson aan dacht. De regen zou het moeilijker maken om de ontvoerders in de gaten te houden.

FBI-agent Walter Carlson dacht helemaal niet aan het weer. Hij concentreerde zich op wat Margaret zojuist had gezegd. 'Nu weet ik weer wat ik me verder nog probeerde te herinneren.' Concentreer je, Margaret, dacht hij. Wat speelde er nog meer door je hoofd? Misschien was het wel de sleutel waarmee we dit kunnen oplossen. Probeer het terug te halen voordat het te laat is.

25

De rit van Ridgefield naar Manhattan duurde een uur en een kwartier. Om kwart over zeven zat Franklin Bailey in elkaar gedoken op de achterbank van de limousine, die Lucas op Central Park South had geparkeerd. Het gebouw van Time Warner stond een straat verder.

Het was inmiddels hard gaan regenen. Tijdens de rit naar de stad had Bailey nerveus uitgelegd waarom hij per se had gewild dat Lucas voor hem klaarstond. 'Van de FBI moet ik straks uit de auto stappen. Ze weten dat de ontvoerders zullen denken dat ik een FBI-agent bij me heb. Ik weet niet of de daders ons thuis in de gaten hebben gehouden, maar als dat wel het geval is, begrijpen ze bij het zien van mijn vaste limousine en chauffeur misschien dat we alleen maar die kinderen veilig terug willen hebben.'

'Dat begrijp ik, Mr. Bailey,' zei Lucas.

'Ik weet dat het in de buurt van Time Warner wemelt van de FBI-mensen. Ze lopen er rond en rijden er met taxi's of in hun eigen auto langs. Ze staan allemaal klaar om mij te volgen als ik instructies krijg,' vertelde Bailey nerveus en met trillende stem.

Lucas keek in zijn achteruitkijkspiegel. Hij ziet er net zo zenuwachtig uit als ik me voel, dacht hij bitter. Dit is gewoon een valstrik voor Clint en mij. De FBI staat klaar om de val dicht te laten klappen. Misschien slaan ze Angie op dit moment al in de boeien.

'Lucas, heb je je mobieltje bij je?' vroeg Bailey voor de tiende keer.

'Ja, meneer.'

'Ik bel je zodra het geld is overgedragen. Blijf je hier in de buurt staan?'

'Ja, meneer. Ik sta klaar om u op te pikken, waar u ook bent.'

'Ik weet dat een van de FBI-agenten straks met ons meerijdt. Ze willen graag dat ik de contactpersoon van de ontvoerders omschrijf. Dat kan ik me wel voorstellen, maar ik heb gezegd dat ik met mijn eigen auto wil rijden.' Bailey grinnikte halfslachtig. 'Ik bedoel natuurlijk jouw auto, Lucas. Niet de mijne.'

'Die auto staat altijd tot uw beschikking, Mr. Bailey.' Lucas voelde zijn handpalmen vochtig worden en wreef ze over elkaar. Ik wou dat de zaak aan het rollen ging, dacht hij. Ik ben het beu om te wachten.

Om twee minuten voor acht parkeerde hij de auto voor het gebouw van Time Warner. Hij drukte op het knopje van de achterbak, sprong uit de auto en maakte het portier voor

Bailey open. Zijn blik bleef even op de twee koffers rusten toen hij ze uit de kofferbak hees.

De FBI-agent die bij Bailey thuis was geweest, had de koffers en een bagagekarretje in de kofferbak gelegd. 'Zorg dat je de koffers op het karretje zet als je Mr. Bailey afzet,' had hij tegen Lucas gezegd. 'Ze zijn zo zwaar dat hij ze niet kan dragen.'

Lucas' handen jeukten om er met de koffers vandoor te gaan, maar hij zette ze op het karretje en maakte ze vast aan het handvat.

De regen kwam inmiddels met bakken omlaag en Bailey zette zijn kraag omhoog. Hij had een pet opgezet, maar zijn hoofd was al nat geworden en er hingen witte sliertjes haar op zijn voorhoofd. Uit zijn zak haalde hij het mobieltje van Walter Carlson, dat hij bezorgd tegen zijn oor hield.

'Ik moet gaan, Mr. Bailey,' zei Lucas. 'Veel succes. Ik wacht tot ik iets van u hoor.'

'Dank je. Dank je wel, Lucas.'

Lucas stapte in de limousine en keek vlug rond. Bailey stond bij het trottoir. Het verkeer reed langzaam Columbus Circle rond. Op elke straathoek probeerden mensen tevergeefs taxi's aan te houden. Lucas startte de auto en reed langzaam terug naar Central Park South. Zoals hij wel had verwacht, kon hij daar geen parkeerplaats vinden. Hij sloeg rechts af op Seventh Avenue en deed dat op Fifty-fifth Street nog een keer. Tussen Eighth en Ninth Avenue parkeerde hij de auto voor een brandkraan en wachtte op een telefoontje van de Rattenvanger.

26

De kinderen hadden het grootste gedeelte van de middag liggen slapen. Toen ze wakker werden, zag Angie dat Kathy rode, warme wangen had. Blijkbaar kreeg het meisje weer koorts. Ik had haar niet in die natte pyjama moeten laten liggen, dacht Angie, terwijl ze aan het kledingstuk voelde. Het jasje is nog steeds nat. Toch wachtte ze tot Clint om vijf uur wegging voordat ze Kathy een tuinbroekje en poloshirt aantrok. Ze had instructies gekregen om de kleren weg te gooien, maar ze had een setje bewaard.

'Ik wil ook kleren aan,' protesteerde Kelly. Bij het zien van Angies woedende blik richtte ze haar aandacht weer op de televisie en het programma op Nickelodeon.

Om zeven uur belde Clint om te zeggen dat hij in New Jersey een nieuwe auto had gekocht, een zwarte Toyota. Daarmee bedoelde hij dat hij een auto had gestolen en van kentekenplaten uit New Jersey had voorzien. Hij beëindigde het gesprek met de woorden: 'Maak je maar geen zorgen, Angie. Vanavond vieren we feest.'

Reken maar, dacht Angie bij zichzelf.

Om acht uur legde ze de tweeling weer in het ledikant. Kathy ademde zwaar en was nog steeds warm. Angie gaf haar nog een aspirientje, waarna het meisje met opgetrokken knietjes en met haar duim in haar mond weer ging liggen. Op dit moment maken Clint en Lucas contact met degene die het geld heeft, dacht ze met kriebels in haar buik.

Kelly zat rechtop en had haar armen om haar zusje geslagen. De blauwe pyjama met teddybeertjes die ze sinds gisteravond droeg, was gekreukt en de bovenste knoopjes waren losgegaan. Het tuinbroekje van Kathy was donkerblauw en het poloshirt blauw-wit geruit.

'Twee meisjes in het blauw, knul,' begon Angie te zingen. 'Twee meisjes in 't blauw gekleed...'

Kelly keek met ernstige ogen naar haar op toen Angie de laatste regel van het refrein twee keer zong: 'Nu zien we elkaar niet meer.'

Angie knipte het licht uit, deed de slaapkamerdeur achter

zich dicht en liep naar de woonkamer. Wat is het hier griezelig netjes, dacht ze sarcastisch. Netter dan het lange tijd is geweest. Toch had ik er goed aan gedaan om die inhalator te houden. Het is Lucas' schuld dat dat ding nu weg is.

Ze keek op de klok. Het was tien over acht. Het enige wat Clint over de overdracht van het losgeld wist, was dat hij om acht uur in een gestolen auto in de buurt van Columbus Circle moest staan. Als het goed was, had de Rattenvanger het zaakje inmiddels aan het rollen gebracht.

Clint had geen opdracht gekregen om een wapen in zijn zak te steken, maar op Angies aanraden had hij er toch een meegenomen. 'Je weet maar nooit,' had ze tegen hem gezegd. 'Stel dat je met het geld probeert te vluchten en dat iemand je achtervolgt. Je kunt goed schieten. Als je echt in de problemen komt, kun je op de benen van de agent of de banden van zijn auto mikken.'

Nu zat Clints niet-geregistreerde pistool in zijn zak.

Angie zette een pot koffie, ging op de bank zitten en zette het nieuwskanaal op de televisie aan. Met een kop gloeiend hete koffie in de ene hand en een sigaret in de andere keek ze gespannen naar de nieuwslezer, die vertelde dat de familie Frawley het losgeld op dit moment misschien wel aan de ontvoerders overdroeg. 'Onze website wordt overspoeld met berichten van mensen die bidden dat de twee meisjes in het blauw heel gauw met hun diepbedroefde ouders worden herenigd.'

Angie begon te lachen. 'Schrijf dat maar op je buik, vriend,' zei ze grijnzend tegen de ernstig kijkende nieuwslezer.

27

Een recent artikel in een tijdschrift had haar omschreven als 'een vrouw van drieënzestig met wijze, meelevende lichtbruine ogen, dik, golvend grijs haar, en een mollig lichaam dat baby's en peuters heerlijk op schoot kan nemen'. Dokter Sylvia Harris was het hoofd van de afdeling kindergeneeskunde in het New York-Presbyterian in Manhattan. Toen het nieuws over de ontvoering bekend werd, had ze geprobeerd of ze Steve en Margaret Frawley kon bereiken. Dat was niet gelukt en ze had alleen een boodschap kunnen achterlaten. Teleurgesteld had ze Steves werk gebeld en aan zijn secretaresse gevraagd of ze aan Steve wilde doorgeven dat iedereen in haar omgeving op haar verzoek voor de veilige terugkeer van de tweeling zou bidden.

Sinds de ontvoering, nu vijf dagen geleden, had ze al haar gewone afspraken laten doorgaan. Ze had al haar rondes door het ziekenhuis gelopen, maar de tweeling was geen moment uit haar gedachten geweest.

De herinnering aan haar eerste contact met Margaret Frawley was als een videoband die constant werd afgespeeld. Drieënhalf jaar geleden had Margaret haar op een middag aan het einde van de herfst gebeld om een afspraak bij haar te maken. 'Hoe oud is uw baby?' had Sylvia aan Margaret gevraagd.

'Ik ben op 24 maart uitgerekend,' had Margaret opgetogen geantwoord. 'Ik heb net te horen gekregen dat ik een tweeling verwacht, twee meisjes. Ik heb een aantal van uw artikelen over tweelingen gelezen. Daarom wil ik graag dat u straks hun kinderarts wordt.'

Toen de Frawleys langskwamen om kennis met haar te maken, had het meteen tussen hen geklikt. Nog voordat de tweeling was geboren, was hun relatie met dokter Harris uitgegroeid tot een warme vriendschap. Sylvia had de aanstaande ouders een stapel boeken over de speciale band tussen tweelingen gegeven, en het echtpaar kwam vaak luisteren als ze een lezing over het onderwerp gaf. Ze waren gefascineerd door Sylvia's voorbeelden van eeneiige tweelingen die, zelfs als ze zich op verschillende continenten bevonden, elkaars lichamelijke pijn konden voelen of telepathisch contact met elkaar hadden.

Toen Kathy en Kelly blakend van gezondheid ter wereld kwamen, waren Steve en Margaret in de wolken geweest. En ik ook, als arts én als vriendin, dacht Sylvia nu, terwijl ze haar bureau afsloot en zich klaarmaakte om naar huis te gaan. Steve en Margaret gaven me de kans om een tweeling vanaf het moment van hun geboorte te bestuderen. De meisjes hebben alles bevestigd wat ik ooit over de band tussen tweelingen heb geschreven. Ze dacht aan de keer dat Steve en Margaret halsoverkop met Kathy naar haar toe waren gekomen, omdat de verkoudheid van het meisje was overgegaan in bronchitis. Steve was met Kelly in de wachtkamer gebleven. Sylvia herinnerde zich dat Kelly in de wachtkamer was gaan krijsen op het moment dat zij Kathy in de behandelkamer een injectie gaf. Dergelijke dingen waren nog veel vaker voorgekomen. Tijdens de afgelopen drie jaar heeft Margaret een dagboek voor me bijgehouden. Ik heb talloze keren tegen haar en Steve gezegd dat Josh het fantastisch zou hebben gevonden om ook bij het onderzoek betrokken te zijn en voor de meisjes te zorgen.

Ze had Steve en Margaret over haar overleden echtgenoot verteld en gezegd dat hun relatie haar aan het begin van haar eigen huwelijk deed denken. De Frawleys hadden elkaar tijdens hun rechtenstudie ontmoet, zij had Josh tijdens hun studie geneeskunde aan Columbia leren kennen. Het verschil was dat de Frawleys een tweeling hadden gekregen, terwijl Josh en haar helaas nooit kinderen waren gegund. Na hun studie hadden Josh en zij zich als kinderarts gevestigd. Josh was pas tweeënveertig geweest toen hij vertelde dat hij vreselijk moe was. Onderzoek wees uit dat hij een ongeneeslijke vorm van longkanker had, een ironisch lot dat Sylvia alleen door haar rotsvaste geloof zonder bitterheid had kunnen accepteren.

'Ik heb hem maar één keer kwaad zien worden op een patiënt, en dat was toen een moeder binnenkwam met kleren die naar sigaretten roken,' had ze Steve en Margaret verteld. 'Ik hoorde Josh ijzig vragen: "Rookt u in het bijzijn van deze baby? Beseft u wel hoe schadelijk dat voor haar is? U moet daar onmiddellijk mee ophouden!" '

Op televisie had Margaret gezegd dat ze bang was dat Kathy verkouden begon te worden. Daarna had de ontvoerder een bandje met de stemmen van de tweeling afgedraaid en hadden ze een van de meisjes horen hoesten. Kathy is erg vatbaar voor longontsteking, dacht Sylvia. De kans dat een ontvoerder met haar naar een dokter gaat, is erg klein. Misschien moet ik het politiebureau in Ridgefield bellen en uitleggen dat ik de kinderarts van de tweeling ben. Misschien kunnen zij ervoor zorgen dat de televisie een bericht uitzendt met voorzorgsmaatregelen die de ontvoerders kunnen nemen als Kathy koorts heeft.

Haar telefoon begon te rinkelen. Even overwoog ze om het antwoordapparaat te laten opnemen, maar in een opwelling stak ze haar hand uit naar de hoorn. Het was Margaret, die bijna als een robot klonk.

'Dokter Sylvia, het losgeld wordt op dit moment betaald. We denken dat het niet lang meer duurt voordat we de meisjes terugkrijgen. Kunt u misschien naar ons toe komen om op dat moment bij ons te zijn? Ik weet dat het veel gevraagd is, maar we weten niet hoe ze eraan toe zijn. Ik weet alleen dat Kathy vreselijk hoest.'

'Ik ben onderweg,' zei Sylvia Harris. 'Geef me maar iemand aan de lijn die kan vertellen hoe ik naar jullie huis moet rijden.'

28

Het mobieltje in Franklin Baileys hand ging over. Met trillende vingers klapte hij het open en hield het tegen zijn oor. 'Met Franklin Bailey,' zei hij. Hij voelde dat zijn mond droog werd.

'Mr. Bailey, u reageert zeer alert. Heel goed van u.' De stem klonk als een hees gefluister. 'Ik wil dat u nu over Eighth Avenue in de richting van Fifty-seventh Street loopt. Bij Fifty-seventh slaat u rechts af en loopt u westwaarts naar Ninth Avenue. Wacht op de noordwestelijke hoek. U wordt bij elke stap in de gaten gehouden. Ik bel u over vijf minuten weer.'

FBI-agent Angus Sommers was aangekleed als een vuile, sjofele dakloze. Hij zat ineengedoken op de stoep en leunde tegen de architectonische curiositeit die ooit het Huntington Hartford Museum was geweest. Naast hem stond een groezelig wagentje vol oude kleren en kranten, waar een stuk plastic overheen was gelegd. Het wagentje bood hem enige beschutting voor het geval hij zelf in de gaten werd gehouden. Zijn mobieltje en die van de tientallen andere FBI-mensen in de buurt waren geprogrammeerd om het telefoontje van de Rattenvanger naar Franklin Bailey af te luisteren. Nu keek hij naar Bailey, die het bagagekarretje achter zich aan over de straat sleepte. Zelfs vanuit de verte kon Sommers zien dat Bailey hard moest trekken om de zware koffers vooruit te krijgen. De oud-burgemeester was inmiddels al kleddernat van de regen, die nu met bakken uit de hemel kwam.

Sommers kneep zijn ogen tot spleetjes en keek het gebied rond Columbus Circle rond. Bevonden de ontvoerder en zijn handlangers zich tussen alle mensen die zich met hun paraplu naar hun plaats van bestemming haastten? Of handelde de ontvoerder in zijn eentje? Zou hij Bailey heel New York door sturen om te kijken wie hem volgde en of hij die mensen kon afschudden?

Toen Bailey uit zijn gezichtsveld verdween, stond Sommers langzaam op. Hij duwde zijn karretje naar de hoek van de straat en wachtte tot het stoplicht op groen sprong. Hij wist dat camera's op het gebouw van Time Warner en de rotonde alle gebeurtenissen keurig vastlegden.

Hij stak Fifty-eighth Street over en sloeg links af. Daar nam een jongere collega, die ook als dakloze was aangekleed, het karretje van hem over. Sommers stapte in een van de auto's van de FBI en werd twee minuten later in een Burberry-regenjas met bijpassend hoedje voor de Holiday Inn op Fifty-seventh Street afgezet. Van daaruit was het nog maar een paar honderd meter naar Ninth Avenue.

'Bert, met de Rattenvanger. Waar ben je nu?'
'Ik sta voor een brandkraan op Fifty-fifth Street, tussen Eighth en Ninth. Ik kan hier niet lang blijven staan en ik moet u waarschuwen. Volgens Bailey wemelt het hier van de FBI-mensen.'
'Ik had niet anders verwacht. Rij naar Tenth Avenue en rij van daaruit oostwaarts over Fifty-sixth Street. Zodra je een parkeerplaatsje ziet, moet je de auto aan de kant zetten en op mijn volgende instructies wachten.'

Een paar tellen later ging het mobieltje van Clint over. Hij stond in zijn gestolen auto op West Sixty-first Street en kreeg van de Rattenvanger precies dezelfde instructies.

Franklin Bailey wachtte op de noordwestelijke hoek van Ninth Avenue en Fifty-seventh Street. Hij was inmiddels doornat geregend en was buiten adem van het gesleep met de zware koffers. Zelfs de wetenschap dat hij bij elke stap door de FBI in de gaten werd gehouden, was niet voldoende om zijn zenuwen over het kat-en-muisspelletje met de ontvoerders weg te nemen. Toen de telefoon ging, beefde zijn hand zo hevig dat hij het toestel uit zijn hand liet vallen. Hij kon alleen maar bidden dat het niet kapot was toen hij het openklapte en zei: 'Ik ben er.'

'Dat zie ik. Loop nu door naar Fifty-ninth Street en Tenth Avenue. Ga in de noordwestelijke hoek het filiaal van Duane Reade binnen. Koop een mobieltje met een prepaidkaart en een rol vuilniszakken. Ik bel u over tien minuten.'

Hij wil dat Bailey onze telefoon weggooit, dacht Sommers, die op de oprit van de Holiday Inn het gesprek afluisterde. Als hij Bailey met zijn ogen kan volgen, zit hij misschien wel in een van die appartementencomplexen hier. Hij keek naar een taxi, die aan de andere kant van de straat stopte om een man en een vrouw af te zetten. Hij wist dat er wel tien FBI-agenten als taxichauffeur rondreden, en dat hun passagiers ook collega's van hem waren. De bedoeling was om de zogenaamde passagiers in de buurt van Bailey af te zetten. Als hij dan opdracht kreeg om een taxi aan te houden, viel het niet zo op dat er onmiddellijk een beschikbaar was. Nu probeerde de Rattenvanger ervoor te zorgen dat iedereen die Bailey volgde meteen in het oog viel.

Nu moet hij nog vier straten met die zware koffers door de regen lopen, dacht Sommers bezorgd. Hij keek Bailey na, die volgens de instructies van de Rattenvanger in noordelijke richting liep. Hopelijk viel de man niet flauw voordat hij het geld kon overhandigen.

Er stopte een taxi met kentekenplaten van 'Taxi and Limousine Commission' langs de kant van de weg. Sommers rende erheen. 'We rijden Columbus Circle rond,' zei hij tegen zijn collega achter het stuur. 'Parkeer de taxi daarna ter hoogte van Sixtieth Street op Tenth.'

Het kostte Franklin Bailey tien minuten om zijn bestemming te bereiken en het filiaal van Duane Reade binnen te gaan. Toen hij buitenkwam, had hij in zijn ene hand een pakje en in zijn andere hand een mobieltje. De FBI kon niet meer horen wat de Rattenvanger hem opdroeg. Sommers zag Bailey in een auto met chauffeur stappen en wegrijden.

In het filiaal van Duane Reade liep Mike Benzara langs de kassa. Hij studeerde aan Fordham University op Lincoln Center en werkte parttime als vakkenvuller. Hij stond stil toen hij tussen het snoep en de kauwgom op de toonbank een mobieltje zag liggen. Mooi ding, dacht hij, toen hij het aan de caissière gaf. 'Jammer dat je niet alles mag houden wat je vindt,' grapte hij.

'Dat is nu al de tweede vandaag,' zei de caissière, die het toestel van hem aannam en in de la onder de kassa gooide. 'Ik durf te wedden dat het van die oude man was die met die koffers sleepte. Zodra hij dat mobieltje en die vuilniszakken had afgerekend, begon de telefoon in zijn zak te rinkelen. Hij vroeg mij of ik zijn nieuwe nummer aan de beller wilde doorgeven. Hij zei dat hij niet de goede bril op had om het nummer te lezen.'

'Misschien heeft hij een vriendin en wil hij niet dat zijn vrouw haar nummer vindt als ze de rekening ziet.'

'Nee, hij had een man aan de lijn. Waarschijnlijk zijn bookmaker.'

'Er staat buiten een personenwagen op u te wachten,' had de Rattenvanger tegen Bailey gezegd. 'Uw naam staat op een bordje voor het raam aan de passagierskant. U kunt gerust instappen. Het is auto 142 van de Excel Driving Service. De auto is op uw naam gereserveerd en al betaald. Zorg dat u de koffers van het bagagekarretje haalt en vraag de chauffeur om ze bij u op de achterbank te zetten.'

Excel-chauffeur Angel Rosario reed naar de hoek van Fifty-ninth Street en Tenth Avenue en stond stil naast een geparkeerde auto. De oude man die een bagagekarretje over het trottoir sleepte en door de ramen van de geparkeerde auto's tuurde, moest zijn passagier zijn. Angel sprong uit zijn auto.

'Mr. Bailey?'

'Ja. Ja.'

Angel stak zijn hand uit naar het handvat van het karretje. 'Ik zal de kofferbak voor u openmaken, meneer.'

'Nee, ik moet nog iets uit de koffers halen. Zet ze maar op de achterbank.'

'Maar ze zijn nat,' protesteerde Angel.

'Dan zet je ze maar op de grond,' snauwde Bailey. 'Doe nu maar gewoon wat ik zeg. Opschieten.'

'Oké, oké. Denk om uw hart.' Angel reed nu al twintig jaar voor Excel en had in die tijd heel wat rare passagiers gehad. Deze oude man baarde hem zorgen, want hij zag eruit alsof hij op het punt stond om een hartaanval te krijgen. Angel was niet van plan hem het laatste zetje te geven door met hem in discussie te gaan. Bovendien had hij meer kans op een goede fooi als hij meewerkte. Baileys kleren waren doorweekt, maar Angel zag dat hij dure spullen droeg. Zijn stem had een beschaafde klank, in tegenstelling tot die van zijn laatste passagier, een vrouw die kwaad was geworden omdat Angel zijn meter had laten doorlopen toen hij even moest wachten. Haar stem had als een snerpende cirkelzaag geklonken.

Angel deed het achterportier open, maar Bailey wilde niet instappen totdat het riempje van het bagagekarretje was losgemaakt en de koffers op de vloer van de auto stonden. Ik zou dat karretje op zijn schoot moeten leggen, dacht Angel, terwijl hij het ding opvouwde en voor in de auto gooide. Hij sloot het portier, rende om de auto heen en stapte in. 'U moest toch naar het Brooklyn Museum, meneer?'

'Dat was de instructie.' Het was tegelijkertijd een vraag en een antwoord.

'Ja. We gaan uw vriend ophalen en daarna breng ik u tweeën naar het Pierre Hotel. Ik moet u wel waarschuwen. Het zal wel even duren. Er is veel verkeer op de weg en de regen maakt het er niet beter op.'

'Dat begrijp ik.'

Toen Angel de auto startte, ging Franklin Baileys nieuwe mobieltje over. 'Hebt u uw chauffeur gevonden?' vroeg de Rattenvanger.

'Ja. Ik zit in de auto.'

'Doe het geld van de koffers over in twee vuilniszakken. Bind de zakken dicht met de blauwe stropdas die u draagt en de rode die u moest meenemen. Ik bel u zo terug.'

Het was tien over halfnegen.

29

Om kwart over negen ging de telefoon in Clints huis. Het harde, rinkelende geluid joeg Angie de stuipen op het lijf. Ze had net de slaapkamerdeur opengedaan om een kijkje bij de kinderen te nemen. Vlug trok ze de deur weer dicht en rende naar de telefoon om op te nemen. Ze wist dat het Clint niet kon zijn, want die belde haar altijd op haar mobieltje. Ze nam de hoorn van de haak. 'Hallo?'

'Angie, ik ben beledigd, echt zwáár beledigd. Ik dacht dat mijn oude maat Clint me gisteren zou bellen om samen een biertje te gaan drinken.'

O nee, dacht Angie. Het was die sukkel van een Gus, en aan de achtergrondgeluiden kon ze horen dat hij in de Danbury Pub was. En jij wist nog wel wanneer je genoeg had gedronken, dacht Angie, luisterend naar zijn aangeschoten stem. Ze wist dat ze dit voorzichtig moest aanpakken, want Gus had wel eens onuitgenodigd op de stoep gestaan, gewoon omdat hij het gezellig vond om langs te komen.

'Hallo, Gus.' Ze deed haar best om vriendelijk te klinken.

'Heeft Clint je niet gebeld? Dat had ik hem nog zo gevraagd. Hij voelde zich gisteravond niet lekker en is vroeg naar bed gegaan.'

In de slaapkamer begon Kathy met luide, jammerlijke uithalen te huilen. Angie besefte dat ze zo'n haast had gehad om naar de telefoon te rennen dat ze de deur niet helemaal had dichtgedaan. Ze probeerde haar hand op de telefoon te houden, maar het was al te laat.

'Is dat het kind waar je op moet passen? Ik hoor het huilen.'

'Ja, dat is inderdaad het kind waar ik op moet passen, en ik moet nu even gaan kijken wat er aan de hand is. Clint is naar Yonkers, omdat daar een auto te koop stond die hij wilde bekijken. Ik zal tegen hem zeggen dat hij morgenavond iets met je moet gaan drinken.'

'Jullie kunnen wel een nieuwe auto gebruiken. Die van jullie is een oude rammelbak.'

'Zeg dat wel. Gus, je hoort dat het kind huilt. Reken morgenavond maar op Clint, oké?

Angie wilde het gesprek beëindigen, maar voordat de hoorn op de haak lag begon Kelly te schreeuwen. Ze was wakker geworden van Kathy en riep nu: 'Mammie, mammie!'

Zou Gus beseffen dat hij twee kinderen hoorde, of was hij daar al te dronken voor? Bezorgd vroeg Angie zich af of hij twee verschillende stemmen had gehoord. Het was echt iets voor hem om terug te bellen. Het was wel duidelijk dat hij met iemand wilde praten. Ze liep naar de slaapkamer, waar de twee meisjes rechtop in bed stonden en met hun handjes om de spijlen luidkeels om hun moeder schreeuwden. Ik kan een van jullie in elk geval de mond snoeren, dacht Angie. Ze trok een sok uit een la en bond die om Kelly's mond.

30

Agent Angus Sommers hield zijn mobiele telefoon tegen zijn oor. Net als zijn collega Ben Taglione, die achter het stuur zat, hield hij zijn blik strak op de auto met Franklin Bailey gericht. Toen Sommers het logo van de Excel Driving Service zag, had hij meteen de telefonist van het bedrijf gebeld. Auto 142 was op naam van Bailey gehuurd en met diens creditcard van American Express betaald. De auto was onderweg naar het Brooklyn Museum om een passagier op te halen en zou daarna naar het Pierre Hotel aan Sixty-first Street en Fifth Avenue rijden.

Dat gaat allemaal veel te makkelijk, dacht Sommers. Zo dacht de rest van het ontvoeringsteam er ook over, maar toch was een tiental FBI-agenten al onderweg naar het museum. Een paar andere collega's stonden op de uitkijk bij het Pierre.

Sommers vroeg zich af hoe de Rattenvanger aan het creditcardnummer van Bailey was gekomen. Hij kreeg steeds sterker het gevoel dat de ontvoerder iemand moest zijn die de familie Frawley kende, maar hij had nu geen tijd om daarbij stil te staan. Nu moesten ze eerst zorgen dat ze de meisjes terugkregen. Daarna konden ze hun aandacht op de daders richten.

Er reden nog vijf auto's met FBI-agenten achter Bailey aan. Op de West Side Drive was het verkeer bijna tot stilstand gekomen. Dat vond Sommers vervelend, want misschien werd degene die op het afgesproken punt het geld in ontvangst moest nemen wel erg nerveus als hij lang moest wachten. Hij wist dat zijn collega's en hij zich daar allemaal zorgen over maakten. Het was van cruciaal belang dat het geld werd overgedragen voordat de dader of daders in paniek raakten. Als dat gebeurde, kon niemand voorspellen wat het lot van de tweeling zou zijn.

Op de plaats waar vroeger de afslag van de West Side Highway naar het World Trade Center was geweest, werd duidelijk waarom het verkeer niet opschoot. Er had een aanrijding plaatsgevonden en er waren twee rijbanen afgezet. Toen ze eindelijk centimeter voor centimeter langs de beschadigde auto's waren geschoven, reed het verkeer veel vlotter door. Sommers leunde naar voren en probeerde de zwarte auto met samengeknepen ogen te volgen. In de regen leken alle donkere auto's op elkaar, en hij wilde er zeker van zijn dat hij Bailey niet kwijtraakte.

Met een tussenruimte van drie auto's volgden ze de auto van Excel over de punt van Manhattan. Daar sloeg de auto in noordelijke richting af, de FDR Drive op. In de verte werd de Brooklyn Bridge zichtbaar, al leek het of de lichtjes door de zware regenval minder fel schenen. Op South Street sloeg de zwarte auto onverwachts links af en verdween over de afrit. Taglione mompelde een krachtterm en probeerde naar de linkerbaan te gaan, maar dat ging niet omdat daar net een terreinwagen reed.

Net toen Sommers zijn handen tot vuisten balde, ging zijn telefoon. 'We zitten nog steeds achter hem,' vertelde agent Buddy Winters. 'Hij rijdt weer in noordelijke richting.'

Het was halftien.

31

Dokter Sylvia Harris sloeg haar armen om de snikkende Margaret Frawley heen. Op zulke momenten schieten woorden tekort, dacht ze. Je kunt helemaal niets zeggen om het leed te verzachten. Over Margarets schouder keek ze Steve aan. Zijn gezicht was zo mager en bleek dat hij er kwetsbaar en jonger dan eenendertig jaar uitzag. Ze zag dat hij ook tegen zijn tranen moest vechten.

'Ze móéten vanavond terugkomen,' fluisterde Margaret met gebroken stem. 'Ze komen vanavond ook terug, ik weet het zeker!'

'We hebben u nodig, dokter Sylvia.' Steve was zo emotioneel dat hij bijna niets kon uitbrengen. Met moeite slaagde hij erin om te zeggen: 'Zelfs als de daders goed voor de meisjes hebben gezorgd, zijn ze ongetwijfeld bang en van streek. En Kathy hoest vreselijk.'

'Dat had Margaret al door de telefoon gezegd,' zei Sylvia zachtjes.

Walter Carlson zag de bezorgdheid op haar gezicht. Hij had het idee dat hij haar gedachten kon lezen. Als dokter Harris Kathy in het verleden al eens wegens longontsteking had behandeld, was ze waarschijnlijk van mening dat een verwaarloosde zware hoest erg gevaarlijk voor haar patiëntje kon zijn.

'Ik heb de haard in de werkkamer aangemaakt,' zei Steve. 'Ik stel voor dat we daar gaan zitten. Het probleem met oude huizen is dat de verwarming de kamers veel te warm of juist te koud maakt. Het hangt er maar van af welke kant je de thermostaat op draait.'

Carlson wist dat Steve Margarets gedachten wilde afleiden, omdat ze steeds bezorgder en gestrester werd. Vanaf het moment waarop ze dokter Harris had gebeld om haar te smeken naar hen toe te komen, had Margaret gezegd dat ze zeker wist dat Kathy erg ziek was. Staand bij het raam had ze gezegd: 'Als de meisjes na de betaling van het losgeld ergens in de regen worden achtergelaten, krijgt Kathy misschien wel longontsteking.'

Daarna had ze Steve gevraagd om naar hun slaapkamer te lopen en het dagboek te halen dat ze sinds de geboorte van de tweeling had bijgehouden. 'Ik had er deze week in moeten schrijven,' vertelde ze op robotachtige toon aan Carlson. 'Wanneer we ze terugkrijgen, ben ik misschien wel zo blij en opgelucht dat ik dit allemaal probeer te verdringen. Ik wil opschrijven hoe het voelt om nu te moeten wachten.' Het leek wel of de woordenstroom niet meer te stoppen was, want daarna babbelde ze: 'Mijn oma zei altijd hetzelfde als ik de dagen tot mijn verjaardag of Kerstmis aftelde: "Achteraf lijkt wachten nooit lang te hebben geduurd."'

Toen Steve haar het leren dagboek bracht, las Margaret hardop een paar fragmenten voor. In een al wat ouder fragment stond dat Kathy en Kelly zelfs in hun slaap tegelijkertijd hun handjes openden en dichtknepen. Ze las ook een stukje van vorig jaar voor, over een dag waarop Kathy was gestruikeld en haar knie tegen het ladekastje in de slaapkamer had gestoten. Kelly, die op dat moment in de keuken was, greep tegelijkertijd en zonder enige aanleiding naar haar knie. 'Ik hou het dagboek op advies van dokter Harris bij,' legde ze uit.

Carlson liet hen in de studeerkamer achter en ging terug naar de eetkamer, waar de telefoon die werd afgeluisterd op tafel stond. Hij had zo'n voorgevoel dat de Rattenvanger wel eens zou kunnen besluiten om rechtstreeks contact met de Frawleys te zoeken.

Het was kwart voor tien. Er waren bijna twee uren verstreken sinds de Rattenvanger Franklin Bailey zijn eerste instructies over de overdracht van het losgeld had gegeven.

32

'Bert, binnen nu en twee minuten krijg je een telefoontje van Franklin Bailey, waarin hij je opdraagt om op Fifty-sixth Street op hem te wachten, ter hoogte van de corridor die even ten oosten van Sixth Avenue tussen Fifty-sixth en Fifty-seventh loopt,' zei de Rattenvanger tegen Lucas. 'Harry staat daar al geparkeerd. Als ik weet dat jullie op de goede plaats staan, zal ik Bailey instrueren de vuilniszakken met het geld op de stoep vóór Cohen Fashion Optical op Fifty-seventh Street te zetten. Hij zet ze boven op de zakken die daar al op de vuilniswagen staan te wachten. Ze zijn allebei dichtgebonden met een stropdas. Jij en Harry rennen door de corridor, grijpen de zakken, rennen terug naar jullie auto's en zetten de zakken in Harry's kofferbak. Daarna rijdt hij ermee weg. Hij zou al weg moeten zijn voordat de agenten de achtervolging kunnen inzetten.'

'Bedoelt u dat we met die zakken door die hele corridor moeten rennen? Dat is toch onzin?' protesteerde Lucas.

'Helemaal niet. Zelfs als de FBI erin is geslaagd om Baileys auto te blijven volgen, is hun achterstand zo groot dat jullie de zakken kunnen pakken en Harry ermee weg kan rijden. Jij blijft daar en als Bailey en de FBI komen opdagen, kun je naar waarheid antwoorden dat Mr. Bailey je heeft gevraagd om hem op te pikken. Geen enkele agent zou het wagen om vlak achter je aan die corridor in te rennen, want dan zou je hem kunnen zien. Als ze arriveren, ben jij hun getuige en zeg je dat je vlakbij twee mannen vuilniszakken in een auto hebt zien zetten. Daarna geef je een onvolledige, misleidende beschrijving van die auto.' Na die woorden verbrak hij de verbinding.

Het was zes minuten voor tien.

Franklin Bailey had aan Angel Rosario moeten uitleggen waarom ze steeds van richting veranderden. In zijn achteruitkijkspiegel had Rosario gezien dat het geld van de koffers in de zakken werd gestopt, en hij had gedreigd naar het dichtstbijzijnde politiebureau te rijden. Daarop had Bailey koortsachtig uitgelegd dat hij het losgeld voor de tweeling van Frawley bij zich had, en had hij de chauffeur gesmeekt hem te helpen. 'Misschien krijg je wel een beloning,' had hij eraan toegevoegd.

'Ik heb zelf ook twee kinderen,' had Angel gezegd. 'Zeg maar waar u heen moet, ik breng u er wel naartoe.'

Nadat ze South Street hadden verlaten, kregen ze instructies om First Avenue op te rijden, bij Fifty-fifth Street in westelijke richting te rijden en zo dicht mogelijk bij Tenth Avenue stil te staan. Er ging een kwartier voorbij voordat de Rattenvanger weer belde. 'Mr. Bailey, we zijn in de laatste fase van onze samenwerking beland. Bel uw eigen chauffeur en zeg dat hij op West Fifty-sixth Street ter hoogte van de corridor tussen Fifty-seventh en Fifty-sixth op u moet wachten. Leg uit dat dat even ten oosten van Sixth Avenue is. Bel hem nu. Ik bel u straks terug.'

Tien minuten later belde de Rattenvanger Bailey weer. 'Hebt u uw chauffeur gesproken?'

'Ja. Hij was in de buurt, dus hij kan daar elk moment aankomen.'

'Het regent, Mr. Bailey. Ik zal het u niet te moeilijk maken. Zeg tegen uw chauffeur dat hij Fifty-seventh op moet rijden, rechts af moet slaan en in oostelijke richting moet rijden. Als u Sixth Avenue bent overgestoken, moet hij langzamer en aan de kant van de stoep gaan rijden.'

'U gaat te snel,' protesteerde Bailey.

'Als u wilt dat de Frawleys hun kinderen nog terugzien, moet u goed luisteren. Vóór Cohen Fashion Optical staat een stapel vuilniszakken klaar voor de vuilniswagen. Stap uit de auto, pak de vuilniszakken met het geld en leg ze boven op de andere zakken. Zorg dat de dassen goed zichtbaar zijn. Stap dan meteen weer in en vraag uw chauffeur om in oostelijke richting te blijven rijden. U hoort nog van mij.'

Het was zes minuten over tien.

'Bert, met de Rattenvanger. Ga nu onmiddellijk de corridor in. De vuilniszakken worden nu afgezet.'

Lucas had zijn chauffeurspet afgezet en een regenjas met capuchon aangetrokken. Op zijn neus stond een zonnebril, die zijn halve gezicht bedekte. Hij sprong uit de auto, knipte zijn grote paraplu open en rende achter Clint aan, die dezelfde kleding droeg en ook een paraplu bij zich had. Samen renden ze door de corridor. Het regende nog steeds zo hard dat Lucas zeker wist dat de paar mensen die hen passeerden hen niet in de gaten hadden.

Vanachter de paraplu, die zijn gezicht afschermde, zag hij Franklin Bailey in een auto stappen. Hij bleef in de corridor staan, terwijl Clint de zakken met de dassen greep en over het trottoir weer naar de doorgang rende. Lucas wachtte tot Baileys auto was weggereden en hij zeker wist dat hij niet gezien zou worden. Daarna voegde hij zich bij Clint en pakte hij een van de zakken.

Binnen een paar seconden waren ze terug op Fifty-sixth Street. Clint wilde de achterbak van de gestolen Toyota open klikken, maar die bleef potdicht. Met een binnensmondse vloek rukte hij aan het achterportier dat het dichtst bij de stoep was. Ook dat zat op slot.

Lucas wist dat ze geen seconde te verliezen hadden en klikte de kofferbak van de limousine open. 'Gooi ze hierin,' snauwde hij, terwijl hij paniekerig naar de corridor en naar links en rechts keek. De mensen die ze in de corridor waren gepasseerd, waren al bijna uit het zicht.

Hij was weer achter het stuur gaan zitten, had de regenjas onder zijn stoel gepropt en had net zijn chauffeurspet opgezet toen er van links en rechts en door de corridor mannen aan kwamen rennen. Lucas was ervan overtuigd dat ze van de FBI waren. Zijn hart ging als een razende tekeer, maar hij slaagde erin om kalm over te komen toen hij reageerde op een harde roffel tegen zijn raam. 'Wat is er aan de hand?' vroeg hij.

'Hebt u een minuutje geleden misschien een man door deze gang zien komen? Hij droeg of sleepte een paar vuilniszakken mee,' zei agent Sommers.

'Ja. Ze stonden daar.' Lucas wees naar de plek waar Clint net had gestaan.

'Ze? Bedoelt u dat ze met hun tweeën waren?'

'Ja. Een stevige, vierkante kerel en een lange, magere man. Ik heb hun gezichten niet gezien.'

Sommers was te ver weg geweest om de aflevering van het geld te zien, omdat hun auto bij een verkeerslicht op Sixth Avenue achter een paar andere auto's had moeten stoppen. Ze waren gearriveerd op het moment dat de Excel-auto van de stoep voor de opticien wegreed. Omdat ze geen koffers op de stapel vuilniszakken hadden zien liggen, waren ze tot Fifth Avenue achter de auto aan blijven rijden.

Toen een andere agent hen op hun fout attent had gemaakt, hadden ze hun auto geparkeerd en waren ze teruggerend. Een voetganger die stil was blijven staan om zijn mobiele telefoon op te nemen, zei dat hij een stevig gebouwde man twee vuilniszakken in de richting van de corridor had zien slepen. De vuilniszakken waren kort daarvoor door iemand achtergelaten. Toen de agenten de corridor door waren gerend, hadden ze Baileys limousine en chauffeur aangetroffen.

'Beschrijf de auto die u hebt gezien,' commandeerde Sommers.

'Donkerblauw of zwart. Een Lexus, een recent model met vier deuren.'

'Zijn de mannen allebei ingestapt?'

'Ja.'

Ondanks zijn klamme handpalmen slaagde Lucas erin om de vragen te beantwoorden met de onderdanige stem die hij opzette als hij het tegen Franklin Bailey had. Tijdens de minuten daarna zag hij steeds meer FBI-agenten opduiken. Ondanks zijn zenuwen vond hij het tafereel wel amusant. Waarschijnlijk zoekt nu elke politieman in New York naar de Lexus, dacht hij. Clint had een Toyota gestolen, een al wat ouder model.

Na een paar minuten kwam de Excel-auto met Franklin Bailey aanrijden. Bailey, die een inzinking nabij was, werd de limousine in geholpen. Vergezeld door twee agenten en gevolgd door nog een aantal mensen van de FBI reed Lucas terug naar Ridgefield. Hij luisterde geïnteresseerd toen de agenten Bailey ondervroegen over de instructies van de Rattenvanger. Hij was blij dat hij Bailey hoorde zeggen: 'Ik had Lucas gevraagd om in de buurt van Columbus Circle te blijven. Rond tien uur kreeg ik opdracht om tegen Lucas te zeggen dat hij op die plaats op Fifty-sixth Street op me moest wachten. Nadat we de vuilniszakken eruit hadden gezet en in oostelijke richting waren gereden, was mijn laatste instructie dat ik naar Lucas toe moest rijden. De Rattenvanger wilde niet dat ik nat werd.'

Om kwart over twaalf stopte Lucas voor het huis van Bailey. Een van de agenten ging met Bailey naar binnen, de andere wachtte even om Lucas te bedanken en te zeggen dat ze veel aan hem hadden gehad. Met het losgeld in de kofferbak reed Lucas naar zijn garage, waar hij het geld van de limousine in zijn oude auto tilde. Daarna reed hij naar Clints huis, waar een opgetogen Clint en opvallend stille Angie op hem zaten te wachten.

33

Het losgeld was afgeleverd, maar de FBI was de mensen die het geld hadden opgehaald kwijtgeraakt. Nu konden ze alleen maar afwachten. Steve, Margaret en dokter Harris zaten zwijgend bij elkaar en baden in stilte dat de telefoon zou gaan, of dat iemand, misschien een van de buren, zou zeggen: 'Ik ben net gebeld en heb te horen gekregen waar de tweeling is.' Het bleef echter doodstil.

Margaret bleef maar piekeren over de plaats waar haar kinderen zouden worden achtergelaten. Misschien werden ze wel in een leeg huis neergezet. De daders konden moeilijk een openbare gelegenheid als een busstation of treinstation binnenlopen zonder op te vallen. Iedereen kijkt naar de tweeling als ik met ze op pad ga. Mijn twee kleine meisjes in het blauw. Zo worden ze door de kranten genoemd.

De blauwe fluwelen jurkjes...

Stel dat we niets meer van de ontvoerders horen. Ze hebben het geld. Stel dat ze zijn ontsnapt.

Achteraf lijkt wachten nooit lang te hebben geduurd.

De blauwe fluwelen jurkjes...

34

'De koning telde al zijn goud en voelde zich de rijkste.' Clint grinnikte. 'Ik kan nog steeds nauwelijks geloven dat je met het geld én de FBI in de auto naar huis bent gereden.'

De stapeltjes bankbiljetten lagen op de vloer van Clints woonkamer. Het waren voornamelijk briefjes van vijftig dollar, aangevuld met briefjes van twintig. Zoals de Rattenvanger had gevraagd, waren het allemaal gebruikte biljetten. Met een snelle steekproef stelden ze vast dat er geen volgorde in de serienummers zat.

'Toch is het zo,' snauwde Lucas. 'Begin jouw helft maar in een van de zakken te gooien, dan gooi ik mijn helft in de andere.' Hoewel Lucas het geld voor zijn neus had liggen, was hij er nog steeds van overtuigd dat er iets mis kon gaan. Die klungel van een Clint was te dom geweest om te testen of de kofferbak van zijn gestolen auto wel open kon. Als ik daar niet met mijn limousine had gestaan, waren we op heterdaad betrapt, dacht Lucas. Nu wachtten ze op een telefoontje van de Rattenvanger, die zou doorgeven waar ze de tweeling moesten afzetten.

Lucas vond het echt iets voor Angie om op weg naar die plek te stoppen en een ijsje voor de tweeling te kopen. Het was een troost dat er midden in de nacht waarschijnlijk geen enkele Dairy Queen open was. Hij voelde een akelige knoop in zijn maag. Waarom had de Rattenvanger nog niet gebeld?

Om vijf over drie 's nachts schrokken ze allemaal op van het luide gerinkel van de telefoon. Angie krabbelde overeind van de grond en rende naar het toestel. 'Als het die eikel van een Gus maar niet is,' mompelde ze.

Het was de Rattenvanger. 'Geef me Bert eens aan de lijn,' commandeerde hij.

'Het is de Rattenvanger,' bracht Angie nerveus uit.

Lucas stond op en liep op zijn dooie akkertje naar haar toe om de hoorn over te nemen. 'Ik vroeg me al af wanneer u tijd zou hebben om ons te bellen,' grauwde hij.

'Je klinkt niet als een man die een miljoen voor zijn neus heeft liggen. Luister goed. Rij in de geleende auto naar de parkeerplaats van La Cantina in Elmsford. Dat is een restaurant aan de Saw Mill River Parkway, die naar het noorden leidt. Het restaurant ligt bij de ingang van het Great Hunger Memorial in V.E. Macy Park. Het is al jaren gesloten.'

'Ik weet waar dat is.'

'Dan weet je waarschijnlijk ook dat de parkeerplaats achter het restaurant ligt en dat je hem vanaf de weg niet kunt zien. Harry en Mona moeten met de tweeling in Harry's busje achter je aan rijden. Ze moeten de meisjes in de geleende auto zetten en de portieren op slot doen. Daarna rijden jullie met zijn drieën terug naar Clints huis. Ik bel jullie om vijf uur voor een bevestiging dat jullie mijn orders hebben opgevolgd. Vervolgens zet ik de laatste stap en horen jullie nooit meer iets van me.'

Om kwart over drie gingen ze op pad naar La Cantina. Vanachter het stuur van de gestolen auto zag Lucas Angie en Clint de slapende tweeling naar het busje dragen. Stel dat ze met die oude rammelbak een lekke band krijgen. Stel dat we onderweg op een politiecontrole stuiten. Stel dat er een dronkenman tegen ons aan rijdt... Terwijl hij de motor startte, bedacht hij talloze rampscenario's. Tot zijn schrik zag hij dat de benzinetank van de auto voor meer dan driekwart leeg was.

Dat is wel genoeg, zo probeerde hij zichzelf gerust te stellen. Het regende nog steeds, maar niet meer zo hard als eerder op de avond. Lucas probeerde dat als een goed teken te zien. Terwijl hij in westelijke richting door Danbury reed, dacht hij aan het restaurant La Cantina. Jaren geleden was hij daar na een bijzonder succesvolle inbraak in Larchmont gestopt om te eten. De bewoners van het huis waren buiten bij het zwembad geweest, en Lucas was naar binnen geglipt via een zijdeur die niet op slot was. Vervolgens was hij rechtstreeks naar de grootste slaapkamer gelopen. Daar had hij ontzettend veel mazzel gehad! De vrouw van de eigenaar, die een of andere hoge functie in het hotelwezen had, had de deur van de kluis open laten staan. De deur was niet eens slecht afgesloten, maar stond gewoon open! Nadat ik die sieraden aan een heler had verkocht, heb ik drie weken in Las Vegas gezeten, dacht Lucas. Daar ben ik bijna al het geld weer kwijtgeraakt, maar ik had het wel naar mijn zin.

Met dít half miljoen zou hij veel voorzichtiger omgaan. Deze keer zou hij niet alles vergokken. Er zou ongetwijfeld een keer een einde aan zijn geluk komen. En ik ben niet van plan om de rest van mijn leven achter de tralies door te brengen. Daar maakte hij zich ook zorgen over. Het was echt iets voor Angie om de aandacht op zich te vestigen door ineens heel veel geld uit te geven.

Hij draaide de Saw Miller River Parkway op. Nog tien minuten, dan waren ze er. Er was niet veel verkeer op de weg. Zijn bloed stolde in zijn aderen toen hij een patrouillewagen van de politie zag. Hij keek vlug op de snelheidsmeter. Hij reed honderd op een weg waar hij maar negentig mocht. Dat was niet erg. Hij reed op de rechterbaan en schoot niet van links naar rechts. Clint reed zover achter hem dat niemand zou denken dat het busje hem volgde.

De patrouillewagen nam de eerstvolgende afslag. Tot nu toe gaat alles volgens plan, dacht Lucas. Hij likte met het puntje van zijn tong over zijn lippen. Nog hooguit vijf minuten, dacht hij. Vier minuten. Drie minuten. Twee minuten.

Aan zijn rechterhand zag hij het oude gebouw van La Cantina opdoemen. Er waren verder geen auto's op de weg, ook niet op de andere weghelft. Lucas zette vlug de koplampen uit, sloeg rechts af op de weg die langs het restaurant leidde en reed naar de parkeerplaats erachter. Daar draaide hij het contactsleuteltje om en wachtte tot het geluid van een naderende auto hem vertelde dat de laatste fase van het plan bijna was voltooid.

35

'Het duurt lang om een miljoen dollar met de hand na te tellen,' zei Walter Carlson. Hij hoopte maar dat zijn stem geruststellend klonk.

'Het geld is even na tienen overgedragen,' zei Steve. 'Dat was vijf uur geleden.' Hij keek omlaag, maar Margaret deed haar ogen niet open.

Ze lag met haar hoofd op zijn schoot opgekruld op de bank. Af en toe kon hij aan haar regelmatige ademhaling horen dat ze indommelde, maar vrijwel meteen daarna hield ze hoorbaar haar adem in en vlogen haar ogen weer open.

Dokter Harris zat kaarsrecht en met haar handen op schoot in een fauteuil. Op haar gezicht en in haar houding was geen enkel teken van vermoeidheid te bespeuren. Carlson bedacht dat ze er waarschijnlijk ook zo uitzag als ze bij een ernstig zieke patiënt waakte. Haar kalme aanwezigheid heeft een kalmerend effect, dacht hij. Net wat ze nodig hadden.

Hij deed wanhopig zijn best om bemoedigend te blijven klinken, maar hij wist dat elke voorbijsluipende minuut suggereerde dat ze niets meer van de ontvoerders zouden horen. De Rattenvanger zei dat we even na middernacht te horen zouden krijgen waar we de tweeling konden ophalen. Steve heeft gelijk. Ze zijn nu al uren in het bezit van het geld. Misschien zijn de meisjes allang dood.

Franklin Bailey heeft dinsdag hun stemmen gehoord, dacht hij. Dat betekent dat de meisjes anderhalve dag geleden nog leefden, want ze hadden het erover dat ze hun ouders op de televisie hadden gezien. Als we Baileys verhaal moeten geloven tenminste.

Terwijl de uren voorbij kropen, begon Carlson een vermoeden te krijgen, het soort voorgevoel waar hij tijdens zijn twintig jaar bij de FBI veel profijt van had gehad. Zijn intuïtie vertelde hem dat ze Lucas Wohl moesten checken, de onderdanige chauffeur die zijn auto héél toevallig op een plaats had geparkeerd waar hij de ontvoerders met het geld had zien sjouwen, en die een beschrijving had kunnen geven van de auto waarin de ontvoerders zouden zijn ontsnapt.

Carlson wist dat het verhaal van Bailey best zou kunnen kloppen. Misschien had Bailey in de Excel-auto werkelijk instructies van de Rattenvanger gekregen waar Lucas hem moest opwachten, en had hij die instructies vervolgens aan Lucas doorgebeld. Maar nu bleef de gedachte aan hem knagen dat Bailey hen misschien allemaal voor de gek had gehouden.

Angus Sommers, de FBI-agent die aan het hoofd van de eenheid in New York stond, was met Bailey meegereden en was ervan overtuigd dat ze Bailey en diens chauffeur konden vertrouwen. Toch was Carlson van plan om zijn baas Connor Ryan te bellen, die nu de dienstdoende geheim agenten in

New Haven leidde. Ryan zat met zijn mannen in zijn kantoor klaar voor het geval er bericht kwam dat de meisjes in het noorden van Connecticut waren achtergelaten. Hij zou Lucas meteen kunnen checken.

Margaret hees zich langzaam overeind. Ze veegde zo vermoeid haar haren naar achteren dat Carlson de indruk had dat ze haar arm bijna niet omhoog kon krijgen. 'Had de Rattenvanger niet tegen u gezegd dat hij rond middernacht zou bellen?' vroeg ze.

Hij kon niet tegen haar liegen. 'Ja,' antwoordde hij.

36

Clint wist dat ze restaurant La Cantina naderden en was bang dat hij de afrit voorbij zou rijden. Hij kneep zijn ogen tot spleetjes en tuurde ingespannen naar de rechterkant van de weg. Hij had de patrouillewagen van de politie gezien en had gas teruggenomen om de politie niet de indruk te geven dat hij Lucas volgde. Nu was Lucas nergens meer te zien.

Angie zat naast hem en wiegde het zieke kind in haar armen. Vanaf het moment waarop ze in de auto waren gestapt, zong ze al het liedje 'Twee meisjes in het blauw'. Zodra ze klaar was, begon ze weer opnieuw. 'Nu zien we elkaar niet meer,' zong ze zachtjes, waarbij ze de woorden uitrekte.

Was dat de auto van Lucas? Clint wist het niet zeker. Nee, het was iemand anders.

'Twee meisjes in het blauw, knul,' begon Angie weer.

'Angie, hou alsjeblieft je mond,' snauwde Clint.

'Kathy vindt het fijn als ik voor haar zing,' reageerde Angie ijzig.

Clint keek nerveus naar haar opzij. Angie was vanavond in een vreemde bui. Een van die buien waarin ze rare dingen deed. Toen ze naar de slaapkamer waren gegaan om de kinderen te halen, had hij gezien dat een van de meisjes met een sok voor haar mond lag te slapen. Toen hij de sok wilde weghalen, had Angie zijn hand gegrepen. 'Ik wil niet dat ze in het busje begint te krijsen.' Daarna had Angie erop gestaan dat hij het meisje achter in het busje op de grond legde en een opengevouwen krant over haar heen spreidde.

Angie was woedend geworden toen hij protesteerde dat het kind kon stikken. 'Ze stikt helemaal niet, en als we toevallig door de politie worden aangehouden, zien ze niet dat we een eeneiige tweeling bij ons hebben.'

Het kind op Angies schoot was rusteloos en zat te jengelen. Het was maar goed dat ze terugging naar haar ouders, want je hoefde geen dokter te zijn om te zien dat ze flink ziek was. Clint tuurde voor zich uit en besloot dat het eerstvolgende gebouw het restaurant moest zijn. Hij stuurde de auto naar de rechterbaan. Hij merkte dat hij overal op zijn lichaam begon te zweten. Dat gebeurde altijd op een kritiek punt tijdens een klus. Hij reed het restaurant voorbij en draaide de oprit in. Daarna reed hij door naar de parkeerplaats aan de achterkant. Hij zag dat Lucas zijn auto vlak bij het gebouw had gezet en zette zijn auto er vlak achter.

'Zij waren zusjes…' zong Angie opeens een stuk harder.

In haar armen begon Kathy te wriemelen en te huilen. Achterin vormde Kelly's gesmoorde gehuil een echo van haar zusjes vermoeide protest nu ze werden gewekt.

'Stil nou!' smeekte Clint. 'Als Lucas het portier opendoet en je hoort zingen, zou hij wel eens door het lint kunnen gaan.'

Abrupt hield ze haar mond. 'Ik ben niet bang voor hem. Hier, hou haar eens even vast.' Vlug duwde ze Kathy in zijn armen en maakte het portier van de auto open. Daarna rende ze naar de bestuurderskant van de gestolen auto en tikte op het raam.

Clint zag dat Lucas het raampje omlaag draaide en dat Angie naar binnen leunde. Een paar tellen later hoorde hij een luide knal, die over het verlaten parkeerterrein weerkaatste. Het geluid kon alleen maar afkomstig zijn van een vuurwapen.

Angie rende terug naar het busje, deed het achterportier open en griste Kelly mee.

Clint, die nog steeds te beduusd was om iets te zeggen of doen, zag dat ze Kelly op de achterbank van de gestolen auto zette en daarna naast Lucas instapte. Even later kwam ze terug met Lucas' beide mobiele telefoons en een sleutelring. 'Als de Rattenvanger belt, moeten we kunnen opnemen,' zei ze opgewekt, alsof er niets aan de hand was.

'Je hebt Lucas vermoord!' bracht Clint verbijsterd uit. Hij had zijn armen nog steeds om Kathy heen. Het gehuil van het meisje was overgegaan in een fikse hoestbui.

Angie nam Kathy van hem over. 'Hij heeft een briefje achtergelaten, getypt op de machine waarmee het losgeldbriefje is getikt. Er staat dat hij echt niet van plan was om Kathy te doden. Ze huilde zo hard dat hij zijn hand over haar mond legde. Toen hij besefte dat ze dood was, heeft hij haar in een doos gestopt en die tijdens een vliegtochtje boven de oceaan gedumpt. Goed bedacht, hè? Het moest eruitzien als zelfmoord. Nu hebben we een miljoen dollar voor onszelf én heb ik een kindje. Kom mee. We moeten maken dat we wegkomen.'

Clint, die plotseling in paniek raakte, startte de auto en gaf plankgas.

'Niet zo hard, idioot,' snauwde Angie. De opgewekte toon was weer uit haar stem verdwenen. 'Rij nu gewoon rustig met je gezinnetje naar huis.'

Toen Clint de snelweg weer op reed, begon Angie weer te zingen. Nu klonk haar stem heel zacht: 'Zij waren zusjes... nu zien ze elkaar niet meer.'

37

In de directiekamers van C.F.G.&Y. aan Park Avenue had de hele nacht licht gebrand. Een paar directieleden hadden de hele nacht bij de telefoon gezeten, omdat ze de triomfantelijke terugkeer van de tweeling in de armen van hun ouders wilden meebeleven.

Iedereen wist heel goed dat de Rattenvanger had beloofd rond middernacht te zullen bellen als het geld was overgedragen. Toen het steeds later werd en het in de uren na middernacht stil bleef, sloeg de feeststemming om. Het bedrijf had uitgekeken naar positieve krantenberichten en een enorme pr-boost, maar nu begon iedereen te twijfelen en zich zorgen te maken.

Robinson Geisler wist dat veel kranten een hoofdartikel aan hun gebaar hadden gewijd. Daarin werd gesteld dat C.F.G.&Y. de ontvoerders in de kaart had gespeeld en dat iedereen nu kwetsbaar werd voor mensen die een ontvoering beraamden.

Een aantal televisiezenders liet de speelfilm *Ransom* zien, waarin de vader, gespeeld door Glenn Ford, de ontvoerders van zijn zoon via de televisie toespreekt. Hij wordt gefilmd achter een tafel vol bankbiljetten en waarschuwt de ontvoerders dat hij niet van plan is om het losgeld te betalen. Hij zegt dat hij het geld gaat gebruiken om de daders op te sporen. Uiteindelijk komt alles goed en wordt het kind ongedeerd vrijgelaten. Zou het verhaal van de tweeling ook goed aflopen?

Om vijf uur in de ochtend ging Geisler naar zijn privébadkamer om zich te douchen, te scheren en om te kleden. Hij herinnerde zich dat de inmiddels overleden Bennett Cerf, naar wie hij op televisie graag had gekeken, er altijd uitzag om door een ringetje te halen. Cerf had vaak een vlinderdas gedragen. Geisler vroeg zich af of het overdreven was als hij een vlinderdas droeg als hij met de tweeling voor de camera verscheen.

Hij besloot dat een vlinderdas inderdaad wat te ver ging, maar dat een rode das altijd optimisme of zelfs overwinning uitstraalde. Hij haalde er een uit zijn kast.

Hij liep terug naar zijn bureau en repeteerde hardop de overwinningsspeech die hij voor het oog van de media zou houden. 'Sommige mensen vinden dat je met misdadigers samenwerkt als je losgeld betaalt. Maar iedereen bij de FBI zal u vertellen dat de terugkeer van de slachtoffers de hoogste prioriteit heeft. Pas daarna kunnen ze keihard de jacht op de daders inzetten. Deze daders zullen straks niet te boek staan als succesvolle ontvoerders die hun geld kregen, maar als criminelen die nooit de kans kregen om hun buit uit te geven.'

Die speech wil ik Gregg Stanford wel eens zien overtreffen, dacht hij met een flauw lachje.

38

'Nu moeten we eerst zijn auto kwijt,' zei Angie nuchter toen ze Danbury in reden. 'Eerst moeten we zijn deel van het geld uit zijn kofferbak halen en daarna moet je de auto voor zijn appartement parkeren. Ik rij wel achter je aan.'

'Dit plan lukt nooit, Angie. Je kunt dat kind niet eeuwig verbergen.'

'Wel waar.'

'Misschien brengt iemand ons wel in verband met Lucas. Als ze zijn vingerafdrukken nemen, komen ze erachter dat de echte Lucas Wohl al twintig jaar dood is en dat deze man Jimmy Nelson heette. Dan ontdekken ze ook dat hij in de gevangenis heeft gezeten en dat ik bij hem in de cel zat.'

'Ik weet ook wel dat je niet echt Clint Downes heet, maar verder weet niemand dat toch? Je ontmoette Lucas alleen als je een klus met hem had. Die avondbezoekjes van de afgelopen weken zijn de enige keren dat hij bij ons thuis is geweest.'

'Hij is gistermiddag ook geweest om al die spullen op te halen.'

'Zelfs als iemand hem de ventweg van de club op heeft zien rijden, is er niets aan de hand. Denk je nu echt dat die mensen dachten: hé, daar gaat Lucas in zijn oude bruine Ford die op alle andere bruine Fords op de weg lijkt? Het was wat anders geweest als hij in de limousine was gekomen. We weten dat hij je nooit met het speciale mobieltje heeft gebeld, en nu heb ik dat ding.'

'Toch denk ik dat...'

'Ik denk dat we een miljoen dollar hebben, dat ik eindelijk een kindje heb en dat die klootzak die ons altijd als oud vuil behandelde dood met zijn hoofd op zijn stuur ligt, dus hou je mond.'

Om vijf over vijf ging het speciale mobieltje dat de Rattenvanger aan Lucas had gegeven. Ze waren net de oprit van Clints huis op gereden. Clint keek naar het toestel. 'Wat zeg je tegen hem?'

'We nemen niet op,' antwoordde Angie grijnzend. 'Laat hem maar denken dat we nog op de snelweg zitten en misschien wel met een agent praten.' Ze gooide een sleutelbos naar hem toe. 'Deze zijn van hem. Laten we die auto wegbrengen.'

Om tien voor halfzes parkeerde Clint Lucas' auto voor de ijzerhandel. Op de eerste verdieping scheen een zacht licht door de gordijnen. Lucas had het licht aangelaten voor als hij thuiskwam.

Clint stapte uit de auto en holde struikelend terug naar het busje. Zijn ronde, engelachtige gezicht droop van het zweet toen hij achter het stuur kroop. De mobiele telefoon die Lucas van de Rattenvanger had gekregen, begon weer te piepen. 'Hij vreet zich waarschijnlijk op van de zenuwen,' zei Angie giechelend. 'Kom, we gaan naar huis. Mijn kleine meid wordt weer wakker.'

'Mama, mama…' Kathy bewoog zich en stak haar hand uit. 'Ze probeert haar tweelingzusje aan te raken,' zei Angie. 'Vind je dat niet schattig?' Ze probeerde haar eigen vingers met die van Kathy te verstrengelen, maar Kathy trok haar hand terug. 'Kelly, ik wil Kelly,' zei ze schor, maar duidelijk verstaanbaar. 'Ik wil Mona niet. Ik wil Kelly.'

Clint draaide de contactsleutel om en keek nerveus naar Angie. Ze vond het erg vervelend om te worden afgewezen. Sterker nog, ze kon er verschrikkelijk kwaad om worden. Hij wist dat ze het kind binnen een week beu zou zijn. Wat moesten ze dan? Ze was op dit moment niet aanspreekbaar. Hij had haar wrede kantjes al eens eerder meegemaakt, en vanavond had hij ze weer gezien. Ik moet hier weg, dacht hij. Weg uit deze stad, weg uit Connecticut.

Het was rustig op straat. Hij deed zijn best om zijn groeiende paniek te verbergen en reed zonder licht tot ze Route 7 bereikten. Pas toen ze het hek op de ventweg naar zijn huis waren gepasseerd, durfde hij diep adem te halen.

'Zet mij maar af en zet daarna het busje in de garage,' zei Angie. 'Als die zuiplap Gus het in zijn hoofd haalt om morgenochtend langs te rijden, denkt hij dat je niet thuis bent.'

'Hij komt nooit zomaar langs,' zei Clint, al wist hij best dat het geen zin had om te protesteren.

'Hij heeft gisteravond toch ook gebeld? Hij wil dolgraag een afspraak maken met zijn ouwe gabber.' Angie verzweeg dat Gus weliswaar dronken was geweest toen hij belde, maar dat hij de meisjes misschien wel allebei had horen huilen.

Kathy begon weer te huilen: 'Kelly… Kelly…' Clint stopte bij de voordeur van zijn huis en maakte snel de deur open. Angie liep met Kathy in haar armen naar binnen en ging rechtstreeks naar de slaapkamer, waar ze Kathy in het ledikant legde. 'Wen er maar aan, liefje,' zei ze, voordat ze zich omdraaide en terug naar de woonkamer liep.

Clint stond nog steeds bij de voordeur. 'Ik had gezegd dat je het busje weg moest zetten,' commandeerde Angie.

Voordat Clint kon doen wat ze had gezegd, begon het speciale mobieltje weer te piepen. Deze keer nam Angie wel op. 'Dag, meneer de Rattenvanger,' zei ze. Daarna luisterde ze naar wat de Rattenvanger te vertellen had. 'We weten dat Lucas zijn mobiele telefoon niet opneemt. Er is onderweg een ongeluk gebeurd en overal reed politie. U weet toch dat het verboden is om tijdens het rijden te bellen? Alles ging goed. Lucas dacht dat de politie hem nog een keer wilde spreken, en daarom wilde hij dit ding niet bij zich hebben. Ja. Ja hoor. Het ging allemaal van een leien dakje. Geef maar aan iemand door waar de twee meisjes in het blauw opgehaald kunnen worden. Ik hoop dat we u nooit meer spreken. Veel succes verder.'

39

Op donderdagochtend kwart voor zes ging de telefoon bij de antwoorddienst van St. Mary's Catholic Church in Ridgefield. 'Ik ben wanhopig. Ik moet een priester spreken,' zei een omfloerste stem.

Rita Schless, de dienstdoende telefoniste, was ervan overtuigd dat de beller zijn stem onherkenbaar probeerde te maken. Nee hè, dacht ze. Krijgen we dat weer. Vorig jaar had een lolbroek uit een van de hoogste klassen van de middelbare school gebeld en om hulp van een priester gesmeekt. De jongen zei dat er haast bij was, omdat er bij hem thuis een crisissituatie was ontstaan. Rita had pastoor Romney om vier uur 's nachts wakker gemaakt. Toen de pastoor aan de telefoon was gekomen, had hij vrolijk gelach op de achtergrond gehoord. De beller had gezegd: 'We zijn stervende, eerwaarde. Het bier is op.'

Rita vertrouwde dit telefoontje ook niet. 'Bent u ziek of gewond?' informeerde ze zakelijk.

'Verbind me onmiddellijk door met een geestelijke. Dit is een zaak van leven of dood.'

'Een ogenblikje, meneer,' zei Rita. Ik vertrouw hem voor geen cent, maar ik kan het risico niet nemen, dacht ze. Met tegenzin belde ze de vijfenzeventigjarige pastoor Romney, die haar had gevraagd om alle nachtelijke telefoontjes naar hem door te verbinden. 'Ik slaap slecht, Rita,' had hij uitgelegd. 'Probeer mij maar eerst.'

'Ik vertrouw die man helemaal niet,' zei Rita nu tegen hem. 'Ik weet zeker dat hij zijn stem onherkenbaar probeert te maken.'

'Daar komen we dan wel achter,' reageerde pastoor Joseph Romney wrang. Hij ging rechtop zitten en zwaaide zijn benen over de rand van het bed. Zonder dat hij er zelf erg in had, wreef hij over de knie die altijd pijn deed als hij van houding veranderde. Terwijl hij zijn bril pakte, hoorde hij aan de klik dat de beller werd doorverbonden. 'Met pastoor Romney,' zei hij. 'Wat kan ik voor u doen?'

'Eerwaarde, hebt u gehoord dat er een tweeling is ontvoerd?'

'Ja, natuurlijk. De Frawleys zijn nieuwe leden van onze parochie. We houden elke dag een mis waarin we om hun veilige terugkeer bidden.' Rita heeft gelijk, dacht hij. De beller probeert zijn stem onherkenbaar te maken.

'Kathy en Kelly zijn in veiligheid. U kunt ze in een afgesloten auto achter restaurant La Cantina vinden, aan de noordzijde van de Saw Mill River Parkway in de buurt van Elmsford.'

Joseph Romney merkte dat zijn hart sneller ging slaan. 'Is dit een grap?' vroeg hij streng.

'Nee, dit is geen grap, pastoor Romney. U spreekt met de Rattenvanger. Het losgeld is betaald en ik heb u uitgekozen om de blijde boodschap aan de Frawleys over te brengen. De noordzijde van de Saw Mill, achter restaurant La Cantina bij Elmsford. Is dat duidelijk?'

'Ja. Ja.'

'Dan stel ik voor dat u vlug de politie belt, want het is koud buiten. De meisjes zitten daar al een paar uur en Kathy is flink verkouden.'

40

Tegen de ochtend kon Walter Carlson de groeiende wanhoop op de gezichten van Margaret en Steve Frawley niet meer aanzien. Hij ging aan de eettafel naast de telefoon zitten en toen het toestel om vijf voor zes begon te rinkelen, greep hij de hoorn van de haak. Ondertussen zette hij zich al schrap voor slecht nieuws.

Het was Marty Martinson, die hem vanuit het politiebureau belde. 'Walt, pastoor Romney van St. Mary's kreeg een telefoontje van iemand die beweerde dat hij de Rattenvanger was. Hij vertelde de pastoor dat de tweeling in een afgesloten auto achter een oud restaurant aan de Saw Mill River Parkway zit. We hebben de staatspolitie gebeld. Ze kunnen elk moment bij dat restaurant arriveren.'

Carlson hoorde dat de Frawleys en dokter Harris de eetkamer binnen kwamen rennen. Blijkbaar hadden ze de telefoon horen gaan. Hij draaide zich naar hen om en keek hen aan. De hoopvolle blik op hun gezicht was bijna net zo aangrijpend als de ontreddering die hij eerder had gezien. 'Wacht even, Marty,' zei hij tegen hoofdinspecteur Martinson. Hij kon de ouders en dokter Harris alleen maar de waarheid vertellen. 'Pastoor Romney heeft in de pastorie een telefoontje gehad. Over een paar minuten zullen we weten of dat een grap was,' vertelde hij zachtjes.

'Was het de Rattenvanger?' Margaret hield haar adem in.

'Heeft hij gezegd waar ze zijn?' wilde Steve weten.

Carlson gaf geen antwoord. 'Marty, zou de staatspolitie je terugbellen?' vroeg hij door de telefoon.

'Ja. Ik bel je zodra ik iets hoor.'

'Als het geen grap is, moeten onze jongens de auto onderzoeken.'

'Dat weet de staatspolitie wel,' zei Martinson. 'Ze bellen je bureau in Westchester.'

Carlson hing op.

'Zeg alsjeblieft wat er aan de hand is,' drong Steve aan. 'We hebben het recht om het te weten.'

'Over een paar minuten zullen we weten of het telefoontje aan pastoor Romney echt van de Rattenvanger afkomstig was. Als het verhaal klopt, is de tweeling ongedeerd in een afgesloten auto achtergelaten, vlak bij de Saw Mill River Parkway in de buurt van Elmsford,' vertelde Carlson. 'De staatspolitie is al onderweg.'

'De Rattenvanger heeft woord gehouden,' riep Margaret uit. 'Mijn kinderen komen thuis. Mijn kinderen komen thuis!' Ze sloeg haar armen om Steves hals. 'Steve, ze komen weer naar huis!'

'Margaret, het zou een grap kunnen zijn,' waarschuwde dokter Harris. Tot nu toe had ze uiterlijk kalm geleken, maar nu wrong ze haar handen.

'Dat zou God ons niet aandoen,' zei Margaret met nadruk. Steve kon geen woord meer uitbrengen en begroef zijn gezicht in haar haren.

Toen er weer een kwartier voorbijging zonder dat er werd gebeld, wist Carlson zeker dat er iets afschuwelijks was gebeurd. Als het een misselijk telefoontje van een idioot was geweest, hadden we dat nu wel geweten, dacht hij. Op het moment dat er werd aangebeld, wist hij dat er slecht nieuws was. Zelfs als de tweeling in veiligheid was, zou de rit vanaf Elmsford minstens veertig minuten duren.

Hij wist zeker dat Steve, Margaret en de kinderarts hetzelfde dachten toen ze achter hem aan naar de gang liepen. Carlson deed de deur open. Op de stoep stonden pastoor Romney en Marty Martinson.

De priester liep naar Margaret en Steve. Zijn stem trilde van het medeleven toen hij zei: 'God heeft jullie een van je dochtertjes teruggegeven. Kelly is in veiligheid, maar Hij heeft Kathy tot zich genomen.'

41

Het nieuws dat een van de meisjes dood was, bracht in het hele land een vloedgolf van medeleven op gang. De media slaagden erin om een paar foto's van Kelly en haar diepbedroefde ouders te maken toen ze uit het ziekenhuis in Elmsford kwamen, waar Kelly naartoe was gebracht om onderzocht te worden. Op de foto's was een heel ander kind te zien dan het vrolijke meisje dat een week eerder met haar verjaardagsfoto in de kranten had gestaan. Ze had nu grote, angstige ogen en leek een blauwe plek op haar gezicht te hebben. Op alle foto's had ze een arm om haar moeders nek geslagen en hield ze de andere arm met bewegende vingertjes recht voor zich uit, alsof ze een andere hand wilde pakken.

De politieman die als eerste bij restaurant La Cantina was aangekomen, beschreef wat hij had aangetroffen: 'De auto zat op slot. Ik kon de man voorover op het stuur zien liggen. Er zat maar één meisje in de auto. Ze had zich op de grond voor de achterbank opgekruld. Het was koud in de auto. Ze droeg alleen maar een pyjama en zat te rillen. Toen zag ik dat ze een prop in haar mond had. Het ding zat zo strak dat het een wonder is dat ze niet is gestikt. Toen ik de prop losmaakte, begon ze als een gewonde pup te kermen. Ik deed mijn jas uit en sloeg die om haar heen. Daarna heb ik haar naar de patrouillewagen gedragen om haar op te warmen. Kort daarna arriveerden mijn collega's en de FBI. Zij hebben op de voorbank van de auto het zelfmoordbriefje gevonden.'

De Frawleys wilden liever niet worden ondervraagd. Pastoor

Romney las hun verklaring aan de media voor: 'Margaret en Steve willen graag hun intense dankbaarheid uitspreken voor alle blijken van medeleven die ze mochten ontvangen. Op dit moment hebben ze rust nodig om Kelly te troosten, die haar tweelingzusje mist, en om hun eigen verdriet om het verlies van Kathy te verwerken.'

Walter Carlson kwam met een heel andere boodschap voor de camera: 'De man die bekend stond als Lucas Wohl is dood, maar zijn handlanger of handlangers leven nog. We zullen ze opsporen en te pakken krijgen. Ze zullen hun verdiende straf niet ontlopen.'

Bij C.F.G.&Y. bleef de triomfantelijke boodschap die Robinson Geisler had willen verkondigen uit. In plaats daarvan vertelde hij met stokkende stem dat hij het vreselijk vond dat een van de meisjes was overleden, maar dat hij ervan overtuigd was dat het losgeld van zijn bedrijf voor de veilige terugkeer van het andere meisje had gezorgd.

In een ander interview viel directielid Gregg Stanford zijn directeur openlijk af. 'U hebt te horen gekregen dat we unaniem hadden besloten om het losgeld te betalen,' zei hij. 'Ik stond echter aan het hoofd van een minderheid die zich hevig tegen deze beslissing verzette. Er bestaat een onaardig gezegde dat helaas maar al te waar is: wie met pek omgaat, wordt ermee besmet. Ik ben van mening dat we de ontvoerders tot een moeilijke beslissing zouden hebben gedwongen als we die eis om losgeld meteen hadden verworpen. Als ze de kinderen iets hadden aangedaan, zou hun straf nog zwaarder worden. In Connecticut bestaat de doodstraf nog. Maar als ze Kathy en Kelly hadden vrijgelaten, hadden ze een mildere straf mogen verwachten, zelfs als ze uiteindelijk werden gepakt. C.F.G.&Y. heeft een beslissing genomen die naar mijn mening onlogisch en moreel verwerpelijk was. Als directielid van dit bedrijf wil ik iedereen die denkt dat wij ooit nog met criminelen zaken zullen doen, verzekeren dat

dat niet zal gebeuren. Let u op mijn woorden: dit gebeurt nooit meer.'

42

'Meneer de Rattenvanger, Lucas is dood. Wat maakt het nu uit of hij zelfmoord heeft gepleegd? U zou zelfs blij moeten zijn. Hij wist wie u bent. Wij niet. En voor het geval u het nog niet wist, hij nam zijn telefoongesprekken met u allemaal op. De bandjes lagen in het dashboardkastje van zijn Ford. Ik denk dat hij nog meer geld van u wilde lospeuteren.'

'Is het andere meisje dood?'

'Nee, ze slaapt,' antwoordde Angie. 'Ik heb haar op dit moment in mijn armen. Belt u maar niet meer. Dan maakt u haar wakker.' Ze legde de hoorn op de haak en gaf Kathy een kusje op haar wang. 'Je zou toch zeggen dat hij met zeven miljoen dollar tevreden was,' zei ze tegen Clint.

Het was elf uur en Clint zat televisie te kijken. Op alle zenders werd over de ontknoping van de ontvoering gepraat. Een van de meisjes, Kelly, leefde nog en was met een mondprop gevonden. Er werd aangenomen dat het andere meisje ook zo'n doek om haar mond had gehad en daardoor was gestikt. Er was bevestigd dat Lucas Wohl op woensdagmiddag met zijn vliegtuig van Danbury Airport was opgestegen, dat hij een zware doos bij zich had gehad en dat hij even later zonder die doos was teruggekeerd. 'Men gaat ervan uit dat het lichaam van de kleine Kathy Frawley in die doos zat,' speculeerde de nieuwslezer. 'Volgens het zelfmoordbriefje heeft Lucas Wohl Kathy een begrafenis op zee gegeven.'

'Wat moeten we nu met haar doen?' vroeg Clint. De uitputting van de slapeloze nacht en het schokkende feit dat Angie voor zijn ogen Lucas had doodgeschoten, begonnen hun tol te eisen. Zijn zware lichaam hing onderuitgezakt op de stoel.

Zijn ogen, die toch al diep in zijn dikke gezicht lagen, waren nu alleen nog maar spleetjes met rode randen.

'We nemen haar mee naar Florida. Daar kopen we een boot en dan zeilen we naar het Caraïbisch gebied. Maar eerst moet ik naar de drogist. Ik had die inhalator niet in de doos moeten stoppen die ik aan Lucas heb meegegeven. Ik zal er nog een moeten kopen. Ze heeft weer moeite met ademhalen.'

'Angie, ze is ziek. Ze heeft medicijnen nodig, ze moet naar een dokter. Als ze doodgaat en wij worden betrapt...'

'Ze gaat niet dood en je hoeft niet bang te zijn dat iemand een link tussen ons en Lucas legt,' onderbrak Angie hem. 'We hebben geen enkele fout gemaakt. Als ik naar de drogist ben, moet jij met Kathy in de badkamer gaan zitten. Je moet de douche aanzetten tot de hele badkamer vol waterdamp hangt. Ik ben zo terug. Je hebt toch wel wat van het geld achtergehouden, zoals ik had gezegd?'

Clint had de vlizotrap in de kast van hun slaapkamer naar beneden getrokken en de zakken met geld naar de zolder gesleept. Hij had vijfhonderd dollar in gebruikte briefjes van twintig achtergehouden en klaargelegd voor als ze wat geld nodig hadden. 'Angie, als je met een stapel biljetten van twintig of vijftig dollar boodschappen gaat doen, gaat er vast iemand vragen stellen.'

'Alle geldautomaten spugen alleen maar briefjes van twintig uit,' bitste Angie. 'Het valt juist op als je iets anders bij je hebt.' Ze duwde Clint de slaperige Kathy in de armen. 'Doe wat ik heb gezegd. Zet die douche aan en hou haar in die deken gewikkeld. Als de telefoon gaat, neem je niet op. Ik heb tegen je maatje Gus gezegd dat je vanavond iets met hem gaat drinken. Je kunt hem straks bellen, maar ik wil geen nieuwsgierige vragen over het kind waar ik op moet passen.'

Angies ogen glinsterden van woede, en Clint wist wel dat hij beter geen poging kon wagen om haar op andere gedachten te brengen. Het gezicht van dat kind heeft op de voorpagina's van alle kranten gestaan, dacht hij. Ze lijkt net zo min op ons als ik op Elvis. Zodra we ergens met haar verschijnen, herkent iemand haar. De politie heeft vast wel ontdekt dat Lucas eigenlijk Jimmy Nelson heette en in Attica heeft vastgezeten. Straks gaan ze uitzoeken of hij daar een celgenoot had en ontdekken ze de naam Ralphie Hudson. Dan is het nog maar een kwestie van tijd voor ze hier op de stoep staan, en daarna noemt niemand me nog Clint.

Ik had Angie nooit terug moeten nemen toen ze uit die psychiatrische inrichting kwam, dacht hij. Dat was ontzettend stom van me. Hij droeg Kathy naar de badkamer en zette de douche aan. Angie had de moeder aangevallen die het had gewaagd om de baby op te tillen waar Angie op moest passen. Het had niet veel gescheeld of Angie had haar vermoord. Ik had beter moeten weten, dacht hij. Ik had haar voortaan uit de buurt van kinderen moeten houden.

Hij deed het deksel van de wc omlaag en ging erop zitten. Kathy droeg nog steeds hetzelfde poloshirtje en met zijn dikke vingers prutste hij onhandig het bovenste knoopje los. Hij draaide haar gezichtje in de richting van de douche, zodat ze de wasem kon inademen die de kleine badkamer al vlug begon te vullen.

Het kind begon te praten, maar Clint kon er geen touw aan vastknopen. Was dat het tweelingentaaltje waar Angie het over had gehad? 'Ik ben de enige die je hoort, meisje,' zei hij. 'Dus als je me iets wilt vertellen, moet je gewoon praten.'

43

Dokter Sylvia Harris wist dat Margaret en Steve de diepe rouw om Kathy tot op zekere hoogte uitstelden. Op dit moment ging al hun aandacht uit naar Kelly, die nog geen woord had gezegd sinds ze in het ziekenhuis van Elmsford met hen herenigd was. Uit het onderzoek in het ziekenhuis was gebleken dat ze niet was misbruikt, maar de strakke doek om haar mond had blauwe plekken op haar wangen achtergelaten. De blauwe en paarse plekken op haar armen suggereerden dat iemand haar gemeen had geknepen.

Toen Kelly haar ouders in het ziekenhuis zag aankomen, staarde ze naar hen en wendde ze haar gezicht af. 'Ze is nu boos op jullie, maar morgen wil ze geen moment alleen gelaten worden,' legde dokter Harris rustig uit.

Ze kwamen om elf uur thuis. Daar moesten ze naar de voordeur rennen, omdat fotografen zich verdrongen om foto's van Kelly te nemen. Margaret nam Kelly mee naar de slaapkamer van de tweeling, waar ze haar een pyjama met Assepoester aantrok. Onderwijl probeerde ze niet te denken aan het feit dat er precies zo'n zelfde pyjama opgevouwen in de la lag. Dokter Harris vond het verontrustend dat het kind totaal niet reageerde en gaf haar een licht slaapmiddel. 'Ze moet rusten,' fluisterde ze tegen Steve en Margaret.

Steve stopte zijn dochter in bed, legde haar teddybeer op haar borst en plaatste de andere beer op het lege kussen naast haar. Kelly's ogen vlogen open. Spontaan stak ze haar handen uit om Kathy's beer te pakken. Daarna wiegde ze met beide beren in haar armen zwijgend heen en weer. Pas op dat moment lieten Steve en Margaret, die aan weerszijden van haar op het bed zaten, zwijgend hun tranen de vrije loop. Sylvia vond het hartverscheurend om hen zo verdrietig te zien.

Toen ze naar beneden liep, zag ze dat Walter Carlson op het punt stond om te vertrekken. Bij het zien van zijn vermoeide, afgetobde gezicht zei ze: 'Ik hoop dat u nu de tijd neemt om wat te rusten.'

'Ja, ik ga naar huis en ga een uur of acht onder zeil. Ze hebben niets aan me als ik op mijn benen sta te wankelen. Maar daarna stort ik me weer op deze zaak, en dokter, ik beloof u dat ik niet zal rusten tot de Rattenvanger en zijn handlangers achter de tralies zitten.'

'Mag ik een opmerking maken?'

'Ja, natuurlijk.'

'Die prop had gevaarlijk kunnen zijn, maar verder bestaan Kelly's verwondingen alleen maar uit blauwe plekken, die doen vermoeden dat iemand haar gemeen heeft geknepen. U zult begrijpen dat ik door mijn vrijwilligerswerk soms in aanraking kom met mishandelde kinderen. Knijpen is doorgaans het werk van vrouwen, niet van mannen.'

'Dat denk ik ook. Een ooggetuige heeft ons verteld dat de vuilniszakken met het losgeld zijn meegenomen door twee mannen. Het zou natuurlijk heel goed kunnen dat er een vrouw voor de tweeling zorgde toen de mannen het geld gingen halen.'

'Was Lucas Wohl de Rattenvanger?'

'Dat betwijfel ik, maar ik kan alleen maar op mijn intuïtie afgaan.' Carlson verzweeg dat het autopsierapport duidelijkheid moest brengen over de hoek waaronder de dodelijke kogel het hoofd van Lucas was binnengedrongen. De meeste zelfmoordenaars houden het wapen niet met de loop naar beneden in de lucht. Ze zetten de loop tegen hun voorhoofd of hun slaap, of stoppen hem in hun mond voordat ze de trekker overhalen. 'Dokter Harris, hoe lang blijft u hier?'

'Zeker nog een paar dagen. Ik had dit weekend eigenlijk een lezing moeten geven in Rhode Island, maar die heb ik afgezegd. Kelly is erg labiel door de ontvoering, de brute behandeling van de ontvoerders en het verlies van haar tweelingzusje. Ik denk dat ik zowel haar als Steve en Margaret kan helpen als ik hier blijf.'

'Hoe zit het met de familie van het echtpaar Frawley?'

'Volgens mij komen Margarets moeder en tante volgende week. Margaret heeft gevraagd of ze hun bezoek nog even willen uitstellen. Haar moeder huilt zoveel dat ze nauwelijks een woord kan uitbrengen. Steves moeder kan niet reizen en zijn vader kan haar niet alleen laten. Eerlijk gezegd denk ik dat het beter is als ze zoveel mogelijk alleen zijn met Kelly. Het meisje zal hevig rouwen om het verlies van haar zusje.'

Carlson knikte. 'Weet u wat nu zo ironisch is? Volgens mij wilde Lucas haar inderdaad niet doden. Kelly's pyjama rook vaag naar Vicks. Zij is niet ziek, dus waarschijnlijk probeerde degene die voor de meisjes zorgde iets aan Kathy's verkoudheid te doen. Maar als een kind een verstopte neus heeft, kun je haar natuurlijk geen prop in de mond stoppen en dan verwachten dat ze blijft ademen. Natuurlijk hebben we meteen onderzoek gedaan. Lucas Wohl is woensdagmiddag met een vliegtuig opgestegen. Hij had bij vertrek een zware doos bij zich en kwam zonder die doos terug.'

'Hebt u wel eens eerder zo'n zaak aan de hand gehad?'

Carlson pakte zijn aktetas. 'Eén keer. De ontvoerder had het meisje levend begraven, maar ze had genoeg zuurstof om in leven te blijven tot we hem zover kregen dat hij vertelde waar ze lag. Het probleem was dat ze ging hyperventileren en stierf. Hij rot nu al twintig jaar in de cel en blijft daar zitten tot ze hem tussen zes planken wegdragen, maar daar heeft de familie van het meisje helemaal niets aan.' Vermoeid en gefrustreerd schudde hij zijn hoofd. 'Dokter, ik heb begrepen dat Kelly een heel intelligente driejarige is.'

'Dat klopt.'

'Er komt een moment dat we met haar willen praten of haar door een kinderpsychiater willen laten ondervragen. Maar als ze nu begint te praten, wilt u dan alle opmerkingen opschrijven die met haar ervaringen te maken kunnen hebben?'

'Natuurlijk.' Omdat Sylvia Harris wist dat het verdriet op zijn gezicht oprecht was, voegde ze eraan toe: 'Ik weet dat Margaret en Steve ervan overtuigd zijn dat u en uw collega's alles hebben gedaan om de meisjes te redden.'

'We hebben ons best gedaan, maar dat was niet genoeg.'

Ze draaiden zich allebei om toen ze haastige voetstappen op de trap hoorden. Het was Steve. 'Kelly lag in haar slaap te praten,' zei hij. 'Ze heeft twee namen laten vallen: Mona en Harry.'

'Kennen jij en Margaret iemand die Mona of Harry heet?' wilde Carlson weten. Opeens was hij zijn dodelijke vermoeidheid vergeten.

'Nee. Die namen zeggen me helemaal niets. Denk je dat ze het over de ontvoerders had?'

'Ja, dat denk ik wel. Heeft ze verder nog iets gezegd?'

Steve kreeg tranen in zijn ogen. 'Ze is teruggevallen op het tweelingentaaltje. Ze probeert met Kathy te praten.'

44

Het goed uitgewerkte plan om Franklin Baileys limousine op veilige afstand te volgen, was mislukt. Er waren overal in de stad agenten geweest om het voertuig van de ontvoerder na de overdracht van het losgeld te volgen, maar hij was hun te slim af geweest. Angus Sommers, die de operatie in New York had geleid, besefte nu dat het losgeld misschien wel in de kofferbak had gelegen van de limousine waarmee Franklin Bailey en hij terug naar Connecticut waren gereden.

Lucas Wohl zei tegen ons dat hij twee mannen had zien wegrijden in een nieuwe Lexus, dacht hij grimmig. Inmiddels wisten ze dat er maar één man in een auto of te voet was ontsnapt, want Lucas was de tweede man. Recente modder- en watervlekken in de verder onberispelijke kofferbak van de limousine leken te suggereren dat er kortgeleden een paar vuile, natte voorwerpen in hadden gelegen. Zoals vuilniszakken met geld, dacht Angus bitter.

Zou Lucas de Rattenvanger zijn geweest? Angus kon het zich niet voorstellen. Als Lucas de Rattenvanger was, zou hij al hebben geweten dat Kathy dood was. Volgens het zelfmoord-briefje had hij haar lichaam boven de oceaan uit zijn vliegtuig gegooid. Maar waarom had hij het losgeld opgehaald als hij zelfmoord wilde plegen? Het klopte gewoon niet.

Kon het zijn dat de geheimzinnige Rattenvanger nog niet wist dat Kathy dood was toen hij pastoor Romney belde om te vertellen waar de kinderen waren? Volgens de pastoor had de Rattenvanger gezegd dat hij de ouders het heuglijke nieuws kon overbrengen dat beide meisjes ongedeerd waren. Was dat een macabere grap van een sadistisch brein, of was de Rattenvanger op dat moment misschien nog niet op de hoogte van Kathy's dood?

En had de Rattenvanger Franklin Bailey werkelijk instructies gegeven, zoals Bailey beweerde? Dat waren de vragen die Sommers met Realto besprak toen ze donderdag aan het einde van de middag naar Baileys huis reden.

Realto wilde niet van Sommers' achterdocht horen. 'Bailey komt uit een oud geslacht hier in Connecticut. Voor mij staat als een paal boven water dat we hem kunnen vertrouwen.'

'Zou kunnen.' Sommers drukte op Baileys bel. Baileys huishoudster Sophie, een stevige vrouw van rond de zestig, bestudeerde hun penning voordat ze hen met een bezorgde frons binnenliet. 'Verwacht Mr. Bailey u?' informeerde ze aarzelend.

'Nee, maar we moeten hem spreken,' antwoordde Realto.

'Ik weet niet of hij een gesprek aankan, meneer. Toen hij hoorde dat Lucas Wohl met de ontvoering te maken had en zelfmoord had gepleegd, kreeg hij weer vreselijke pijn op de borst. Ik heb hem gesmeekt om naar de dokter te gaan, maar hij heeft een slaapmiddel genomen en is naar bed gegaan. Ik hoorde hem een paar minuten geleden pas weer rondlopen.'

'Dan wachten we wel,' zei Realto ferm. 'Zegt u maar tegen Mr. Bailey dat we hem dringend moeten spreken.'

Toen Bailey een kleine twintig minuten later de bibliotheek

op de begane grond binnenliep, schrok Angus Sommers van de verandering op Baileys gezicht. Gisteravond was hij de uitputting nabij geweest, maar nu was hij krijtwit en had hij een glazige blik in zijn ogen.

Sophie kwam met een kop thee achter hem aan. Hij ging zitten en nam het kopje met trillende handen van haar aan. Pas daarna richtte hij zich tot Sommers en Realto. 'Ik kan gewoon niet geloven dat Lucas bij deze vreselijke affaire betrokken was,' begon hij.

'U zult het wel moeten geloven, Mr. Bailey,' zei Realto zakelijk. 'U zult begrijpen dat we de feiten in deze zaak nog eens goed onder de loep moeten nemen. U zei dat u zich met de zaak had bemoeid en uw hulp had aangeboden. Omdat u min of meer bevriend was geraakt met Margaret Frawley, wilde u wel bemiddelen tussen de Frawleys en de ontvoerders.'

Franklin Bailey ging rechter op zijn stoel zitten en zette het kopje weg. 'Agent Realto, als u zegt dat ik me met de zaak heb "bemoeid", suggereert u dat ik me heb opgedrongen of iets onbehoorlijks heb gedaan. Dat is beslist niet het geval.'

Realto keek hem zwijgend aan.

'Zoals ik Mr. Carlson al heb verteld, heb ik Margaret ontmoet toen ze op het postkantoor in de rij stond. Ik zag dat een van de tweelingzusjes, Kelly, rechtstreeks naar de deur liep toen Margaret met de lokettist praatte. Ik hield het meisje tegen voordat ze de straat op kon rennen en bracht haar terug naar Margaret, die erg dankbaar was. Zij en Steve gaan altijd naar de mis van tien uur in St. Mary's. Ik kom daar ook altijd, en de zondag daarop stelde ze Steve aan me voor. Sindsdien maken we na de mis vaak een praatje. Ik wist dat ze hier in de buurt geen familie hadden. Ik ben twintig jaar lang burgemeester van dit stadje geweest en iedereen kent me. Toevallig las ik onlangs voor de tweede keer een boek over de ontvoering van het kind van Lindbergh. Daarin stond dat een hoogleraar van Fordham University in die zaak zijn diensten als bemiddelaar aanbood, en dat de ontvoerder uiteindelijk met hem contact opnam.'

Realto's mobiele telefoon ging over. Hij klapte hem open, tuurde naar het nummer van de beller en liep naar de gang. Toen hij terugkwam, was zijn houding ten opzichte van Franklin Bailey opeens veranderd.

'Mr. Bailey, klopt het dat u tien jaar geleden bij een grote zwendel een flink geldbedrag bent kwijtgeraakt?' informeerde hij bruusk.

'Ja, dat klopt.'

'Hoeveel geld bent u toen kwijtgeraakt?'

'Zeven miljoen dollar.'

'Hoe heette de man die u had bedrogen?'

'Richard Mason. Ik heb nog nooit zo'n gladde, handige oplichter gezien.'

'Wist u dat Mason de halfbroer van Steve Frawley is?'

Bailey staarde hem aan. 'Nee. Hoe had ik dat moeten weten?'

'Mr. Bailey, Richard Mason heeft dinsdagochtend het huis van zijn moeder verlaten. Hij had woensdagochtend op zijn werk op de bagageafdeling moeten verschijnen, maar hij is niet komen opdagen. Hij is ook niet meer thuis geweest. Weet u zeker dat u geen contact meer met hem hebt gehad?'

45

'Het kind is gewoon onherkenbaar geworden. Ze lijkt wel een jongetje,' zei Angie opgewekt, terwijl ze het resultaat van haar vermomming bekeek. Kathy's donkerblonde haar was donkerbruin geworden, dezelfde tint als Angies haar. Het was ook niet meer schouder-lang, maar zo kortgeknipt dat het nauwelijks haar oren bedekte.

Ze ziet er inderdaad anders uit, moest Clint erkennen. Als iemand haar zo zag, zou hij denken dat Angie op een jongetje paste. 'Ik heb ook een mooie naam voor haar bedacht,' liet Angie erop volgen. 'We noemen haar Stephen. Naar haar vader, snap je? Vind je je nieuwe naam mooi, Stevie? Wat vind je ervan?'

'Angie, dit is waanzin. We moeten onze spullen pakken en 'm smeren.'

'O nee, dat is het domste wat we kunnen doen. Je moet een brief schrijven aan de manager van de club, hoe die nieuwe kerel dan ook mag heten. Je moet zeggen dat je ontslag neemt, omdat je een baan in Florida hebt gevonden waarbij je voor het hele jaar werk hebt. Als je zomaar verdwijnt, vragen ze zich af waar je bent.'

'Angie, ik wéét hoe de FBI te werk gaat. Op dit moment zoeken ze iedereen die ooit contact met Lucas heeft gehad. Misschien staat ons telefoonnummer wel in zijn adresboekje.'

'Schei toch uit met die onzin. Als jullie het over je "klusjes" hadden, stond hij erop dat jullie elkaar op prepaid-mobieltjes belden.'

'Angie, als een van ons ook maar één vingerafdruk in die auto heeft achtergelaten, kon die wel eens opduiken in de database van de FBI.'

'Je had handschoenen aan toen je die auto stal en toen je Lucas' auto terug naar zijn huis reed. Maar goed, zelfs als ze een paar vingerafdrukken vinden, leiden die niet meer automatisch naar ons. Je staat nu al ruim vijftien jaar als Clint Downes bekend. Dus hou alsjeblieft op met je gezeur!'

Kathy was bijna in slaap gevallen, maar ze werd wakker toen Angie haar stem verhief. Ze liet zich van Angies schoot glijden en keek naar hen omhoog.

Angies stemming sloeg als een blad aan een boom om. 'Stevie gaat echt steeds meer op mij lijken, Clint. Het was goed dat je met haar hebt zitten stomen, want volgens mij is ze niet meer zo benauwd. Toch zal ik de inhalator vannacht vullen. En ze heeft wat cornflakes gegeten, dus daar kan ze wel even op teren.'

'Angie, ze heeft echte medicijnen nodig.'

'Daar kan ik ook wel voor zorgen, als het nodig is.' Angie vertelde niet dat ze het medicijnkastje in de badkamer had doorzocht en wat penicillinecapsules en hoestsiroop had gevonden. Die waren overgebleven na die nare bronchitisaanval die Clint vorig jaar had gehad. Ze had Kathy al wat hoestsiroop gegeven. Als dat niet werkt, maak ik die capsules open en verdun ik ze, dacht ze. Penicilline helpt bijna overal tegen.

'Waarom heb je Gus nu beloofd dat ik vanavond iets met hem ga drinken? Ik ben doodop. Ik heb geen zin om uit te gaan.'

'Je zult wel moeten, want die kwal wil dat iemand naar zijn stomvervelende verhalen luistert. Op deze manier kun je hem afschudden. Je kunt zelfs zeggen dat je een andere baan neemt. Als je maar niet te veel drinkt en gaat zitten janken om je oude maat Lucas.'

Kathy draaide zich om en liep naar de slaapkamer. Angie stond op en liep achter haar aan. Ze zag dat Kathy haar deken uit het ledikant trok, zich erin wikkelde en op de grond ging liggen.

'Luister, kindje, als je wilt slapen, doe je dat in bed,' snauwde Angie. Ze raapte het kind op, dat niet tegenstribbelde, en hield haar in haar armen. 'Houdt Stevie nog een beetje van mama?'

Kathy deed haar ogen dicht en wendde haar gezicht af. Angie schudde haar door elkaar. 'Ik ben heel lief voor jou en ik krijg stank voor dank. Dat ben ik spuugzat, en waag het niet om weer in dat brabbeltaaltje te praten.'

Ze verstijfde toen ze plotseling de deurbel hoorde. Misschien had Clint wel gelijk. Misschien heeft de FBI hem inderdaad via Lucas opgespoord, dacht ze, verlamd van angst.

Doordat de slaapkamerdeur een stukje openstond, hoorde ze Clint met slome, zware voetstappen door de kamer lopen en de voordeur opendoen. 'Hallo Clint, ouwe gabber van me. Ik kom je ophalen, dan hoef je zelf niet te rijden. Zeg maar tegen Angie dat ik plechtig beloof dat ik niet meer dan twee biertjes drink.' Het was de luide stem van Gus de loodgieter.

Hij heeft achterdocht gekregen, dacht Angie kwaad. Hij heeft wel degelijk twee kinderen horen huilen en komt nu poolshoogte nemen. Ze nam haastig een besluit en sloeg de deken weer om Kathy heen. Met een bundeltje waaruit slechts kort, donkerbruin haar stak, liep ze de woonkamer in.

'Hallo, Gus,' zei ze.

'Hallo, Angie. Is dit het kind waar je op moet passen?'

'Ja. Hij heet Stevie. Je hebt hem gisteravond horen huilen. Zijn familie moest voor een begrafenis naar Wisconsin. Ze komen morgen terug. Ik ben dol op dat ventje, maar ik wil graag weer eens rustig doorslapen.' Onder de deken hield ze Kathy stevig vast, waardoor het meisje haar hoofd niet kon draaien en haar gezicht niet aan Gus kon laten zien.

'Tot straks, Angie,' zei Clint, terwijl hij Gus in de richting van de deur duwde.

Angie zag de pick-up van Gus voor het huis staan. Dat betekende dat hij door het hek aan de achterkant was gekomen en de code had ingetoetst. Dat betekende dat hij elk moment langs kon komen als hij daar zin in had. 'Dag, veel plezier,' zei ze toen de deur achter hen dichtging.

Door het raam keek ze de auto na tot de mannen uit het zicht verdwenen. Daarna streek ze Kathy's haren glad. 'Lieve schat, jij en ik gaan er nu onmiddellijk met ons geld vandoor,' zei ze. 'Voor de verandering heeft papa Clint eens gelijk. Het is niet veilig om hier te blijven.'

46

Om zeven uur belde pastoor Romney aan bij de familie Frawley. Steve en Margaret deden open. 'Fijn dat u bent gekomen, pastoor Romney,' zei Margaret.

'Ik ben blij dat je me hebt gebeld, Margaret.' Hij liep achter hen aan naar de werkkamer, waar Steve en Margaret dicht bij elkaar op de bank gingen zitten. Romney nam plaats op de stoel die het dichtst bij hen stond. 'Hoe gaat het met Kelly?' vroeg hij.

'Dokter Harris heeft haar een slaapmiddel gegeven, dus ze heeft het grootste gedeelte van de dag geslapen,' antwoordde Steve. 'Dokter Harris is nu bij haar.'

'Als Kelly wakker is, probeert ze met Kathy te praten,' vertelde Margaret. 'Ze kan maar niet accepteren dat Kathy niet meer terugkomt. Ik ook niet.'

'Er is geen groter verdriet dan het verlies van een kind,' zei pastoor Romney zachtjes. 'Bij een trouwplechtigheid bidden we dat je de geboorte van je kleinkinderen mag meemaken. Of je nu een pasgeboren baby, een peuter of een tiener verliest, het verdriet is onbeschrijflijk. Zelfs als je bejaard bent en een kind verliest dat zelf al op leeftijd is, is het het ergste wat je kan overkomen.'

'Het probleem is dat ik niet geloof dat Kathy er niet meer is,' zei Margaret langzaam. 'Ik kan niet accepteren dat ze niet achter Kelly aan de kamer binnen zal lopen. Kelly is altijd de baas geweest, degene die het voortouw neemt. Kathy is een beetje terughoudender, een beetje verlegen.'

Ze keek naar Steve en daarna naar pastoor Romney. 'Toen ik vijftien was, brak ik bij het schaatsen mijn enkel. Het was een lelijke breuk en ik moest geopereerd worden. Ik weet nog dat ik alleen maar een doffe pijn voelde toen ik wakker werd, en dat ik dacht dat het herstel van de operatie wel zou meevallen. Een paar uur later was de verdoving uitgewerkt en ging ik door een hel. Ik denk dat het straks ook zo gaat. Op dit moment werkt de verdoving nog.'

Pastoor Romney zei niets, omdat hij intuïtief voelde dat Margaret hem iets wilde vragen. Wat ziet ze er jong en kwetsbaar uit, dacht hij. De zelfverzekerde, glimlachende moeder die hem had verteld dat ze haar carrière als advocate op een laag pitje had gezet om van haar tweeling te kunnen genieten, was nauwelijks terug te vinden in het bleke gezicht dat hem nu aankeek. Haar donkerblauwe ogen hadden een gekwelde, intens verdrietige uitdrukking. Naast haar schudde Steve zijn hoofd, alsof hij de gebeurtenissen van de afgelopen week weigerde te geloven. Zijn haar zat door de war en zijn ogen waren rood van uitputting.

'Ik weet dat we een soort uitvaart moeten voorbereiden om mensen de gelegenheid te geven afscheid te nemen,' zei Margaret. 'Mijn moeder en zus komen volgende week. Steves vader regelt een verpleegster voor mijn schoonmoeder, omdat hij er ook bij wil zijn. Heel veel vrienden hebben ons e-mailtjes gestuurd en willen bij ons zijn. Maar voordat we een mis plannen waarbij andere mensen aanwezig kunnen zijn, zou ik het fijn vinden als u een privémis voor Kathy wilt opdragen, waar alleen Steve, Kelly, dokter Harris en ik bij aanwezig zijn. Zou dat kunnen?'

'Natuurlijk kan dat. Dat zou ik morgen kunnen doen, voor of na de normale missen. Dan wordt het vóór de mis van zeven uur of na de mis van negen uur.'

'Heet het geen engelenmis als het om een klein kind gaat?' vroeg Margaret.

'Dat is een lekenterm die inderdaad wordt gebruikt als de mis voor een jonge overledene wordt opgedragen. Ik zal een paar geschikte lezingen uitzoeken.'

'Liever, dan kunnen we het beter na de mis van negen uur doen,' zei Steve. 'Het kan geen kwaad als we vanavond allebei een slaaptablet nemen.'

'Om te kunnen slapen, niet om te dromen,' zei Margaret vermoeid.

Pastoor Romney stond op en liep naar haar toe. Met zijn hand op haar hoofd gaf hij haar de zegen en daarna zegende hij Steve. 'Dan zie ik jullie om tien uur bij de kerk,' zei hij. Bij het zien van hun diepbedroefde gezichten moest hij denken aan een paar frasen uit De Profundis: Uit de diepte roep ik tot u, Heer... hoor mijn stem. Wees aandachtig, luister naar mijn roep om genade.

47

Norman Bond was niet verbaasd toen er vrijdagochtend twee FBI-agenten in zijn kantoor verschenen. Hij wist dat ze te horen hadden gekregen dat hij drie geschikte werknemers van C.F.G.&Y. had afgewezen om Steve Frawley in dienst te kunnen nemen. Hij nam ook aan dat de FBI dacht dat er iemand met financiële kennis aan de ontvoering te pas moest zijn gekomen om te weten dat bepaalde buitenlandse banken tegen betaling illegaal verkregen geld doorsluisden.

Voordat hij zijn secretaresse vroeg om de agenten naar binnen te sturen, liep hij vlug naar zijn privébadkamertje om in de spiegel te kijken. Hij bestudeerde zijn verschijning in de grote passpiegel op de deur. Toen hij vijfentwintig jaar geleden voor C.F.G.&Y. was gaan werken, had hij zijn eerste geld aan dure laserbehandelingen besteed. Die behandelingen dienden om de littekens weg te werken van de acne die zijn puberteit verschrikkelijk had verziekt. In zijn hoofd waren de littekens nog altijd aanwezig, net als de dikke bril die zijn luie oog had moeten genezen. Nu zagen zijn lichtblauwe ogen de wereld scherper dankzij een paar contactlenzen. Hij was blij dat hij dik haar had, maar vroeg zich af of hij het beter had kunnen verven. Net als veel familieleden aan moederskant was hij vroeg grijs geworden, maar nu, op zijn achtenveertigste, dreigde het haar hagelwit te worden in plaats van peper-en-zoutkleurig.

De afdankertjes uit zijn jeugd waren vervangen door conservatieve pakken van Paul Stuart, maar toch had hij een blik in de spiegel nodig om er zeker van te zijn dat er geen vlek op zijn kraag of das zat. Hij zou nooit die ene keer uit zijn begintijd bij C.F.G.&Y. vergeten, toen hij in het bijzijn van de directeur een oester aan een vork had geprikt. De oester viel van de vork, glibberde over zijn das en liet een spoor van cocktailsaus achter. Die avond had hij rood van schaamte een boek over etiquette en een complete bestekcassette gekocht. Dagenlang had hij geoefend hoe hij aan een formeel gedekte tafel de juiste vork, het juiste mes of de juiste lepel moest gebruiken.

Nu bevestigde zijn spiegel dat hij er prima uitzag. Redelijk aantrekkelijk gezicht. Keurig geknipt haar. Hagelwit shirt. Blauwe das. Geen sieraden. Heel even flitste de herinnering aan zijn trouwring door zijn hoofd. Hij had het ding van zijn vinger gehaald en vlak voor een forensentrein op de rails gegooid. Na al die jaren wist hij nog steeds niet of hij dat uit woede of verdriet had gedaan. Hij hield zichzelf voor dat het er eigenlijk niet meer toe deed.

Hij liep terug naar zijn bureau en zei tegen zijn secretaresse dat de FBI-agenten mochten binnenkomen. De eerste bezoeker, Angus Sommers, had hij woensdag al ontmoet. De tweede, een slanke vrouw van rond de dertig, werd door Sommers voorgesteld als agente Ruthanne Scaturro. Hij wist dat er overal in het gebouw FBI-agenten rondliepen om vragen te stellen.

Norman Bond begroette zijn bezoekers met een knikje. Uit beleefdheid stond hij een klein stukje op van zijn stoel, maar vervolgens ging hij met uitgestreken gezicht weer zitten.

'Mr. Bond, in zijn interview met de media wond financieel

directeur Gregg Stanford er geen doekjes om,' begon Sommers. 'Bent u het met hem eens?'

Bond trok een wenkbrauw op. Het was een gebaar dat hij met veel moeite had geperfectioneerd. 'Agent Sommers, zoals u weet heeft de directie unaniem besloten het losgeld te betalen. In tegenstelling tot mijn waarde collega was ik ervan overtuigd dat we over de brug moesten komen. Het is erg tragisch dat een van de meisjes is omgekomen, maar misschien is het aan ons losgeld te danken dat het andere meisje veilig is teruggekeerd. De chauffeur van die limousine had toch in zijn zelfmoordbriefje geschreven dat hij niet van plan was geweest het kind te doden?'

'Dat klopt. U bent het dus niet met Mr. Stanford eens?'

'Ik ben het nooit met Gregg Stanford eens. Laat ik het anders formuleren: hij is financieel directeur omdat zijn schoonfamilie tien procent van de aandelen bezit. Hij weet dat wij hem allemaal een lichtgewicht vinden. Hij heeft het belachelijke idee dat hij medestanders kan vinden als hij lijnrecht tegenover onze directeur Robinson Geisler gaat staan. Hij wil Geislers baan graag hebben. Sterker nog, hij heeft er alles voor over om die baan te krijgen. In het geval van dat losgeld probeert hij zich als het enige verstandige directielid te presenteren, dat al zag aankomen dat het een tragedie zou worden.'

'Wilt u graag algemeen directeur worden, Mr. Bond?' informeerde agent Scaturro.

'Als de tijd er rijp voor is, hoop ik dat mijn naam genoemd wordt. Na die onplezierige affaire van vorig jaar en de hoge boete die het bedrijf heeft moeten betalen, doen we er op dit moment volgens mij beter aan om als een hecht team op onze aandeelhouders over te komen. Ik denk dat Stanford het bedrijf grote schade berokkent door Mr. Geisler in het openbaar af te vallen.'

'Laten we het eens over iets anders hebben, Mr. Bond,' stelde

Angus Sommers voor. 'Waarom hebt u Steve Frawley aangenomen?'

'Volgens mij hebben we dat twee dagen geleden al besproken, Mr. Sommers.' Bond liet met opzet een geïrriteerde ondertoon in zijn stem doorklinken.

'Ik wil het graag nog een keer met u doornemen. In dit bedrijf zijn drie verbitterde mannen van mening dat het onnodig was en dat u niet het recht had om een buitenstaander als Steve Frawley aan te nemen. Voor hem was het een enorme promotie, of niet?'

'Ik zal u iets uitleggen over gekonkel in de zakenwereld, Mr. Sommers. De drie mannen over wie u het hebt, azen op mijn baan. Het waren protegés van de vorige algemeen directeur. Hun loyaliteit lag en ligt nog steeds bij hem. Ik heb veel mensenkennis, en Steve Frawley is intelligent, heel intelligent. Met een MBA, een afgeronde rechtenstudie, hersens en een krachtige persoonlijkheid kun je het in het bedrijfsleven ver schoppen. We hebben samen lang over dit bedrijf gepraat, over de problemen van vorig jaar en over de toekomst, en zijn visie beviel me wel. Volgens mij is hij ook een zeer integere man, en die zie je niet veel meer tegenwoordig. Verder wist ik dat ik op zijn loyaliteit kon rekenen en dat is de doorslaggevende factor geweest.'

Norman Bond leunde achterover in zijn stoel en vouwde zijn handen met de vingertoppen tegen elkaar. 'Als u me nu wilt excuseren, ga ik naar een vergadering met de directeur.'

Sommers en Scaturro maakten geen aanstalten om op te staan. 'Nog een paar vraagjes, Mr. Bond,' zei Sommers. 'U hebt ons vorige keer niet verteld dat u in Ridgefield, Connecticut, hebt gewoond.'

'Sinds ik voor dit bedrijf werk, ben ik vele malen verhuisd. Ik heb ruim twintig jaar geleden in Ridgefield gewoond, toen ik nog getrouwd was.'

'Klopt het dat uw vrouw een tweeling kreeg en dat de jongetjes bij de geboorte zijn gestorven?'

'Dat klopt.' Bonds ogen kregen een onpeilbare uitdrukking.

'U was stapelgek op uw vrouw, maar ze is kort daarna toch bij u weggegaan?'

'Ze is naar Californië gegaan. Ze wilde helemaal opnieuw beginnen. Soms brengt verdriet mensen dichter bij elkaar, maar het komt net zo vaak voor dat het mensen uit elkaar drijft, agent Sommers.'

'Klopt het dat u na haar vertrek een soort inzinking hebt gehad, Mr. Bond?'

'Verdriet kan mensen ook depressief maken, Mr. Sommers. Ik heb me laten opnemen omdat ik wist dat ik hulp nodig had. Tegenwoordig kun je overal rouwverwerkingstherapie krijgen. Twintig jaar geleden niet.'

'Hebt u contact met uw ex-vrouw gehouden?'

'Ze is kort daarna hertrouwd. Het was voor ons allebei beter om dat hoofdstuk van ons leven af te sluiten.'

'Maar u weet toch dat haar hoofdstuk nooit is afgesloten? Uw ex-vrouw is een paar jaar na haar tweede huwelijk spoorloos verdwenen.'

'Ja, dat weet ik.'

'Bent u over haar verdwijning ondervraagd?'

'Ja. Net als haar ouders, broers, zussen en vrienden kreeg ik de vraag of ik wist waar ze kon zijn. Natuurlijk had ik geen idee. Sterker nog, er is een beloning uitgeloofd voor informatie die tot haar terugkeer kon leiden, en ik heb een deel van dat geld beschikbaar gesteld.'

'De beloning is toch nooit uitgekeerd, Mr. Bond?'

'Nee.'

'Mr. Bond, herkende u misschien iets van uzelf in Steve Frawley? Hij was een jonge, intelligente, ambitieuze man met een knappe, intelligente vrouw en mooie kinderen.'

'Mr. Sommers, dit gesprek raakt kant nog wal. Als ik u goed begrijp, en volgens mij heb ik u goed verstaan, suggereert u

140

dat ik iets te maken had met de verdwijning van wijlen mijn vrouw en de ontvoering van Steve Frawleys tweeling. Dat is een grove belediging. Ik wil dat u mijn werkkamer onmiddellijk verlaat.'

'Wijlen uw vrouw, Mr. Bond? Hoe weet u dat ze dood is?'

48

'Ik hou altijd rekening met onvoorziene gebeurtenissen, liefje.' Angie praatte meer tegen zichzelf dan tegen Kathy, die onder een deken tussen de kussens op het motelbed lag. 'Ik denk altijd vooruit. Dat is het verschil tussen Clint en mij.'

Het was vrijdagochtend tien uur en Angie was heel tevreden over zichzelf. Gisteravond had ze het busje ingepakt en een uur nadat Clint en Gus naar het café waren gegaan, was ze met Kathy vertrokken. Ze had het losgeld in koffers gepakt en had daarna snel wat kleren en de prepaid-mobieltjes die de Rattenvanger naar Lucas en Clint had gestuurd bij elkaar geraapt. Toen ze voor de laatste keer van het huis naar het busje liep, dacht ze er nog aan om de bandjes mee te nemen die Lucas tijdens zijn telefoongesprekken met de Rattenvanger had opgenomen. Ook nam ze een gestolen rijbewijs mee, dat ze had gepikt van de moeder van een kind waar ze vorig jaar op had gepast.

Op het laatst dacht ze er nog aan om een briefje voor Clint te krabbelen: 'Maak je maar geen zorgen. Ik bel je morgenochtend. Ik moest nog op een ander kind passen.'

In drieënhalf uur reed ze rechtstreeks naar een motel in Hyannis op Cape Cod, waar ze jaren geleden eens een weekend met een vriendje had gelogeerd. Ze had het op Cape Cod zo heerlijk gevonden dat ze in de Seagull Marina in Harwich een zomerbaantje had genomen.

'Ik had altijd nog een ander plan achter de hand, voor het geval Clint tijdens een van zijn klusjes met Lucas betrapt zou worden,' zei ze grinnikend tegen Kathy. Toen ze zag dat het kind weer in slaap begon te vallen, liep ze fronsend naar het bed om Kathy op de schouder te tikken. 'Als ik aan het woord ben, moet je naar me luisteren. Misschien kun je er nog wat van opsteken.'

Kathy deed haar ogen niet open.

'Misschien heb ik je te veel hoestdrank gegeven,' zei Angie peinzend. 'Clint werd er vorig jaar ook slaperig van, dus het is niet gek als jij compleet onder zeil gaat.'

Ze liep naar het aanrecht, waar nog een restje koffie in de pot bleek te zitten. Ik heb trek, dacht ze. Ik heb wel zin in een lekker ontbijtje, maar ik kan dat kind niet half slapend en zonder jas op sleeptouw nemen. Misschien moet ik haar maar hier opsluiten en zelf iets gaan eten. Daarna kan ik in een winkel wat kleren voor haar gaan kopen. Ik laat de koffers onder het bed staan en hang een bordje NIET STOREN op de deur. Misschien moet ik haar nog wat meer hoestdrank geven, dan weet ik zeker dat ze slaapt.

Angies goede humeur dreigde als sneeuw voor de zon te verdwijnen. Ze besefte dat ze altijd gespannen en geïrriteerd raakte als ze trek had. Ze waren even na middernacht in het motel aangekomen. Angie was volledig uitgeput geweest en had zich op het bed laten vallen zodra ze Kathy had ingestopt. Ze was meteen in slaap gevallen, maar was al voor zonsopgang wakker geworden omdat het kind begon te huilen en te hoesten.

Daarna kon ik de slaap niet meer vatten, dacht Angie. Ik heb alleen nog maar een beetje gedommeld, daarom ben ik nu zo duf. Maar ik was nog wel wakker genoeg om dat rijbewijs van thuis mee te nemen. Vanaf nu sta ik hier officieel bekend als Linda Hagen.

Vorig jaar had ze een paar keer opgepast bij Linda Hagen. Een keer was Linda helemaal van streek thuisgekomen omdat ze dacht dat ze haar portemonnee in een restaurant had laten liggen. De eerstvolgende keer dat Angie op Linda's kind had moeten passen, had ze de auto van de Hagens gebruikt om het meisje naar een verjaardagsfeestje te brengen. Tijdens die rit zag ze dat de portemonnee tussen de voorstoelen was gegleden. Ze had hem opgevist en tweehonderd dollar aangetroffen. Maar wat nog belangrijker was: er zat een rijbewijs in. Mrs. Hagen had de creditcards natuurlijk geblokkeerd, maar Angie was heel blij met het rijbewijs.

We hebben allebei een smal gezicht en donkerbruin haar, dacht Angie. Op de foto droeg Mrs. Hagen een dikke bril, maar als ik ooit word aangehouden, zet ik gewoon een donkere bril op. Je moet de foto heel goed bestuderen om te zien dat ik het niet ben. Hoe dan ook, ik sta hier in het motel ingeschreven als Linda Hagen en zit hier voorlopig veilig, tenzij de FBI Clint te pakken krijgt en het busje opspoort. Als ik ergens naartoe wil vliegen, kom ik met Linda's foto wel aan boord van een vliegtuig.

Angie vermoedde dat Clint de FBI zou vertellen dat ze onderweg naar Florida was als ze hem pakten. Dat dacht hijzelf immers ook. Ze wist ook dat ze het busje kwijt moest zien te raken en het geld moest aanspreken om een tweedehandsauto te kopen.

Dan kan ik overal naartoe rijden zonder dat iemand het weet, dacht ze. Ik laat het busje wel ergens op een sloop achter. Zonder de kentekenplaten kan niemand de auto traceren.

Ik hou contact met Clint, en als ik zeker weet dat ze hem niet in de gaten houden, vertel ik hem misschien waar ik ben en vraag ik hem te komen. Maar misschien doe ik dat ook niet. Nu mag hij in elk geval niet weten waar ik ben. Maar ik had beloofd dat ik hem vanochtend zou bellen, dus dat kan ik maar beter doen.

Ze pakte een van de prepaid-mobieltjes en toetste Clints

nummer in. Hij nam meteen op. 'Waar ben je?' wilde hij weten.

'Clint, lieverd, het was beter dat ik meteen vertrok. Maak je maar geen zorgen, ik heb het geld. Stel dat de FBI bij je langs was geweest. Wat was er dan gebeurd als ze mij, het kind en het geld hadden aangetroffen? Luister goed: zorg dat je dat ledikant kwijtraakt! Heb je tegen Gus gezegd dat je ontslag neemt bij de club?'

'Ja, ja. Ik heb gezegd dat iemand me een baan in Orlando heeft aangeboden.'

'Goed zo. Neem vandaag ontslag. Als nieuwsgierige Gussy nog een keer langskomt, zeg dan maar dat de moeder van het kind waar ik op paste me heeft gevraagd om met hem naar Wisconsin te komen. Zeg maar dat haar vader is overleden en dat ze daar moet blijven om haar moeder te helpen. Zeg maar dat ik van daaruit naar jou in Florida reis.'

'Waag het niet om me te belazeren, Angie.'

'Ik belazer je niet. Als de FBI bij je langskomt, kunnen ze niets vinden. Ik heb tegen Gus gezegd dat je woensdag in Yonkers naar een nieuwe auto bent gaan kijken. Zeg maar dat je het busje hebt verkocht en huur dan maar voorlopig een andere auto.'

'Je hebt geen stuiver voor me achtergelaten,' zei hij verbitterd. 'Je hebt zelfs die vijfhonderd dollar van het ladekastje meegenomen.'

'Ik probeerde je te beschermen. Stel dat ze een aantal van die serienummers hebben genoteerd. Gebruik maar gewoon de creditcard. Dat maakt niet uit. Over een week of twee verdwijnen we spoorloos. Ik heb trek, ik moet nu ophangen. Dag.'

Angie klapte de telefoon dicht, liep terug naar het bed en keek naar Kathy. Sliep het meisje nu, of deed ze maar alsof? Ze wordt al net zo vervelend als dat andere kind, dacht Angie. Hoe aardig ik ook ben, ze negeert me gewoon.

De hoestdrank stond naast het bed. Ze draaide het dopje los en goot wat van de inhoud op een lepel. Daarna boog ze zich voorover, drukte Kathy's mond open en kiepte de inhoud van de lepel naar binnen. 'En nu doorslikken,' commandeerde ze. Slaperig en in een reflex slikte Kathy bijna alle hoestsiroop door, maar ze kreeg een paar druppels in haar luchtpijp. Ze verslikte zich en begon te huilen. Angie duwde haar achterover in de kussens. 'O, hou toch je kop,' gromde ze met samengeklemde kaken.

Kathy deed haar ogen dicht en trok de deken over haar gezicht. Ze draaide haar gezicht opzij en deed haar best om niet te huilen. In gedachten zag ze Kelly met papa en mama in de kerk zitten. Ze durfde niet hardop te praten, maar bewoog haar lippen zonder geluid te maken toen Angie haar aan het bed vastbond.

Op de eerste rij in St. Mary's Church in Ridgefield hielden Steve en Margaret Kelly's handen vast terwijl ze knielden. Naast hen vocht dokter Harris tegen haar tranen toen ze naar het openingsgebed van pastoor Romney luisterde:

Heer, U weet alles van menselijk verdriet
U weet hoe zwaar de last
van het verlies van een kind is.
Wij treuren nu zij niet meer bij ons is,
maar troost ons met de wetenschap
dat Kathryn Ann nu in Uw liefdevolle armen woont.

Kelly trok aan Margarets hand. 'Mama,' zei ze. Het was de eerste keer sinds haar terugkeer dat ze luid en duidelijk sprak. 'Kathy is heel bang van die mevrouw. Ze moet huilen en ze wil naar jou. Ze wil dat jij haar komt halen. Nu meteen!'

49

Special agent Chris Smith, hoofd van de FBI in North Carolina, had gebeld met de vraag of hij even bij de ouders van Steve Frawley in Winston-Salem langs mocht komen.

Steves vader Tom, een gepensioneerde, meermalen onderscheiden brandweercommissaris van het New York City Fire Department, had niet erg vriendelijk gereageerd op Smith' telefoontje. 'We hebben gisteren te horen gekregen dat een van onze twee kleinkinderen dood is. Alsof dat nog niet erg genoeg is, heeft mijn vrouw drie weken geleden een nieuwe knie gekregen en heeft ze nog steeds erg veel pijn. Waarom wilt u bij ons langskomen?'

'We moeten u spreken over uw stiefzoon Richie Mason, de oudste zoon van Mrs. Frawley,' had Smith geantwoord.

'Nee, hè. Ik had het kunnen weten. Komt u maar rond elf uur langs.'

Smith, een man van tweeënvijftig met een donkere huidskleur, ging naar hem toe met Carla Rogers, een zesentwintigjarige agente, die kortgeleden aan zijn staf was toegevoegd.

Om elf uur deed Tom Frawley de voordeur voor hen open. Het eerste wat Smith zag, was een fotocollage van de tweeling op de muur tegenover de deur. Mooie kinderen, dacht hij. Vreselijk dat we ze niet allebei aan hun ouders terug konden geven.

Ze liepen achter Frawley aan naar een gezellige kamer, die aan de keuken was gebouwd. Grace Frawley zat in een grote leren stoel en had haar voeten op een poef gelegd.

Smith liep naar haar toe. 'Mrs. Frawley, het spijt me vreselijk dat ik u moet storen. Ik weet dat u net een van uw kleindochters hebt verloren en dat u pas bent geopereerd. Ik beloof u dat ik niet lang zal blijven. Ons kantoor in Connecticut heeft ons gevraagd om u en uw man wat vragen te stellen over uw zoon Richard Mason.'

'Neemt u plaats.' Tom Frawley wees naar de bank en ging zelf op een stoel zitten die hij naast de fauteuil van zijn vrouw zette. 'Zit Richie weer in de nesten? Wat heeft hij nu weer gedaan?' wilde hij weten.

'Mr. Frawley, ik heb niet gezegd dat Richie in de nesten zat. Ik weet niet of hij iets heeft gedaan. We wilden hem spreken, maar hij is woensdagavond niet op zijn werk op Newark Airport verschenen. Volgens zijn buren is hij sinds vorige week niet meer in de buurt van zijn appartement gezien.'

De ogen van Grace Frawley waren opgezwollen. In het bijzijn van de agenten bleef ze een linnen zakdoekje naar haar gezicht brengen. Smith zag dat ze haar trillende lippen probeerde te verbergen.

'Hij zei tegen ons dat hij weer aan het werk ging,' vertelde ze nerveus. 'Ik ben drie weken geleden geopereerd. Daarom kwam Richie afgelopen weekend hier. Er zal toch niets met hem gebeurd zijn? Als hij niet op zijn werk is verschenen, heeft hij op weg naar huis misschien wel een ongeluk gehad.'

'Grace, je weet zelf wel dat dat onzin is,' zei Tom op milde toon. 'Richie had een hekel aan die baan. Hij zei dat hij veel te slim was om met bagage te slepen. Het zou mij niets verbazen als hij op het laatste moment heeft besloten naar Las Vegas te rijden, of zoiets. Zulke dingen heeft hij wel vaker gedaan. Er is vast niets met hem aan de hand, lieverd. Je hebt al genoeg aan je hoofd, dus ga alsjeblieft niet over hem piekeren.'

Tom Frawley sprak op geruststellende toon, maar Chris Smith hoorde een geïrriteerde ondertoon bij de troostende woorden. Hij was ervan overtuigd dat Carla Rogers het toontje ook had gehoord. Hij had Richie Masons dossier gelezen en de indruk gekregen dat de man zijn moeder niets anders dan verdriet had bezorgd. Hij had de middelbare school niet afgemaakt, had een verzegeld dossier voor vergrijpen die hij als minderjarige had gepleegd, en had vijf jaar in de gevangenis gezeten voor een zwendelzaak die een stuk of tien investeerders een fortuin had gekost. Franklin Bailey was door zijn toedoen zeven miljoen dollar kwijtgeraakt.

Grace Frawley zag er met haar afgetobde, uitgeputte gezicht echt uit als iemand die het geestelijk en lichamelijk zwaar te verduren had. Ze was een knappe, slanke vrouw met grijs haar, die volgens Smith een jaar of zestig moest zijn. Tom Frawley was een grote, breedgeschouderde man die misschien een paar jaar ouder was dan zij.

'Mrs. Frawley, u bent drie weken geleden geopereerd. Waarom is Richie dan niet eerder bij u langs geweest?'

'Ik moest twee weken revalideren.'

'O, vandaar. Wanneer is Richie gearriveerd en wanneer is hij weer weggegaan?'

'Hij is vrijdagnacht om drie uur aangekomen. Hij kreeg om drie uur 's middags vrij van zijn werk op het vliegveld en we hadden hem rond middernacht verwacht,' vertelde Tom Frawley voordat zijn vrouw antwoord kon geven. 'Maar hij belde dat het erg druk was op de weg en dat hij later zou komen. Hij zei dat we maar naar bed moesten gaan en de deur voor hem open moesten laten. Ik slaap heel licht, dus ik hoorde hem binnenkomen. Hij is dinsdagochtend om een uur of tien weggegaan. We hadden net Steve en Margaret op tv gezien.'

'Is er vaak voor hem gebeld?' informeerde Smith.

'Niet op ons nummer, maar hij had een mobiele telefoon bij zich. Die heeft hij een paar keer gebruikt. Ik weet niet hoe vaak.'

'Kwam Richie regelmatig bij u op bezoek, Mrs. Frawley?' vroeg Carla Rogers.

'Toen Steve en Margaret met de tweeling in Ridgefield gingen wonen, zijn we bij hen op bezoek geweest en kwam Richie even langs. Daarvoor hadden we hem bijna een jaar niet gezien.' Grace Frawleys stem klonk vermoeid en verdrietig.

'Ik bel hem regelmatig. Hij neemt bijna nooit op, maar ik laat dan een bericht op zijn mobiele telefoon achter. Dan zeg ik dat we aan hem denken en van hem houden. Ik weet dat hij dingen heeft gedaan die niet deugen, maar in zijn hart is hij een lieve jongen. Richies vader stierf toen hij twee was. Ik ben drie jaar later met Tom getrouwd, en niemand had een betere vader voor die jongen kunnen zijn dan hij. Maar toen Richie een puber was, kreeg hij verkeerde vrienden en daarna heeft hij zijn leven nooit meer op de rails gekregen.'

'Kunnen Steve en hij goed met elkaar overweg?'

'Niet echt,' erkende Tom Frawley. 'Richie is altijd jaloers geweest op Steve. Hij had naar de universiteit gekund. Zijn cijfers waren nooit zo geweldig, maar bij zijn toelatingsexamen voor de universiteit heeft hij het uitstekend gedaan. Hij is zelfs begonnen aan de State University in New York. Hij is intelligent, echt heel intelligent, maar hij hield tijdens zijn eerste jaar al met zijn studie op en is naar Las Vegas vertrokken. Daar heeft hij allemaal gokkers en oplichters leren kennen. U weet waarschijnlijk wel dat hij in de gevangenis heeft gezeten omdat hij bij een zwendel betrokken was.'

'Zegt de naam Franklin Bailey u iets, Mr. Frawley?'

'Dat is de man met wie de ontvoerder van mijn kleindochters contact heeft opgenomen. We hebben hem op de televisie gezien. Hij is ook degene die het losgeld aan de ontvoerders heeft overgedragen.'

'Hij was ook een van de slachtoffers van de zwendel waarbij Richie betrokken was. Die investering heeft Mr. Bailey zeven miljoen dollar gekost.'

'Weet Bailey iets over Richie? Ik bedoel, weet hij dat Richie Steves halfbroer is?' vroeg Frawley vlug. Hij klonk tegelijkertijd verbaasd en bezorgd.

'Inmiddels wel. Weet u toevallig of Richie ook bij Mr. Bailey is geweest toen hij vorige maand met u naar Ridgefield ging?'

'Geen idee.'

'Mr. Frawley, u zei dat Richie dinsdagochtend rond tien uur is weggegaan,' zei Smith.

'Dat klopt. Nog geen halfuur nadat Steve en Margaret met Bailey op tv waren.'

'Richie heeft mensen destijds overgehaald om geld te investeren in een bedrijf dat niet bestond. Hij heeft altijd volgehouden dat hij niet wist dat het bedrijf niet deugde. Gelooft u hem?'

'Nee,' antwoordde Frawley. 'Toen hij ons over dat bedrijf vertelde, klonk zijn verhaal zo goed dat we er zelf ook geld in wilden investeren. Daar wilde hij niet van horen. Dat zegt wel genoeg.'

'Tom,' protesteerde Grace Frawley.

'Grace, Richie heeft zijn straf voor zijn medeplichtigheid aan die zwendel uitgezeten. We hoeven niet te doen alsof hij een onschuldige zondebok was. Ik prijs de dag waarop Richie verantwoordelijkheid neemt voor zijn daden, want dan gaat hij zich eindelijk eens als een volwassene gedragen.'

'We hebben ontdekt dat Franklin Bailey en Richie goed bevriend waren voordat Bailey besefte dat hij bedrogen was. Zou het kunnen dat Bailey Richies verhaal wel geloofde en na Richies vrijlating de vriendschap heeft voortgezet?' vroeg Smith.

'Waar wilt u precies naartoe met deze vragen, Mr. Smith?' vroeg Frawley zacht.

'Mr. Frawley, uw stiefzoon Richie is ontzettend jaloers op uw zoon Steve. We weten dat hij zelfs uw schoondochter wilde versieren voordat ze Steve ontmoette. Omdat hij zich als een financieel deskundige weet te presenteren, slaagde hij erin veel mensen in die nepinvestering te interesseren. Bij ons onderzoek zijn we ook de gangen van Franklin Bailey nagegaan. Daarbij hebben we ontdekt dat iemand Franklin Bailey dinsdagochtend om tien over tien heeft gebeld. Het telefoontje kwam van dit nummer, in dit appartement.'

De groeven in Frawleys gerimpelde gezicht werden nog dieper. 'Ik kan u verzekeren dat ik Franklin Bailey niet heb gebeld.' Hij keek naar zijn vrouw. 'Grace, jij hebt hem toch ook niet gebeld?'

'Jawel,' antwoordde Grace Frawley ferm. 'Zijn nummer werd op de televisie vermeld en ik heb het gebeld om hem te bedanken voor zijn hulp aan Steve en Margaret. Hij nam niet op. Toen ik het antwoordapparaat kreeg, heb ik geen boodschap achtergelaten.' De pijn in haar blik had plaatsgemaakt voor woede toen ze naar agent Smith keek. 'Mr. Smith, ik weet dat u en de FBI op zoek zijn naar de mensen die de ontvoering van mijn kleindochters en de dood van Kathy op hun geweten hebben. Ik weet dat u die mensen voor het gerecht wilt brengen, maar nu moet u even heel goed naar me luisteren. Het interesseert me niet of Richie op zijn werk op Newark Airport is verschenen. Volgens mij insinueert u dat Franklin Bailey en hij iets met de ontvoering van onze kleinkinderen te maken hebben. Dat is belachelijk, dus verspil uw en onze tijd alstublieft niet met een onderzoek naar die veronderstelling.'

Ze duwde de poef van zich af en stond op, waarbij ze zich aan de armleuningen van de stoel vasthield om haar evenwicht te bewaren. 'Mijn kleindochter is dood. Ik lijd ondraaglijke pijn. Mijn jongste zoon en mijn schoondochter zijn kapot van verdriet. Mijn oudste zoon is een dwaas, een slappeling en zelfs een dief, maar zelfs hij zou zijn eigen nichtjes niet ontvoeren. Zet er een punt achter, Mr. Smith. Zeg tegen de FBI dat ze ermee op moeten houden. Is het onderhand niet genoeg? Heb ik nu nog niet genoeg meegemaakt?'

Volledig vertwijfeld stak ze haar handen in de lucht. Daarna liet ze zich weer op de stoel zakken en leunde voorover tot haar gezicht op haar knieën lag.

'Wegwezen!' Tom Frawley spuwde het woord uit en wees in

de richting van de deur. 'Jullie hebben mijn kleindochter niet kunnen redden. Ga dan nu tenminste op pad om haar ontvoerder te pakken. Jullie zitten er helemaal naast als jullie denken dat Richie iets met deze misdaad te maken had, dus verdoe jullie tijd daar alsjeblieft niet mee.'

Smith luisterde met uitgestreken gezicht naar deze tirade. 'Mr. Frawley, mocht u iets van Richie horen, wilt u hem dan alstublieft vertellen dat we hem willen spreken? Ik zal u mijn kaartje geven.' Na een knikje naar Grace Frawley draaide hij zich om en liep het appartement uit, op de voet gevolgd door agent Rogers.

In de auto stak hij de sleutel in het contact voordat hij vroeg: 'Wat was jouw indruk?'

Carla wist wat hij bedoelde. 'Ik denk dat de moeder hem probeerde te beschermen door te zeggen dat zij naar Franklin Bailey had gebeld.'

'Dat denk ik ook. Richie arriveerde hier pas vrijdagnacht, dus hij had tijd genoeg om die kinderen te ontvoeren. Hij is een paar maanden geleden in het huis in Ridgefield geweest, dus hij wist hoe het er vanbinnen uitzag. Misschien is hij wel naar zijn moeder gegaan om een alibi te hebben. Misschien was hij wel een van de mannen die het losgeld hebben opgehaald.'

'Als hij een van de ontvoerders was, moet hij wel een masker hebben gedragen. Zelfs als de tweeling hem niet goed kende, zouden ze hem kunnen herkennen.'

'Misschien heeft een van de meisjes hem wel herkend. Misschien kon ze om die reden niet meer terug naar huis. En misschien was de dood van Lucas Wohl helemaal geen zelfmoord.'

Agent Rogers staarde naar haar baas. 'Ik wist niet dat onze mensen in New York en Connecticut daar rekening mee hielden.'

'Onze mensen in New York en Connecticut houden overal

rekening mee en proberen de zaak van alle kanten te bekijken. Ze hielden zich al met de ontvoeringszaak bezig, maar
hebben desondanks niet kunnen voorkomen dat een kind
van drie is gestorven. Iemand die zich de Rattenvanger
noemt, is nog steeds op vrije voeten. Het bloed van dat kind
kleeft aan zijn handen en aan de handen van al zijn medeplichtigen. Misschien is Richie Mason inderdaad alleen maar
een oplichter, zoals de Frawleys daarnet beweerden, maar ik
kan me niet aan de indruk onttrekken dat zijn moeder hem
nu in bescherming neemt.'

50

Na haar uitbarsting in de kerk zei Kelly helemaal niets meer.
Toen ze thuiskwamen, liep ze naar haar slaapkamer en
kwam ze met de twee teddyberen in haar armen naar beneden.
Rena Chapman, de vriendelijke buurvrouw die een paar keer
voor hen had gekookt en een van de telefoontjes van de Rattenvanger had aangenomen, stond bij thuiskomst op hen te
wachten. 'Jullie moeten echt iets eten,' zei ze. Ze had de ronde tafel in de ontbijthoek van de keuken al gedekt. Steve en
dokter Harris namen plaats en Margaret ging met Kelly op
schoot tegenover hen zitten. Rena zette de schalen op tafel,
maar wilde er niet bij komen zitten. 'Jullie hebben nu geen
behoefte aan mijn gezelschap,' zei ze beslist.
Iedereen knapte op van de gloeiend hete roereieren, dunne
plakjes ham op stukjes toast en de sterke, hete koffie. Toen ze
aan hun tweede kopje koffie bezig waren, gleed Kelly van
Margarets schoot. 'Wil je me mijn boek voorlezen, mama?'
vroeg ze.
'Dat doe ik wel, lieverd,' zei Steve. 'Ga het maar halen.'
Margaret wachtte tot Kelly de keuken uit was voordat ze het

woord nam. Ze wist hoe de anderen zouden reageren, maar ze móést zeggen wat ze voelde. 'Kathy leeft nog. Kelly en zij hebben contact met elkaar.'

'Margaret, Kelly probeert nog steeds met Kathy te communiceren en ze begint jou over haar eigen ervaringen te vertellen. Ze was bang voor die vrouw die op hen paste. Ze wilde graag naar huis,' zei dokter Harris vriendelijk.

'Ze praatte met Kathy,' hield Margaret vol. 'Ik weet het zeker.'

'Schatje toch,' protesteerde Steve, 'doe jezelf dit niet aan. Er is geen sprankje hoop meer dat Kathy nog leeft.'

Margaret vouwde haar vingers om haar koffiekopje en dacht terug aan de avond waarop de tweeling was verdwenen. Toen had ze ook zo gezeten en had ze haar handen aan haar kopje willen warmen. Ze besefte dat haar wanhoop van de afgelopen vierentwintig uur had plaatsgemaakt voor de wanhopige drang om Kathy te vinden voordat het te laat was.

Pas op, zei ze tegen zichzelf. Niemand gelooft mijn verhaal. Als ze denken dat ik gek begin te worden van verdriet, geven ze me misschien een kalmeringsmiddel. Met die slaaptablet van gisteren was ik uren onder zeil. Dat mag niet meer gebeuren. Ik moet haar vinden!

Kelly kwam terug met het kinderboek waaruit ze voor de ontvoering hadden voorgelezen. Steve schoof zijn stoel achteruit en tilde haar op. 'Zullen we in de grote stoel in de werkkamer gaan zitten?'

'Kathy vindt dit ook een leuk boek,' zei Kelly.

'Nou, dan doe ik net of ik jullie allebei voorlees.' Steve kreeg tranen in zijn ogen, maar slaagde erin om de woorden rustig uit te spreken.

'Gekke papa. Kathy kan je niet horen. Ze ligt te slapen. Ze is helemaal alleen, want die mevrouw heeft haar aan het bed vastgebonden.'

'Je bedoelt zeker dat die mevrouw jou aan het bed heeft vastgebonden, of niet?' vroeg Steve vlug.

'Nee. Van Mona moesten we in dat grote ledikant waar we niet uit konden klimmen. Kathy ligt nu in het bed,' hield Kelly vol. Met haar handje tikte ze op Steves wang. 'Papa, waarom huil je?'

'Margaret, het is het beste om Kelly weer zo snel mogelijk aan haar gewone dagelijkse routine te laten wennen. Dan went ze het vlugste aan een leven zonder Kathy,' zei dokter Harris later, toen ze op het punt stond om weg te gaan. 'Volgens mij heeft Steve gelijk. Het was goed om haar naar de peuterspeelzaal te brengen.'

'Als Steve haar maar niet uit het oog verliest,' zei Margaret angstig.

'Daar zorgt hij wel voor.' Sylvia Harris sloeg haar armen om Margaret heen om haar even te omhelzen. 'Ik moet naar het ziekenhuis om te kijken hoe het met een paar van mijn patiëntjes gaat. Maar ik kom vanavond terug, als je tenminste denkt dat je nog iets aan mijn hulp hebt.'

'Ik weet nog dat Kathy longontsteking had en dat die jonge verpleegster op het punt stond om haar penicilline te geven. Ik moet er niet aan denken wat er had kunnen gebeuren als u er niet was geweest,' zei Margaret. 'Ga maar gauw naar uw zieke kinderen, en kom daarna weer terug. We hebben u nodig.'

'Toen we Kathy voor het eerst penicilline gaven, ontdekten we inderdaad dat ze dat nooit meer mocht hebben,' beaamde dokter Harris. Ze voegde eraan toe: 'Margaret, het is prima om te rouwen om je kind, en put niet te veel hoop uit de dingen die Kelly misschien nog zegt. Geloof me, ze beleeft gewoon haar eigen ervaringen opnieuw.'

Probeer haar dus maar niet te overtuigen, dacht Margaret bij zichzelf. Ze gelooft me niet. Steve gelooft me ook niet. Ik moet met agent Carlson praten. Ik moet hem nu meteen spreken.

Na een laatste kneepje in Margarets hand ging Sylvia Harris weg. Margaret, die nu voor het eerst na een week alleen thuis was, deed haar ogen dicht en haalde diep adem. Daarna haastte ze zich naar de telefoon om Walter Carlsons nummer in te toetsen.

Hij nam meteen op. 'Margaret, wat kan ik voor je doen?'

'Kathy leeft nog,' zei ze. Voordat hij iets kon zeggen, ging ze haastig door met de rest van haar verhaal. 'Je gelooft me vast niet, maar ze leeft nog. Kelly heeft contact met haar. Een uur geleden lag Kathy vastgebonden op een bed te slapen. Dat heeft Kelly me verteld.'

'Margaret...'

'Probeer me niet tot bedaren te brengen. Geloof me. Jullie hebben alleen een briefje van een dode man als bewijs dat Kathy niet meer leeft. Jullie hebben haar lichaam niet gevonden. Jullie weten dat Lucas met een grote doos in zijn vliegtuig is gestapt en denken dat Kathy's lichaam daarin zat. Zet die veronderstelling uit je hoofd en ga haar zoeken. Hoor je me? Je moet haar vinden!'

Nog voordat hij kon reageren, gooide Margaret de hoorn op de haak. Daarna plofte ze in een stoel en hield ze haar hoofd in haar handen. Er is me iets ontschoten, dacht ze. Het heeft iets te maken met de jurkjes die ik voor de verjaardag van de tweeling heb gekocht. Ik moet naar hun kamer om de jurkjes in mijn handen te houden. Misschien schiet het me dan weer te binnen.

51

Die vrijdag belden FBI-agenten Angus Sommers en Ruthanne Scaturro vroeg in de middag aan bij Walnut Street 415 in Bronxville, New York. Daar woonde Amy Lindcroft, de eerste echtgenote van Gregg Stanford. Haar bescheiden, witte huis in de stijl van de huizen op Cape Cod vormde een scherp contrast met de grote, elegante huizen om haar heen. De zon was plotseling doorgebroken en de donkergroene luiken van het huis glinsterden in het felle licht.

Het huis deed Angus Sommers denken aan zijn ouderlijk huis in Closter, op de andere oever van de Hudson in New Jersey. Voor de zoveelste keer had hij spijt dat hij het huis niet had gekocht toen zijn ouders naar Florida verhuisden. In de afgelopen tien jaar was het huis twee keer zoveel waard geworden.

Dit huis is nog meer waard dan dat van mijn ouders, dacht hij, toen hij aan de andere kant van de voordeur voetstappen hoorde naderen.

Uit ervaring wist hij dat veel mensen nerveus reageerden als ze de FBI op bezoek kregen, zelfs als ze helemaal niets op hun geweten hadden. In dit geval had Amy Lindcroft de FBI zelf gebeld en gevraagd of ze bij haar langs wilden komen om over haar ex-echtgenoot te praten. Ze begroette hen met een beleefd glimlachje, bekeek hun legitimatie en hield de deur voor hen open. Ze was een wat mollige vrouw van halverwege de veertig, met fonkelende bruine ogen en peper-en-zoutkleurig haar dat rond haar gezicht krulde. Ze droeg een spijkerbroek en een schilderskiel.

De agenten volgden haar naar een smaakvolle, met antiek ingerichte woonkamer. Hun oog viel meteen op een prachtige aquarel van de Hudson River Palisades. Sommers liep ernaartoe om het schilderij te bestuderen. Het was gesigneerd door Amy Lindcroft.

'Dit is prachtig,' zei hij oprecht.

'Ik verdien mijn brood met schilderen, dus ik moet wel goede schilderijen maken,' zei Amy Lindcroft nuchter. 'Gaat u zitten. Ik zal u niet lang ophouden, maar misschien hebt u wel interesse in mijn verhaal.'

In de auto had Sommers agent Scaturro opgedragen om tijdens het gesprek de leiding te nemen. Nu zei Scaturro: 'Ms. Lindcroft, klopt het dat u ons iets wilt vertellen wat met de ontvoering van de tweeling van de Frawleys te maken heeft?'

'Iets wat ermee te maken zou kúnnen hebben,' zei Amy Lindcroft met nadruk. 'Ik weet dat ik als een verzuurde ex-echtgenote klink als ik dit zeg, en misschien ben ik dat ook wel. Maar Gregg heeft zoveel mensen schade berokkend dat ik er niet mee kan zitten als dit hem zou schaden. Ik heb tijdens mijn studie woonruimte gedeeld met Tina Olsen, de erfgename van het farmaceutische bedrijf. Daardoor werd ik regelmatig in een van hun huizen uitgenodigd. Achteraf besef ik dat Gregg alleen maar met me is getrouwd om Tina's wereld binnen te dringen. Daar is hij fantastisch in geslaagd. Gregg is slim en weet precies hoe hij zich moet presenteren. Toen we pas getrouwd waren, werkte hij voor een kleine beleggingsmaatschappij. Hij bleef maar slijmen bij Mr. Olsen tot die hem eindelijk een baan in zijn staf aanbood. Hij slaagde erin om zich op te werken tot Olsens rechterhand. Vervolgens kreeg ik te horen dat Tina en hij verliefd op elkaar waren. Na tien jaar huwelijk was ik eindelijk zwanger geworden. Het was zo'n schok voor me dat mijn man me met mijn beste vriendin bedroog dat ik een miskraam kreeg. Mijn baarmoeder moest verwijderd worden om de bloedingen te stoppen.'

Ze is veel meer dan een verzuurde ex-echtgenote, dacht Angus Sommers bij het zien van de verdrietige blik in Amy Lindcrofts ogen.

'En toen is hij dus met Tina Olsen getrouwd,' zei Scaturro meelevend, om haar te stimuleren door te gaan met haar verhaal.

'Ja. Dat huwelijk heeft zes jaar geduurd, tot Tina hem dumpte omdat ze had ontdekt dat hij haar bedroog. Natuurlijk heeft haar vader hem toen ook ontslagen. U moet begrijpen dat Gregg gewoon niet in staat is om een vrouw trouw te blijven.'

'Wat wilt u ons daarmee duidelijk maken, Ms. Lindcroft?' vroeg Angus Sommers.

'Zo'n zesenhalf jaar geleden, toen Gregg weer was hertrouwd, belde Tina op om haar verontschuldigingen aan te bieden. Ze zei dat ze niet verwachtte dat ik haar excuses zou accepteren, maar ze wilde toch graag zeggen dat ze spijt had. Ze zei dat ze hem niet alleen wegens zijn rokkenjagerij de laan uit had gestuurd. Blijkbaar had haar vader ontdekt dat hij met valse declaraties geld van het bedrijf had gestolen. Om een schandaal te voorkomen, vulde Mr. Olsen de tekorten uit eigen zak aan. Tina zei dat het een schrale troost voor ons kon zijn dat Greggs nieuwe bruid, Millicent Alwin Parker Huff, misschien een maatje te groot voor hem was. Millicent is een keiharde tante en Tina had gehoord dat Gregg een aantal huwelijkse voorwaarden moest ondertekenen. Hij zou bijvoorbeeld geen cent krijgen als het huwelijk binnen zeven jaar ontbonden zou worden.'

Er was geen vreugde in Amy Lindcrofts glimlach te bespeuren. 'Gisteren kreeg ik weer een telefoontje van Tina. Ze had Greggs interview met de pers gelezen en zei dat hij wanhopig indruk op Millicent probeerde te maken. De zeven jaar zijn over een paar weken voorbij en Millicent zit vaak in Europa, ver weg van hem. De vorige echtgenoot die eruit is geschopt, wist pas dat zijn huwelijk met haar voorbij was op het moment dat hij hun appartement op Fifth Avenue wilde binnengaan en van de portier te horen kreeg dat hij niet meer naar binnen mocht.'

'Bedoelt u dat Gregg achter die ontvoering zou kunnen zitten omdat hij bang is dat hij op straat komt te staan en geld nodig heeft? Is dat niet een beetje vergezocht, Ms. Lindcroft?'

'Dat zou ik zelf ook hebben gezegd, ware het niet dat ik nog iets over hem weet.'

Angus Sommers had geleerd dat hij zijn emoties moest verbergen, maar toen Amy Lindcroft met een zeker leedvermaak vertelde wat ze nog meer over hem wist, staarden de twee FBI-agenten haar verbijsterd aan.

52

Margaret zat op de rand van het bed in de slaapkamer van de meisjes. De blauwe fluwelen jurkjes die ze voor hun verjaardag had gekocht, lagen plat op haar schoot. Ze probeerde niet te denken aan vorige week, toen ze de meisjes voor hun feestje had aangekleed. Steve was vroeg thuisgekomen van zijn werk, omdat ze na het feestje naar het etentje van zijn werk moesten. De tweeling was zo opgewonden geweest dat Steve uiteindelijk Kelly op schoot had moeten nemen, terwijl Margaret de knoopjes van Kathy's jurk dichtmaakte.

Ze herinnerde zich dat de meisjes hadden gegiecheld en in hun eigen taaltje met elkaar hadden gepraat. Margaret was ervan overtuigd dat ze elkaars gedachten konden lezen. Daarom weet ik ook dat Kathy nog leeft: ze heeft tegen Kelly gezegd dat ze naar huis wil.

Margaret had zin om te schreeuwen van woede en angst bij de gedachte dat Kathy doodsbang op een bed was vastgebonden. Ik weet niet waar ik haar moet zoeken, dacht ze vertwijfeld. Waar moet ik beginnen? Wat moest ik me ook alweer herinneren van die jurkjes? Ze streek met haar handen over het zachte fluweel en herinnerde zich dat ze meer had uitgegeven dan ze van plan was geweest, ook al waren de jurkjes dan afgeprijsd. Ik bleef door de rekken snuffelen, maar ik kwam steeds weer bij deze jurkjes terug. De verkoopster vertelde me hoeveel ze bij Bergdorf's hadden gekost. Toen zei ze dat het grappig was dat ik twee dezelfde jurkjes moest hebben, omdat ze net nog een mevrouw had geholpen die ook spulletjes voor een tweeling kocht.

Margaret snakte naar adem. Dat was wat ik me wilde herinneren! De zaak waar ik de jurkjes heb gekocht! De verkoopster. Zij vertelde me dat een mevrouw net kleren voor een driejarige tweeling had gekocht en niet wist welke maat ze moest hebben.

Margaret stond op en liet de jurkjes op de grond glijden. Ik herken die verkoopster waarschijnlijk wel als ik haar zie, dacht ze. Waarschijnlijk is het gewoon stom toeval dat iemand een paar dagen voor de ontvoering in dezelfde zaak kleertjes voor een driejarige tweeling heeft gekocht. Maar als de ontvoering grondig was voorbereid, wisten de daders dat de meisjes op het tijdstip van hun binnenkomst pyjamaatjes droegen en schone kleren nodig hadden. Ik moet met die verkoopster praten.

Toen Margaret naar beneden ging, kwamen Steve en Kelly net thuis van de peuterspeelzaal. 'Al haar vriendinnetjes vonden het fijn om haar weer te zien,' zei Steve op overdreven opgewekte toon. 'Ja toch, Kelly?'

Kelly zei niets, maar liet zijn hand los en begon haar jas uit te trekken. Daarna begon ze nauwelijks hoorbaar iets te fluisteren.

Margaret keek naar Steve. 'Ze praat met Kathy.'

'Ze probéért met Kathy te praten,' verbeterde hij.

Margaret stak haar hand uit. 'Steve, geef me de autosleutels.'

'Margaret…'

'Ik weet wat ik doe. Blijf jij hier met Kelly. Laat haar geen minuut alleen, en schrijf alsjeblieft op wat ze zegt. Ik smeek het je.'

'Waar ga je naartoe?'

'Ik ben zo terug. Ik ga even naar de winkel aan Route 7 waar ik de feestjurkjes voor de meisjes heb gekocht. Ik moet de vrouw spreken die me de jurkjes heeft verkocht.'

'Dan kun je haar toch ook bellen?'

Margaret dwong zichzelf om diep en rustig adem te halen.

'Steve, geef me die sleutels nu maar. Maak je maar geen zorgen, ik ben zo terug.'

'Er staat nog steeds een busje van de pers aan het einde van de straat. Ze rijden vast achter je aan.'

'Daar krijgen ze geen kans voor. Ik ben al weg voordat ze beseffen dat ik het ben. Steve, geef me de sleutels.'

Opeens draaide Kelly zich om en sloeg haar armen om Steves been. 'Het spijt me!' jammerde ze. 'Het spijt me!' Steve tilde haar op en wiegde haar in zijn armen heen en weer.

'Stil maar, Kelly. Stil maar.'

Kelly greep naar haar arm. Margaret schoof de mouw van haar poloshirtje omhoog en zag dat de arm rood werd op de plek waar bij Kelly's thuiskomst het restant van een blauwe plek had gezeten.

Margarets mond werd droog. 'Die vrouw heeft Kathy net geknepen,' fluisterde ze. 'Ik weet het zeker. O Steve, snap je het nu nog niet? Geef me de sleutels!'

Met tegenzin haalde hij de autosleutels uit zijn zak. Margaret griste ze uit zijn hand en rende naar de deur. Een kwartier later stapte ze Abby's Discount aan Route 7 binnen.

Er waren een stuk of tien klanten in de zaak, allemaal vrouwen. Margaret liep door alle gangen om te kijken of ze de verkoopster zag, maar ze kon haar nergens vinden. Uiteindelijk werd ze zo ongeduldig dat ze naar de caissière liep, die haar doorverwees naar de manager.

'O, dat is Lila Jackson,' zei de manager, toen Margaret de verkoopster beschreef. 'Die heeft een vrije dag en is met haar moeder naar New York. Ze wilde uit eten en naar het theater. Een van onze andere verkoopsters zal u met alle plezier helpen...'

'Heeft Lila een mobiel nummer?' onderbrak Margaret haar.

'Ja, maar dat kan ik u echt niet geven.' De manager, een vrouw van rond de zestig met grijsblond haar, werd opeens een stuk formeler en minder hartelijk. 'Als u een klacht hebt, kunt u die rechtstreeks tot mij richten. Mijn naam is Joan Howell en ik heb hier de leiding.'

'Het gaat niet om een klacht. Lila Jackson heeft me vorige week geholpen. Toen was er net een vrouw in de zaak geweest die ook kleertjes voor een tweeling had gekocht. Ze wist niet welke maat de kinderen hadden. Ik wil meer informatie over die vrouw.'

Howell schudde haar hoofd. 'Ik kan u Lila's nummer niet geven,' zei ze gedecideerd. 'Morgenochtend om tien uur is ze er weer. Komt u dan maar terug.' Ze glimlachte ten teken dat het gesprek was afgelopen en keerde Margaret de rug toe.

Margaret hield Mrs. Howell aan haar arm tegen. 'U begrijpt het niet.' Haar stem klonk smekend en ze ging steeds harder praten. 'Mijn dochtertje wordt vermist. Ze leeft nog. Ik moet haar vinden. Ik moet haar vinden voordat het te laat is.'

Haar stem trok de aandacht van klanten die in de buurt stonden. Maak nu geen scène, dacht ze bij zichzelf. Dan denken ze dat je gek bent. 'Het spijt me,' stamelde ze, terwijl ze Howells mouw losliet. 'Hoe laat begint Lila morgen?'

'Tien uur.' Joan Howells blik was meelevend. 'U bent toch Mrs. Frawley? Lila vertelde dat u de jurkjes voor de verjaardag van uw dochters hier had gekocht. Ik vind het zo erg van Kathy. En het spijt me dat ik u niet herkende. Ik zal u Lila's nummer geven, maar de kans is groot dat ze haar mobiele telefoon in de schouwburg niet bij zich heeft. En als ze hem al bij zich heeft, staat hij waarschijnlijk uit. Loopt u maar even mee naar kantoor.'

Margaret hoorde het gefluister van de klanten die haar uitbarsting hadden opgevangen. 'Dat is Margaret Frawley. Het waren haar tweelingdochtertjes die...'

Opeens werd Margaret overspoeld door een enorme golf van verdriet. Ze draaide zich om en rende de winkel uit. In de auto draaide ze de contactsleutel om en gaf plankgas. Hoewel ze geen idee had waar ze naartoe wilde, reed ze de weg op. Later herinnerde ze zich dat ze op de I-95 naar het noorden was gegaan en zelfs tot aan Providence, Rhode Island, was gereden. Bij het eerste bord waar Cape Cod op stond, was ze gestopt om te tanken. Daar was het pas tot haar doorgedrongen hoe ver ze eigenlijk van huis was. Ze reed over de I-95 weer naar het zuiden tot ze de afslag Route 7 zag. Ze volgde de borden, omdat ze het gevoel had dat ze naar Danbury Airport moest. Toen ze daar eindelijk aankwam, parkeerde ze de auto bij de ingang.

Hij heeft haar lichaam in een doos meegenomen, dacht ze. Dat was haar doodkist. Hij heeft haar mee in het vliegtuig genomen en is in de richting van de oceaan gevlogen. Daar heeft hij de deur of het raam opengemaakt en het lichaam van mijn mooie kleine meid in zee gegooid. Ze is een heel eind naar beneden gevallen. Zou de doos kapot zijn gegaan? Zou Kathy vanuit de doos in het water zijn gevallen? De zee is nu zo koud.

Daar moet je niet aan denken, vermaande ze zichzelf. Denk er liever aan dat ze het heerlijk vond om in de golven te duiken.

Ik zal aan Steve vragen of hij een boot huurt. Als we de zee op varen, kan ik wat bloemen op het water gooien. Misschien kan ik dan eindelijk afscheid van haar nemen. Misschien...

Ze keek op toen er plotseling een fel licht door het zijraam naar binnen scheen.

'Mrs. Frawley.' De stem van de politieagent klonk vriendelijk.

'Ja?'

'We willen u graag naar huis brengen, mevrouw. Uw man is erg bezorgd om u.'

'Ik was alleen maar even een boodschap gaan doen.'

'Mevrouw, het is elf uur 's avonds. U bent om vier uur uit de kledingzaak vertrokken.'

'Echt waar? Dat komt waarschijnlijk omdat ik mijn laatste hoop ben kwijtgeraakt.'

'Vast, mevrouw. Ik breng u wel even naar huis.'

53

Later die vrijdagmiddag gingen agenten Angus Sommers en Ruthanne Scaturro rechtstreeks van Amy Lindcrofts huis naar het kantoor van C.F.G.&Y. aan Park Avenue, waar ze Gregg Stanford onmiddellijk wilden spreken. Nadat ze een halfuur hadden gewacht, mochten ze eindelijk zijn werkkamer binnen. De kamer was overduidelijk ingericht als toonzaal voor Stanfords dure smaak.

In plaats van een gewoon bureau had hij een antieke schrijftafel. Sommers, die zelf ook verstand van mooie meubels had, zag dat het een vroegachttiende-eeuws tafeltje was, dat waarschijnlijk een fortuin had gekost. In plaats van boekenplanken had hij een achttiende-eeuws *bureau-cabinet*, dat tegen de linkermuur van zijn kantoor stond. Het meubelstuk reflecteerde het zonlicht, dat door het raam met uitzicht op Park Avenue naar binnen filterde. In plaats van een grote bureaustoel had Stanford een prachtig gestoffeerde antieke leunstoel neergezet. De stoelen vóór zijn bureau waren veel eenvoudiger gestoffeerd en vormden een duidelijk contrast met Stanfords eigen stoel. Voor Sommers was dat een duidelijke aanwijzing dat Stanford zichzelf veel belangrijker vond dan zijn bezoekers. De muur rechts van het bureau werd gedomineerd door een portret van een mooie vrouw in een avondjurk. Sommers wist meteen dat de vrouw met de hooghartige, strakke blik Stanfords huidige vrouw Millicent moest zijn.

Ik vraag me af of hij zijn personeel al verbiedt om hem recht in de ogen te kijken, dacht Sommers. Wat een patser. En deze werkkamer... Zou hij hem in zijn eentje zo hebben ingericht, of heeft hij zijn vrouw erbij betrokken? Ze zit in het bestuur van diverse musea, dus ze heeft er waarschijnlijk wel verstand van.

Toen de agenten Norman Bond hadden ondervraagd, was Bond bij hun binnenkomst even van zijn stoel gekomen. Stanford liet dat beleefde gebaar achterwege. Hij bleef met gevouwen handen op zijn stoel zitten tot de agenten onuitgenodigd tegenover hem gingen zitten.

'Hebben jullie al vooruitgang geboekt in de zoektocht naar de Rattenvanger?' vroeg hij abrupt.

'Jazeker,' antwoordde Angus Sommers prompt. Zijn stem klonk erg overtuigend. 'Sterker nog, we zitten hem inmiddels op de hielen. Meer mag ik u niet vertellen.'

Hij zag dat Stanfords mond verstrakte. Zenuwen? Sommers hoopte van wel. 'Mr. Stanford, we hebben zojuist informatie gekregen waar we met u over moeten praten.'

'Ik zou niet weten waar u met mij over moet praten,' zei Stanford. 'Ik heb heel duidelijk gezegd wat ik van de betaling van het losgeld vind. Verder is mijn handel en wandel voor de FBI niet interessant.'

'Daar zou ik maar niet zo zeker van zijn,' zei Sommers langzaam. Hij vond het leuk om de man nog even in onzekerheid te laten. 'U schrok zeker wel toen u hoorde dat Lucas Wohl een van de ontvoerders was.'

'Waar hebt u het in vredesnaam over?'

'U hebt zijn foto vast wel op tv en in de kranten gezien.'

'Ja, natuurlijk heb ik zijn foto gezien.'

'Dan moet u ook hebben gezien dat hij de ex-gevangene was die een paar jaar uw chauffeur is geweest.'

'Ik weet niet waar u het over hebt.'

'Volgens mij weet u dat heel goed, Mr. Stanford. Uw tweede echtgenote, Tina Olsen, was heel actief in een liefdadigheidsorganisatie die ex-gevangenen aan een baan hielp. Door haar hebt u kennisgemaakt met Jimmy Nelson, die op een gegeven moment de naam van zijn overleden neef Lucas Wohl aannam. Tina Olsen had zelf al jaren een vaste chauffeur, maar tijdens uw huwelijk met haar is Jimmy – of Lucas, of hoe u hem ook noemde – vaak uw chauffeur geweest. Gisteren heeft Tina uw eerste echtgenote, Amy Lindcroft, gebeld. Volgens Mrs. Olsen is Lucas ook na de scheiding nog heel lang uw chauffeur geweest. Klopt dat, Mr. Stanford?'

Stanford staarde van de een naar de ander. 'Er is maar een ding erger dan een verzuurde ex-echtgenote, en dat is twee verzuurde ex-echtgenotes,' zei hij. 'Tijdens mijn huwelijk met Tina maakte ik gebruik van een bedrijf dat chauffeurs op afroep stuurde. Om u de waarheid te zeggen, heb ik nooit een praatje gemaakt met de chauffeurs die voor dat bedrijf werken. Daar had ik geen behoefte aan. Ik wil best van u aannemen dat een van de ontvoerders chauffeur bij dat bedrijf was, al ben ik natuurlijk geschokt door uw mededeling. Het idee dat ik hem zou moeten herkennen omdat ik zijn foto in de krant heb zien staan, is belachelijk.'

'Maar u ontkent dus niet dat u hem kent?' vroeg Sommers.

'U zou wel van iedereen kunnen beweren dat hij jaren geleden mijn chauffeur is geweest. Ik zou het echt niet weten. Ik wil dat u nu mijn kantoor verlaat.'

'We zijn van plan om Lucas' boeken goed na te gaan. Sommige zijn al heel oud,' zei Sommers, terwijl hij opstond van zijn stoel. 'Volgens mij hebt u vaker van zijn diensten gebruikgemaakt dan u wilt toegeven, en ik vraag me dan ook af wat u nog meer probeert te verbergen. We komen er wel achter, Mr. Stanford. Dat kan ik u garanderen.'

54

'Nou moet je eens even heel goed naar me luisteren,' zei Angie zaterdagochtend om negen uur tegen Kathy. 'Je hebt me de halve nacht wakker gehouden met je gejank en je gehoest, en ik ben het meer dan zat. Ik word gek als ik hier de hele dag binnen moet blijven. Je bent zo verkouden dat je stikt als ik je mond afplak tegen het huilen, dus daarom moet je maar met me mee. Ik heb gisteren kleren voor je gekocht, maar de schoenen zijn te klein. We gaan straks naar Sears om ze te ruilen voor een grotere maat. Ik ga in mijn eentje naar binnen en jij blijft in het busje op de grond liggen. Ik wil geen kik van je horen, begrepen?'

Kathy knikte. Angie had haar een poloshirtje, een ribfluwelen tuinbroekje en een jasje met een capuchon aangetrokken. Haar korte, donkere haar lag sluik tegen haar voorhoofd en wangen en was nog nat omdat Angie haar net had gedoucht. Ze was alweer slaperig van een overvolle lepel hoestsiroop. Ze wilde dolgraag met Kelly praten, maar het tweelingentaaltje was verboden. Daarom had Angie haar gisteren zo hard geknepen.

'Mama, papa,' fluisterde ze in gedachten. 'Ik wil naar huis. Ik wil naar huis.' Ze wist dat ze haar best moest doen om niet meer te huilen. Ze wilde ook niet huilen, maar als ze in slaap viel en Kelly's hand wilde pakken en alleen maar lucht voelde, besefte ze dat ze niet in haar eigen bed lag en dat mama hen niet kwam instoppen. Dan kon ze er niets meer aan doen en kwamen de tranen vanzelf.

De nieuwe schoenen die Angie had gekocht, waren te klein. Ze deden pijn aan haar tenen en zaten lang niet zo lekker als haar gympjes met de roze veters of de mooie schoenen die ze bij de feestjurk had aangehad. Misschien kwam mama haar wel halen als ze heel lief was, niet huilde, haar best deed om niet te hoesten en geen tweelingentaaltje sprak. En Mona heette eigenlijk Angie. Zo had Harry haar een paar keer genoemd. En Harry heette eigenlijk geen Harry, maar Clint. Zo noemde Angie hem soms.

Ik wil naar huis, dacht ze. Er welden weer tranen in haar ogen op.

'Je gaat niet weer janken, hoor,' waarschuwde Angie. Ze deed de deur open en trok Kathy aan haar hand mee naar de parkeerplaats. Het regende hard en Angie zette haar grote koffer neer om de capuchon van Kathy's jas over haar hoofd te trekken. 'Ik wil niet dat je weer koorts krijgt,' zei ze. 'Je bent al ziek genoeg.'

Angie droeg de grote koffer naar de auto en droeg Kathy op om op het kussen op de grond te gaan liggen. Daarna legde ze een deken over haar neer. 'O ja, ik mag niet vergeten dat ik een kinderzitje voor je moet kopen.' Ze zuchtte. 'Pff, eigenlijk heb ik alleen maar last van je.'

Ze gooide het achterportier dicht, ging achter het stuur zitten en stak de sleutel in het contact. 'Maar anderzijds heb ik altijd een kind gewild,' zei ze, meer tegen zichzelf dan tegen Kathy. 'Daar ben ik al eens door in de problemen geraakt. Volgens mij vond dat kind me echt aardig en wilde hij graag bij me blijven. Ik ging door het lint toen zijn moeder hem kwam halen. Hij heette Billy. Hij was leuk en ik kon hem aan het lachen maken. Hij was heel anders dan jij, want jij huilt alleen maar. Bah.'

Kathy wist dat Angie haar niet meer lief vond. Ze krulde zich op en stopte haar duim in haar mond. Dat had ze als baby ook gedaan, maar daar was ze mee opgehouden. Nu ging het gewoon vanzelf - het was makkelijker om niet te huilen als je duimde.

Terwijl Angie van het parkeerterrein af reed, zei ze: 'Ik weet niet of het je interesseert, maar je bent op Cape Cod, lieverd. Deze straat leidt naar de haven waar de boten naar Martha's Vineyard en Nantucket vertrekken. Ik ben wel eens op Martha's Vineyard geweest, met de man die me hier mee naartoe nam. Ik vond hem best aardig, maar het is nooit iets tussen ons geworden. Goh, kon ik hem nu maar vertellen dat ik met een miljoen dollar in een koffer rondrij. Wat zou hij daarvan opkijken.'

Kathy voelde dat de auto een hoek omging.

'Main Street, Hyannis,' zei Angie. 'Over een paar maanden is het hier een stuk drukker, maar dan zitten wij al op Hawaï. Dat lijkt me een stuk veiliger dan Florida.'

Ze reden nog een stuk door en Angie begon een liedje over Cape Cod te zingen. Ze kende de tekst niet goed, dus ze neuriede de muziek en riep dan opeens: 'Op het oude Cape Cod.' Die woorden zong ze steeds maar weer opnieuw. Na een poosje stopte de auto en zong Angie nog een keer: 'Hier op het oude Cape Cod.' Toen zei ze: 'Goh, wat kan ik lekker hard zingen.' Daarna boog ze zich over de achterleuning van haar stoel en keek dreigend naar Kathy. 'Zo, we zijn er. Waag het niet om te gaan staan, hoor je me? Ik trek de deken over je hoofd, dan zien ze je niet als ze toevallig naar binnen kijken. Als ik terugkom en zie dat je ook maar een centimeter van je plaats bent gekomen, weet je wat er gebeurt, hè?'

Kathy's ogen liepen vol tranen, en ze knikte.

'Goed, dan begrijpen we elkaar. Ik ben zo terug, en dan gaan we naar McDonald's of Burger King. Wij met ons tweetjes. Mama en Stevie.'

Kathy voelde dat de deken over haar hoofd werd getrokken, maar dat kon haar niet schelen. Het was prettig om het warm te hebben en in het donker te liggen. Ze was trouwens slaperig, en het was fijn om te slapen. Maar de deken was pluizig en kriebelde aan haar neus. Ze wist dat ze weer moest hoesten, maar ze slaagde erin om het reflex te onderdrukken tot Angie was uitgestapt en de auto op slot had gedaan.

Daarna stond ze zichzelf toe om te huilen en met Kelly te praten. 'Ik wil niet op het oude Cape Cod zijn. Ik wil niet op het oude Cape Cod zijn. Ik wil naar húís!'

55

'Daar heb je hem,' fluisterde agent Sean Walsh tegen zijn partner Damon Philburn. Het was zaterdagochtend, half-tien. Hij wees naar een slungelige man in een sweatshirt met capuchon, die zijn auto bij een appartement in Clifton, New Jersey, had geparkeerd en nu het pad naar de voordeur op liep. De auto waarin de agenten hadden zitten wachten, stond aan de andere kant van de straat geparkeerd. Ze stapten allebei vlug uit en stonden aan weerszijden van de man voordat hij de sleutel in de deur had kunnen steken.

Steve Frawleys halfbroer Richard Mason, de man die ze in de gaten hadden gehouden, was blijkbaar nauwelijks verbaasd om hen te zien. 'Kom binnen,' zei hij. 'Maar ik kan jullie vertellen dat jullie je tijd verdoen. Ik heb niets met de ontvoering van mijn nichtjes te maken. Als ik jullie werkwijze een beetje ken, hebben jullie waarschijnlijk mijn moeders telefoon afgeluisterd toen ze me na jullie bezoek belde.'

Walsh en Philburn zeiden niets. Mason deed het licht in de gang aan en liep naar de woonkamer, die er in Walsh' ogen als een motelkamer uitzag. Het vertrek was ingericht met een bank, bekleed met een bruine tweedstof, twee bruingestreep-te stoelen, twee bijzettafeltjes met identieke lampen en een salontafel. Op de vloer lag beige vloerbedekking. Ze hadden gehoord dat Mason hier al tien maanden woonde, maar er lagen nergens persoonlijke bezittingen in de kamer. Op de in-gebouwde boekenplanken stond geen enkel boek. Er stonden geen familiefoto's en er lagen geen voorwerpen die op een hobby of andere vrijetijdsbesteding wezen. Mason ging in een van de stoelen zitten en sloeg zijn benen over elkaar.

Daarna pakte hij een pakje sigaretten, stak er een op en keek met een geërgerde blik naar het tafeltje naast de stoel. 'Ik heb de asbakken weggegooid, om niet in de verleiding te komen een sigaret op te steken.' Hij haalde zijn schouders op, stond op en liep naar de keuken. Even later kwam hij terug met een schoteltje en ging weer in de stoel zitten.

Hij wil ons laten zien dat hij stalen zenuwen heeft, dacht Walsh. Dat spelletje kunnen wij ook spelen. Hij wisselde een blik van verstandhouding met Philburn en zag dat zijn collega hetzelfde dacht. De agenten lieten de stilte nog even aanhouden.

'Hoor eens, ik heb de afgelopen dagen veel kilometers gemaakt en ik wil naar bed. Wat moeten jullie van me?' vroeg Mason op arrogante toon.

'Sinds wanneer rookt u weer, Mr. Mason?' vroeg Walsh.

'Sinds een week geleden, toen ik hoorde dat de tweeling van mijn broer weg was,' antwoordde Mason.

'Dus niet vanaf het moment waarop u en Franklin Bailey besloten om de kinderen te ontvoeren?' Agent Philburn wond er geen doekjes om.

'Doe niet zo achterlijk! Alsof ik de kinderen van mijn broer zou ontvoeren!'

Walsh zag dat Mason zijn hoofd draaide om naar Philburn te kijken en dat zijn nek en wangen een dieprode kleur kregen. Op de foto's in Masons dossier had hij al gezien dat de man veel op zijn halfbroer leek, maar de gelijkenis bleef beperkt tot uiterlijke kenmerken. Hij had Steve Frawley op tv gezien en was onder de indruk geweest van diens zelfbeheersing. Zelfs onder deze enorme spanning slaagde hij erin om rustig te blijven. Mason was een oplichter, die in de gevangenis had gezeten omdat hij mensen geld afhandig had gemaakt. Hij probeert ons nu ook te bedriegen, dacht Walsh. Hij houdt ons voor de gek door de verontwaardigde oom te spelen.

'Ik heb Franklin Bailey al acht jaar niet meer gesproken,' zei

Mason. 'Gezien de omstandigheden kan ik me ook niet voorstellen dat hij met mij wil praten.'

'Franklin Bailey kende de Frawleys nauwelijks. Vindt u het dan niet toevallig dat hij meteen aanbood om als tussenpersoon op te treden?' vroeg Walsh.

'Ik weet niet waarom hij dat heeft gedaan, maar ik herinner me hem als een man die graag in het middelpunt van de belangstelling staat. Toen hij in mijn bedrijf investeerde, was hij burgemeester. Hij heeft wel eens voor de grap gezegd dat hij bij voldoende belangstelling van de pers zelfs bereid was om een koektrommel officieel te openen. Hij was er kapot van dat hij niet werd herkozen. Ik weet dat hij er bij mijn proces naar uitkeek om tegen me te getuigen. Hij zal wel teleurgesteld zijn geweest toen ik in ruil voor strafvermindering schuld bekende. De FBI had zoveel onbetrouwbare getuigen klaarstaan dat ik zeker had verloren als het tot een proces was gekomen.'

'Kort nadat uw broer en schoonzus in Ridgefield waren gaan wonen, bent u bij hen langs geweest,' zei Walsh. 'Dat was een paar maanden geleden. Bent u niet bij Franklin Bailey langsgegaan om oude herinneringen op te halen?'

'Wat een stomme vraag,' reageerde Mason effen. 'Hij zou me eruit hebben getrapt.'

'U hebt nooit een hechte relatie met uw broer gehad, hè?' vroeg Philburn.

'Er zijn heel veel broers die niet goed met elkaar overweg kunnen. Als het om halfbroers gaat, zijn het er zelfs nog meer.'

'U hebt Steves vrouw Margaret ontmoet voordat Steve haar leerde kennen. Dat was op een bruiloft, als ik het goed heb. U hebt haar gebeld om een afspraak met haar te maken, maar ze wees u af. Toen kwam ze tijdens haar studie rechten Steve tegen. Vond u dat vervelend?'

'Het heeft me nooit moeite gekost om aantrekkelijke vrouwen te krijgen. Mijn twee intelligente, aantrekkelijke ex-echtgenotes bewijzen dat. Ik was Margaret meteen weer vergeten.'

'Het was u bijna gelukt om bij een zwendel miljoenen dollars te verdienen. Steve heeft een baan gekregen die een springplank naar de top zou kunnen zijn. Staat u erbij stil dat hij weer beter heeft gepresteerd dan u?'

'Daar heb ik nooit aan gedacht. En zoals ik al heb gezegd, heb ik nooit iemand bedrogen.'

'Mr. Mason, bagage sjouwen is knap vermoeiend werk. Het lijkt mij niet het soort baan dat u graag zou kiezen.'

'Het is tijdelijk,' reageerde Richard Mason kalm.

'Bent u niet bang dat u uw baan kwijtraakt? U bent de hele week niet op uw werk verschenen.'

'Ik heb gebeld om te zeggen dat ik me niet lekker voelde en dat ik de hele week niet kwam.'

'Goh, wij hebben iets heel anders gehoord,' merkte Philburn op.

'Dan heeft iemand daar iets fout gedaan. Ik kan u verzekeren dat ik wel degelijk heb gebeld.'

'Waar bent u geweest?'

'Naar Las Vegas. Ik had het gevoel dat ik wel eens zou kunnen winnen.'

'Hebt u er niet aan gedacht om naar uw broer te gaan toen zijn kinderen werden vermist?'

'Dat zou hij niet op prijs hebben gesteld. Hij schaamt zich voor me. Ziet u het al voor u? De pers hangt bij zijn huis rond en op de achtergrond loopt de broer die in de gevangenis heeft gezeten. U zei het zelf al: Stevie kan bij C.F.G.&Y. de top bereiken. Ik durf te wedden dat hij mij niet als referentie op zijn cv heeft gezet.'

'U hebt verstand van elektronische overboekingen en het soort banken dat deze overboekingen accepteert, geld doorsluist en het bewijs vernietigt, nietwaar?'

Mason stond op. 'Hoepel op. Arresteer me of hoepel op.'

Walsh en Philburn bleven gewoon zitten. 'Vindt u het niet toevallig dat u net in het weekend van de ontvoering van uw nichtjes bij uw moeder in North Carolina was? Misschien wilde u daarmee wel een alibi creëren.'

'Donder op.'

Walsh pakte zijn notitieboekje. 'Waar hebt u tijdens uw verblijf in Las Vegas gelogeerd, Mr. Mason? Zijn er mensen die kunnen bevestigen waar u was?'

'Ik zeg niets meer voordat ik een advocaat heb gesproken. Ik ken jullie soort. Jullie proberen me erin te luizen.'

Walsh en Philburn stonden op. 'We komen terug,' zei Walsh effen.

Ze verlieten het appartement, maar bleven bij Masons auto stilstaan. Walsh haalde een zaklamp tevoorschijn en liet de lichtbundel over het dashboard dwalen. '81590 kilometer,' zei hij.

Philby schreef de kilometerstand op. 'Hij staat naar ons te kijken,' merkte hij op.

'Dat is ook mijn bedoeling. Ik wil dat hij ons ziet.'

'Hoeveel kilometer stond er volgens zijn moeder op de teller?'

'In dat telefoontje dat we na ons bezoek hebben afgeluisterd, herinnerde ze hem eraan dat zijn stiefvader had gezien dat hij bijna tachtigduizend kilometer had gereden. Ze zei dat hij de auto een beurt moest laten geven en moest laten keuren. Blijkbaar is Frawley senior erop gebrand dat de auto goed wordt onderhouden.'

'Mason is de tachtigduizend inmiddels al voorbij. Van hier naar Winston-Salem is het meer dan duizend kilometer. Hij is dus niet met deze auto naar Las Vegas geweest. Waar zou hij hebben uitgehangen?'

'Ik denk dat hij ergens in New York, New Jersey of Connecticut op een paar kleine kinderen heeft gepast,' antwoordde Philburn.

56

Zaterdagochtend kon Lila Jackson haast niet wachten tot ze iedereen bij Abby's Discount kon vertellen hoezeer zij en haar moeder de vorige avond van het toneelstuk hadden genoten.

'Het was een reprise van *Our Town*,' vertelde Lila aan Joan Howell. 'Het was zo goed, ik heb er haast geen woorden voor. Die laatste scène, als George zich op Emily's graf werpt... Ik weet niet hoe ik het moet beschrijven. De tranen rolden over mijn wangen. Weet u, toen ik twaalf was, speelden we dat toneelstuk op St. Francis Xavier. Ik speelde de eerste dode vrouw. Mijn tekst was: "Het gebeurde in de straat waar we wonen. Echt waar." '

Als Lila eenmaal ergens enthousiast over was, hield ze niet meer op met praten. Howell wachtte geduldig tot ze ertussen kon komen en zei: 'Er is hier gisteren ook iets opmerkelijks gebeurd. Margaret Frawley, de moeder van de ontvoerde tweeling, kwam langs omdat ze jou wilde spreken.'

'Wat?' Lila had net het kantoortje willen verlaten om aan het werk te gaan. Nu liet ze de klink weer los. 'Waarom?'

'Dat weet ik niet. Ze wilde het nummer van je mobiele telefoon. Toen ik het niet wilde geven, zei ze dat haar dochtertje nog leefde en dat ze haar moest vinden. Ik denk dat die arme vrouw een zenuwinzinking heeft. Dat kan ik me ook wel voorstellen nu ze een van haar kinderen is kwijtgeraakt. Ze greep me zelfs bij de arm, en ik dacht even dat ik met een gek te maken had. Toen ik haar herkende, probeerde ik met haar te praten, maar ze begon te huilen en rende weg. Vanochtend hoorde ik op het nieuws dat ze gisteravond spoorloos was en dat de politie was gewaarschuwd. Uiteindelijk heeft de politie haar gisteravond om elf uur in een geparkeerde auto bij het vliegveld van Danbury aangetroffen. Het schijnt dat ze versuft en verward was.'

Lila was het toneelstuk al helemaal vergeten. 'Ik weet waarom ze me wilde spreken,' zei ze zacht. 'Toen Mrs. Frawley hier vorige week was om feestjurkjes te kopen, was er nog een klant in de winkel. Ze zocht kleertjes voor een driejarige tweeling, maar ze had geen idee welke maat ze moest hebben. Dat vertelde ik aan Mrs. Frawley, omdat ik dat zo vreemd vond. Ik heb zelfs...'

Lila maakte haar zin niet af. Joan Howell hield ervan om alles volgens de regels te doen, dus waarschijnlijk zou ze het niet leuk vinden dat Lila de boekhoudster onder druk had gezet om de creditcardmaatschappij te bellen en het adres van de klant te vragen. 'Als Mrs. Frawley er iets aan heeft als ik met haar praat, wil ik haar heel graag spreken,' zo besloot ze haar verhaal.

'Ze heeft geen telefoonnummer achtergelaten. Als ik jou was, zou ik het verder laten zitten.' Joan Howell keek op haar horloge om Lila eraan te herinneren dat het vijf over tien was en dat ze werd betaald om vanaf tien uur kleding te verkopen.

Lila herinnerde zich de naam van de vrouw die de maat van de driejarige tweeling niet had geweten. Ze heette Downes, dacht ze, terwijl ze naar een rek met afgeprijsde artikelen liep. Ze heeft de bon ondertekend als Mrs. Clint Downes, maar toen ik met Jim Gilbert over haar sprak, zei hij dat ze Angie heet en dat ze niet met Downes is getrouwd. Hij vertelde ook dat Downes conciërge van de Danbury Country Club is en dat ze in een huis op het terrein van de club wonen.

Omdat ze wist dat Joan Howell haar in de gaten hield, richtte ze zich tot een vrouw bij het rek met uitverkoopjes, die inmiddels een paar broekpakken over haar arm had. 'Zal ik die even opzijleggen?' vroeg ze. Toen de klant dankbaar knikte, nam ze de kleren van haar aan. Terwijl ze wachtte, herinnerde ze zich dat ze ervan overtuigd was geweest dat het goed zou zijn om het incident aan de politie te melden. Ze hadden gesmeekt om tips die tot aanhouding van de ontvoerders zouden kunnen leiden.

Jim Gilbert deed net of ik niet goed wijs was, dacht ze. Hij zei dat de politie talloze onbruikbare tips kreeg. En omdat hij een gepensioneerd rechercheur is, geloofde ik hem.

De klant had nog twee broekpakken gevonden die ze wilde passen en wilde graag naar een paskamer. 'Daar vindt u een lege paskamer,' zei Lila. Ik zou nu naar de politie kunnen gaan, maar misschien wuiven ze mijn verhaal wel weg, net als Jim, dacht ze. Ik heb een beter idee. De country club is hier maar tien minuten vandaan. Tijdens mijn lunchpauze ga ik erheen. Dan bel ik bij het huis van de conciërge aan en zeg ik dat er een foutje in haar poloshirtjes zat. Ik zeg dat ik ze wil ruilen voor een paar polo's die wél goed zijn. Als ik het zaakje dan nog steeds niet vertrouw, bel ik de politie.

Om een uur liep Lila met twee poloshirts in maat 104 naar de caissière. 'Kate, wil je deze even in een tasje stoppen?' vroeg ze. 'Sla ze maar aan als ik terugkom. Ik heb haast.' Ze merkte dat ze echt het gevoel had dat ze moest opschieten.

Het was weer gaan regenen en in haar haast had ze niet de moeite genomen een paraplu mee te nemen. Nou ja, dan word ik maar nat, dacht ze, terwijl ze over de parkeerplaats naar haar auto rende. Twaalf minuten later stond ze voor het hek van de Danbury Country Club, waar tot haar ergernis een hangslot op zat. Er moet nog een andere ingang zijn, dacht ze. Ze reed langzaam rond en stopte nog een keer bij een ander hek met een slot eraan voordat ze een ventweg vond met een slagboom ervoor. Er hing een kastje waarop een code moest worden ingetoetst om de slagboom omhoog te krijgen. In de verte, een flink stuk rechts achter het clubhuis, zag ze een huisje staan. Dat zou wel eens de conciërgewoning zou kunnen zijn waar Jim Gilbert het over had gehad.

Het ging steeds harder regenen. Nu heb ik al de moeite genomen om hiernaartoe te rijden, dacht Lila. Nu bel ik ook bij dat huis aan! Gelukkig was ik zo slim om een regenjas aan te trekken. Ze stapte uit, glipte onder de slagboom door en liep op een holletje in de richting van het huis. Ze probeerde zo goed mogelijk in de beschutting van de naaldbomen te blijven lopen en hield de tas met de poloshirtjes onder haar jas.

Ze liep langs een garage aan de rechterkant van het huisje, waarin één auto paste. De deur stond open en ze kon zien dat de garage leeg was. Misschien is er niemand thuis, dacht ze. Wat moet ik dan doen?

Maar toen ze dichter bij het huis kwam, zag ze dat in de voorkamer licht brandde. Op goed geluk dan maar, dacht ze, terwijl ze de twee treden naar de voordeur op liep en aanbelde.

Vrijdagavond was Clint weer met Gus naar het café gegaan. Hij was laat thuisgekomen en had tot een uur 's middags geslapen. Nu had hij een kater en was hij op van de zenuwen. Toen ze de avond ervoor aan de bar iets hadden gegeten, had Gus gezegd dat hij tijdens zijn telefoontje naar Angie had durven zweren dat hij op de achtergrond twee kinderen hoorde huilen.

Ik heb geprobeerd dat met een grapje weg te wuiven, dacht Clint. Ik zei dat hij waarschijnlijk dronken was geweest als hij dacht dat er twee kinderen in dit kleine huisje pasten. Ik zei dat ik het niet erg vond dat Angie geld verdiende met babysitten, maar dat ze kon ophoepelen als ze ooit met twee kinderen thuiskwam. Ik denk dat hij het geloofde, maar ik weet het niet zeker. Hij is een flapuit. Stel dat hij tegen iemand anders zegt dat Angie op twee kinderen moest passen en dat hij ze heeft horen huilen. Hij heeft me trouwens ook al verteld dat hij Angie bij de drogist een inhalator en aspirine zag kopen. Het kan best zijn dat hij dat ook al tegen iemand anders heeft gezegd.

Ik moet een auto huren en dat ledikant dumpen, dacht hij, terwijl hij koffiezette. Ik heb het al uit elkaar gehaald, maar ik moet dat ding het huis uit zien te krijgen en ergens in het bos lozen. Waarom heeft Angie een van de kinderen gehouden? Waarom heeft ze Lucas vermoord? Als we beide kinderen hadden teruggegeven, hadden we het geld met Lucas kunnen delen en was de kous af geweest. Nu is het hele land op oorlogspad omdat ze denken dat een van de kinderen dood is.

Angie wordt het beu om voor haar te zorgen, en dan dumpt ze haar ergens. Ik weet het zeker. Ik hoop alleen dat ze het meisje niet... Clint durfde de gedachte niet af te maken, maar het beeld van Angie die door het raampje naar binnen leunde en Lucas doodschoot, kwam hem weer voor de geest. Ze had hem diep geschokt en nu was hij doodsbang dat ze nog meer gekke dingen zou doen.

Hij zat in een dikke sweater en een spijkerbroek voorovergebogen aan de keukentafel. Hij had zijn haar niet gekamd en er stond een stoppelbaard van twee dagen op zijn kaken. Zijn tweede kop koffie stond onaangeroerd voor zijn neus. Plotseling werd er aangebeld.

De politie! Dat kon haast niet anders. Het zweet brak hem uit. Tegen beter weten in hoopte hij dat het Gus was. Hij moest opendoen. Als het politieagenten waren, hadden ze licht zien branden en wisten ze dat er iemand thuis was.

Op zijn blote voeten liep hij door de woonkamer. Zijn voeten maakten geen geluid op het groezelige kleed. Hij legde zijn hand op de deurknop, draaide eraan en rukte de deur open.

Lila hield haar adem in. Ze had verwacht de vrouw te zien die de kleertjes had gekocht. Nu stond ze tegenover een zwaargebouwde, slordig uitziende man, die haar achterdochtig aankeek.

Clint was blij dat hij geen politieagent zag, maar zijn opluchting maakte al gauw plaats voor angst dat dit een val was. Misschien is het wel een stille die komt rondneuzen, dacht hij. Blijf kalm, zei hij tegen zichzelf. Als ik niets te verbergen had, zou ik beleefd zijn en vragen wat ik voor haar kon doen. Hij dwong zichzelf naar haar te glimlachen. 'Hallo.'

Bij het zien van al het zweet op zijn gezicht vroeg Lila zich af of de man ziek was. 'Is Mrs. Downes misschien thuis? Ik bedoel, is Angie er ook?'

'Nee, ze moest ergens op een kind passen. Ik ben Clint. Waarom wilt u haar spreken?'

Dit komt vast heel raar over, maar ik zeg het toch, dacht Lila. 'Mijn naam is Lila Jackson,' legde ze uit. 'Ik werk bij Abby's Discount aan Route 7. Mijn baas heeft me hierheen gestuurd om Angie iets te geven. Ik moet over een paar minuten weer aan het werk. Mag ik misschien even binnenkomen?'

Als ik hem de indruk geef dat ze op mijn werk weten waar ik ben, ben ik veilig, dacht ze. Ze besefte dat ze niet weg kon tot ze zeker wist dat Angie zich niet ergens in het huis verstopte. 'Ja hoor, natuurlijk. Ga uw gang.' Clint stapte opzij en Lila liep langs hem heen. In een oogopslag zag ze dat er verder niemand in de kamer, keuken of eetkamer was en dat de slaapkamerdeur openstond. Blijkbaar was Clint Downes inderdaad alleen thuis, en als hier kinderen waren geweest, was dat nergens meer aan te zien. Ze knoopte haar jas los en haalde de tas met de poloshirtjes tevoorschijn. 'Toen Mrs. Downes, ik bedoel Angie, vorige week bij ons in de winkel was, kocht ze poloshirtjes voor de tweeling,' vertelde ze. 'We hebben het bericht gehad van de fabrikant dat de hele serie shirtjes foutjes had, dus daarom kom ik haar nieuwe brengen.'

'Dat is heel aardig van u,' zei Clint langzaam. Hij dacht koortsachtig na hoe hij de aankoop kon rechtvaardigen. Waarschijnlijk heeft Angie die dingen betaald met mijn creditcard. Ze is zo stom geweest om een spoor achter te laten. 'Mijn vriendin past altijd op kleine kinderen,' legde hij uit.

'Ze is nu met een gezin naar Wisconsin om hen met de kinderen te helpen. Ze blijft een paar weken weg. Ze heeft die kleertjes gekocht omdat de moeder belde en zei dat ze een van de koffers was vergeten.'

'De moeder van de driejarige tweeling?' vroeg Lila.

'Ja. Nou ja, het is niet echt een tweeling. Ze schelen minder dan een jaar en ze hebben dezelfde kledingmaat. De moeder kleedt ze precies hetzelfde aan en heeft het over haar tweeling, maar eigenlijk zijn ze dat helemaal niet. Laat u de shirtjes maar hier. Ik moet Angie toch nog een pakje sturen, dus dan stop ik de shirtjes er wel in.'

Lila wist niet goed hoe ze dat aanbod moest afslaan. Waarschijnlijk haal ik me rare dingen in het hoofd, dacht ze. Deze man ziet er onschuldig uit. Mensen hebben het wel vaker over een tweeling als kinderen bijna even oud zijn. Dat grapje heb ik meer gehoord. Ze gaf de tas aan Clint. 'Dan ga ik maar weer,' zei ze. 'Mijn excuses aan Angie of haar werkgever.'

'Ik zal ze overbrengen. Geen probleem.'

De telefoon ging. 'Nou, tot ziens dan maar,' zei Clint, terwijl hij haastig naar het toestel liep om op te nemen. 'Hallo,' zei hij. Hij staarde naar Lila, die haar hand op de deurknop had gelegd.

'Waarom neem je mijn telefoon niet op? Ik heb je wel tien keer gebeld,' blafte een stem.

Het was de Rattenvanger.

Omdat Lila erbij was, probeerde Clint heel nonchalant te klinken. 'Nee, vanavond kan ik niet, Gus,' zei hij. 'Ik wil het een beetje rustig aan doen.'

Lila deed de deur heel langzaam open. Ze wilde het gesprek van Clint horen, maar ze had geen excuus meer om nog langer te blijven. Ze besefte dat haar fantasie met haar op de loop was gegaan. Jim Gilbert had haar al verteld dat Angie babysitter was, en het was heel aannemelijk dat de moeder haar had gevraagd om wat extra kleertjes te kopen. Nu ben ik kleddernat en heb ik voor niets twee nieuwe shirtjes gekocht, dacht ze, terwijl ze terug naar haar auto rende.

'Wie is er bij je?' wilde de Rattenvanger weten.

Clint wachtte tot hij Lila langs het raam zag rennen voordat hij antwoord gaf. 'Angie is er met het kind vandoor,' zei hij. 'Ze vond het hier niet veilig meer. Ze heeft de mobiele telefoon meegenomen die ik via Lucas van u heb gekregen. Ze heeft de kleren voor de kinderen met mijn creditcard gekocht. Er was hier net een vrouw van die kledingzaak omdat de shirtjes voor de kinderen niet goed waren en geruild moesten worden. Ik weet niet of ik haar kan vertrouwen.' Hij hoorde zijn stem omhooggaan toen hij zei: 'Ik weet niet wat ik nu moet doen. Ik weet niet eens waar Angie is.'

Aan de andere kant van de lijn werd hoorbaar ingeademd. Daaraan hoorde Clint dat de Rattenvanger ook nerveus was.

'Geen paniek, Clint. Denk je dat Angie nog belt?'

'Ik denk het wel. Ze vertrouwt me. Ze weet waarschijnlijk wel dat ze me nodig heeft.'

'Maar jij hebt haar niet nodig. Wat gebeurt er als je haar vertelt dat er een politieagent langs is geweest die haar wilde spreken?'

'Dan raakt ze in paniek.'

'Zeg dat dan maar tegen haar. Ga naar haar toe, waar ze ook zit. En onthoud goed dat ze met jou hetzelfde zou kunnen doen als met Lucas.'

'Dat besef ik maar al te goed.'

'En bedenk ook goed dat het kind jou ook zou kunnen identificeren als ze nog leeft.'

57

'Iedereen bereikt een keer een punt waarop hij het niet meer aankan, Margaret,' zei dokter Sylvia Harris zaterdagmiddag zacht. Het was één uur en zij en Kelly hadden Margaret net wakker gemaakt.

Nu zat Margaret rechtop in bed en lag Kelly lekker tegen haar aan. Ze deed haar best om te glimlachen. 'Wat hebt u me in vredesnaam gegeven? Ik heb twaalf uur als een blok geslapen!'

'Je had afgelopen week bijna niet geslapen.' Dokter Harris' toon was luchtig, maar aan haar blik ontsnapte niets. Margaret is veel te mager, dacht ze, en zo ontzettend bleek. 'Ik had je nu eigenlijk ook niet wakker willen maken, maar agent Carlson heeft gebeld. Hij wil langskomen. Steve is onderweg hierheen en vroeg of ik jou wakker wilde maken.'

'De FBI wil waarschijnlijk weten waarom ik gisteravond zomaar ben weggegaan. Misschien denken ze wel dat ik gek ben. Vlak nadat u gisteren was weggegaan, heb ik agent Carlson gebeld. Ik schreeuwde dat Kathy nog leefde en dat hij haar moest zoeken.' Margaret nam Kelly in haar armen en trok haar naar zich toe. 'Daarna ben ik naar de winkel gegaan waar ik de jurkjes had gekocht. Daar heb ik de manager, of wie ze dan ook was, bijna aangevallen. Ik denk dat ik gewoon even de kluts kwijt was.'

'Heb je enig idee waar je na je bezoek aan die winkel naartoe bent gegaan?' vroeg dokter Harris. 'Gisteravond zei je dat je niets meer wist.'

'Ik herinner me niets van de rit, ik weet alleen dat ik opeens Cape Cod op de borden zag staan. Het was alsof ik daardoor wakker werd geschud en wist dat ik moest omkeren. Ik voel me zo schuldig. Die arme Steve heeft al genoeg aan zijn hoofd. Nu moet hij zich ook nog eens zorgen maken om zijn doorgedraaide vrouw.'

Dokter Harris dacht terug aan de vorige avond, toen ze om acht uur was teruggekomen en van Steve had gehoord dat Margaret werd vermist. In gedachten kon ze de wanhopige blik op zijn gezicht nog zien.

'Dokter Sylvia, vanmiddag kwamen Kelly en ik terug van de peuterspeelzaal,' had hij met angst in zijn stem uitgelegd. 'Toen Kelly haar jasje uitdeed, slaakte ze een gil en greep ze naar haar arm, precies op dezelfde plaats waar ze die blauwe plek had. Ik denk dat ze haar arm aan de poot van het tafeltje in de gang heeft gestoten, maar Margaret ging door het lint! Ze was ervan overtuigd dat iemand Kathy pijn deed en dat Kelly de pijn kon voelen. Ze graaide de autosleutels uit mijn hand en zei dat ze iemand moest spreken die in de winkel werkte waar ze de feestjurkjes had gekocht. Omdat ze niet thuiskwam en ik me de naam van de winkel ook niet kon herinneren, heb ik uiteindelijk de politie gebeld en gezegd dat ze spoorloos was. Dokter Sylvia, ze zal toch geen domme dingen doen? Ze zal zichzelf toch niets aandoen?'

Het was een marteling geweest om nog drie uur te moeten wachten op het telefoontje dat de politie Margaret had gevonden. Ze hadden haar in de buurt van Danbury Airport in haar auto aangetroffen. Toen de politie haar uiteindelijk thuisbracht, had ze niet kunnen vertellen waar ze al die tijd was geweest. Ik heb haar een zwaar slaapmiddel gegeven, dacht dokter Harris, en daar heb ik goed aan gedaan. Ik kan haar verdriet niet verzachten, maar ik kan haar wel gelegenheid geven om er even aan te ontsnappen en uit te rusten.

Ze zag dat Margaret met haar vingers over Kelly's wang streek.

'Wat ben je stil,' merkte Margaret zachtjes op. 'Hoe gaat het met je, Kel?'

Kelly keek haar met ernstige ogen aan, maar gaf geen antwoord.

'Deze dame is de hele ochtend al zo stil,' merkte dokter Har-

ris op. 'Ik heb vannacht in jouw kamer geslapen, hè Kelly?'
Kelly knikte zwijgend.

'Heeft ze goed geslapen?' informeerde Margaret.

'Ik denk dat ze een beetje van slag was door alles wat er was gebeurd. Ze huilde in haar slaap en moest vaak hoesten. Daarom leek het me het beste om bij haar te blijven slapen.'

Margaret beet op haar lip. Ze probeerde haar toon kalm te houden toen ze zei: 'Waarschijnlijk heeft ze haar zusjes verkoudheid opgelopen.' Ze gaf Kelly een kusje op haar haren. 'Maar daar helpen we haar wel weer vanaf, hè dokter Sylvia?'

'Zeker, maar ik kan je verzekeren dat haar longen helemaal schoon zijn.' Sterker nog, dacht dokter Sylvia Harris, er is geen enkele reden waarom ze zo moet hoesten. Ze is helemaal niet verkouden. Ze stond op. 'Margaret, ga jij je maar even lekker douchen en aankleden. Dan gaan wij naar beneden en ga ik Kelly een boekje voorlezen. Kelly mag zelf een verhaal uitkiezen.'

Kelly aarzelde.

'Dat lijkt me een prima idee,' zei Margaret vastberaden.

Kelly gleed zwijgend van het bed af en stak haar hand uit naar die van Sylvia Harris. Samen liepen ze naar beneden, naar de werkkamer. Daar koos Kelly een boek uit en klom bij de dokter op schoot. Het was een beetje koud in de kamer. Sylvia pakte de deken die over de leuning van de bank hing en legde die om Kelly heen. Ze sloeg het boek open en schoof toen voor de tweede keer die dag Kelly's mouw omhoog.

De beurse plek op haar bovenarm zat net naast de blauwe plek die inmiddels begon te vervagen. Het lijkt wel of iemand haar heel hard heeft geknepen, dacht Sylvia. 'Die plek heb je niet gekregen door je arm aan een tafeltje te stoten, Kelly,' zei ze hardop. Ondertussen vroeg ze zich af of Margaret gelijk zou kunnen hebben. Zou Kelly Kathy's pijn kunnen voelen?

Ze kon de verleiding niet weerstaan om de vraag hardop te stellen.

'Kelly, kun jij soms voelen wat Kathy voelt?' vroeg ze.

Kelly keek haar aan en schudde met grote angstogen haar hoofd. 'Sst,' fluisterde ze. Daarna rolde ze zich op tot een bal, stak haar duim in haar mond en trok de deken over haar hoofd.

58

Special agent Connor Ryan had op zaterdagochtend elf uur een vergadering in zijn kantoor in New Haven belegd. Nu zat hij om de tafel met agent Carlson, agent Realto en Jed Gunther, een hoofdinspecteur van de Connecticut State Police. Alle vier waren ze vastbesloten de ontvoerders in de kraag te pakken. Nu bespraken ze de vorderingen van het onderzoek.

Als hoofd van de FBI in Connecticut leidde Ryan de discussie. 'Wohl, zoals hij bij de meeste mensen bekendstond, zou zelfmoord gepleegd kunnen hebben. De omstandigheden sluiten het niet uit, maar de meeste mensen doen het anders. Doorgaans plegen ze zelfmoord door een loop in hun mond te steken of het wapen tegen de zijkant van hun hoofd te zetten en de trekker over te halen. Kijk even naar deze foto's.'

Hij schoof de foto's van de autopsie van Lucas Wohl naar de anderen. 'Uit de hoek waaronder de kogel het hoofd is binnengedrongen, kunnen we concluderen dat hij, als hij zelfmoord heeft gepleegd, het wapen boven zijn hoofd hield toen hij de trekker overhaalde. Een ander probleem is het zelfmoordbriefje,' zei hij effen. 'Wohls vingerafdrukken staan erop, maar niet overal. Als hij dat vel papier zelf in een typemachine heeft gedraaid en het er na het tikken van zijn bekentenis uit heeft getrokken, zouden zijn vingerafdrukken overal moeten zitten. Tenzij hij bij het typen handschoenen droeg.' Hij gaf het briefje aan Carlson.

'Laten we de zaak eens reconstrueren,' vervolgde Ryan. 'We weten dat er minstens twee mensen bij deze zaak betrokken waren. Een van hen was Lucas Wohl. Op de avond van de ontvoering was de babysitter onderweg naar de slaapkamer van de tweeling, omdat ze een van hen had horen huilen. Vervolgens werd ze boven op de gang van achteren beetgegrepen. Zij denkt dat er iemand bij de kinderen was toen ze werd aangevallen. Dat klinkt logisch, want we weten dat het losgeld door twee mannen is opgehaald.'

'Denk je dat een van hen de Rattenvanger was?' vroeg Gunther.

'Volgens mij is de Rattenvanger iemand anders, een derde man, iemand die de touwtjes in handen heeft en zich niet met de daadwerkelijke ontvoering heeft bemoeid. Maar dat kan ik natuurlijk niet bewijzen.'

'Ik denk dat er nog iemand bij betrokken is,' zei Walter Carlson. 'Een vrouw. Toen Kelly thuiskwam, noemde ze in haar slaap twee namen: Mona en Harry. Haar vader ving de namen op toen hij naast het bed zat. De Frawleys weten heel zeker dat ze niemand kennen die zo heet. De andere ontvoerder zou dus Harry kunnen heten, en Mona is misschien wel een vrouw die op de kinderen heeft gepast.'

'Laten we er dan van uitgaan dat we naast Lucas Wohl minstens twee, of misschien wel drie andere mensen moeten zoeken: de tweede ontvoerder, een man die wellicht Harry heet en een vrouw die Mona zou kunnen heten. En als de Rattenvanger niet een van deze drie is, zoeken we zelfs naar een vierde persoon,' zei Ryan.

De andere mannen knikten, ten teken dat ze het met hem eens waren. 'Dat brengt ons bij de mensen naar wie onze aandacht op dit moment uitgaat,' vervolgde Ryan. 'Volgens

188

mij zijn dat er inmiddels vier. Om te beginnen hebben we Steve Frawleys halfbroer, Richard Mason. Hij is jaloers op Steve en is misschien wel verliefd geweest op Margaret. Hij kende Franklin Bailey en loog dat hij naar Las Vegas is geweest. Verder hebben we Bailey zelf, en Norman Bond, degene die Steve bij C.F.G.&Y. heeft binnengehaald. Bond heeft in Ridgefield gewoond, leidde vroeger net zo'n leven als Steve, heeft een paar zenuwinzinkingen gehad en sprak over zijn ex-vrouw als "wijlen mijn vrouw".'

Ryan perste zijn lippen op elkaar. 'Tot slot hebben we Gregg Stanford, die er hevig op tegen was dat C.F.G.&Y. het losgeld betaalde. Stanford heeft mogelijk huwelijksproblemen met zijn rijke echtgenote en heeft Lucas Wohl ooit als privé-chauffeur gehad. Tegen de tijd dat we Mason, Bailey, Bond en Stanford volledig hebben doorgelicht, weten we zelfs wat hun eerste woordjes waren. Daar ben ik van overtuigd. Maar we zouden er met ons onderzoek naar hen ook volledig naast kunnen zitten. Er kunnen ook andere mensen bij betrokken zijn.'

'Onze jongens gaan ervan uit dat iemand precies wist hoe het huis van de Frawleys in elkaar zat,' zei Gunther. 'We gaan alle boeken van de verkopende makelaar na om te kijken of we een aanknopingspunt zien. Verder heb ik de politieman uit New York gesproken die Kelly heeft gevonden. Hij maakte een paar interessante opmerkingen. Kelly droeg de pyjama die ze op de avond van haar ontvoering aanhad, maar die was nog vrij schoon. Als driejarige kinderen vijf dagen in hetzelfde moeten lopen, zien ze eruit alsof ze vijf maanden niet zijn verschoond. Dat betekent dat iemand haar andere kleertjes heeft aangetrokken of die pyjama minstens een paar keer heeft gewassen en gedroogd. Dat klinkt alsof er een vrouw bij deze zaak betrokken is.'

'Dat denk ik ook,' beaamde Carlson. 'En dan nog iets. Heeft Lucas Kelly in de gestolen auto naar die parkeerplaats gebracht? In dat geval is ze misschien getuige geweest van zijn zelfmoord. Waar waren de andere ontvoerders? Is het niet aannemelijk dat zij niet wisten dat Lucas zelfmoord wilde plegen en achter hem aan naar de parkeerplaats reden om Kelly, of misschien zelfs Kelly en Kathy, in de auto achter te laten en Lucas mee terug te nemen? Vergeet niet dat de Rattenvanger pastoor Romney belde met de mededeling dat béíde meisjes veilig waren. Op dat moment had hij geen enkele reden om te liegen. Misschien was het voor hem ook wel een schok om te horen dat Kathy dood was.

Let wel, ik ben ervan overtuigd dat ze dood is en dat het is gegaan zoals Lucas schreef. Het was een ongeluk. Ik denk dat hij haar lichaam op zee heeft begraven. Ik heb de monteur gesproken die Wohl met de zware doos naar zijn vliegtuig zag lopen, en ik heb de chauffeur van een cateringbedrijf gesproken die hem een uur later zonder doos weer uit het vliegtuig zag stappen. We weten allemaal dat professionele ontvoerders losgeld willen en hun slachtoffers nooit opzettelijk kwaad doen, zeker niet als het om kinderen gaat. Volgens mij is het zo gegaan: Lucas heeft Kathy per ongeluk gedood en was daarna helemaal over zijn toeren. Hij maakte de anderen nerveus. Ik denk dat ze met hem naar de parkeerplaats zijn gereden en hem hebben gedood om te voorkomen dat hij zich zou bezatten en zijn mond voorbij zou praten. We moeten met Kelly praten om erachter te komen wat ze weet. In het ziekenhuis wilde ze laatst niets zeggen, en ik heb gehoord dat ze thuis ook vrij stil is. Maar donderdagavond noemde ze die twee namen in haar slaap: Mona en Harry. Misschien kunnen we haar zover krijgen dat ze nog wat over de ontvoering vertelt. Ik wil de ouders vragen of we er een kinderpsychiater bij mogen halen om haar te ondervragen.'

'Hoe is het nu met Margaret Frawley?' vroeg Ryan. 'Tony, heb jij haar man vandaag nog gesproken?'

'Ik heb hem gisteravond gesproken, nadat de politie Margaret had thuisgebracht. Hij vertelde dat ze in shock was en dat de kinderarts van de tweeling haar een sterk kalmeringsmiddel heeft gegeven. Blijkbaar wist ze niet waar ze was geweest en herinnerde ze zich ook niet dat ze naar die winkel was gegaan waar ze de feestjurkjes had gekocht.'

'Waarom ging ze naar die winkel?'

'Ik heb de manager vanochtend gesproken. Margaret was behoorlijk in de war toen ze daar was. Ze wilde de verkoopster spreken die haar de jurkjes had verkocht, maar toen de manager haar het mobiele nummer van die vrouw wilde geven, stortte Margaret in en rende de winkel uit. Joost mag weten wat ze op dat moment dacht. Maar haar man vertelde over een blauwe plek op de arm van Kelly. Margaret was ervan overtuigd dat die blauwe plek ontstond op het moment dat iemand Kathy pijn deed. Zij dacht dat Kelly Kathy's pijn voelde.'

'Die onzin geloof je toch niet, Tony? Of wel?' Ryans stem klonk ongelovig.

'Nee, natuurlijk niet. Ik kan me niet voorstellen dat Kelly met Kathy communiceert, maar ik wil dat ze met ons gaat communiceren. Hoe sneller, hoe beter.'

59

Norman Bond woonde op de negenendertigste verdieping van een appartementencomplex aan de East River op Seventy-second Street in Manhattan. Hij kon vanuit zijn appartement alle kanten opkijken en het panoramische uitzicht had zijn eenzame privéleven altijd verrijkt. 's Ochtends stond hij vaak vroeg op om de zon te zien opkomen. 's Avonds vond hij het heerlijk om naar de heldere lichten op de bruggen over de rivier te kijken.

Het was de hele week druilerig geweest, maar op zaterdagochtend bleek het helder, fris weer te zijn. Toch kon de heldere zonneschijn hem niet opvrolijken. Hij zat urenlang op de bank in zijn woonkamer om zijn opties door te nemen.

Hij kwam tot de conclusie dat hij niet veel keus had. Gedane zaken nemen geen keer. 'De wereld gaat en gaat, als lang na dezen... mijn roem verging, mijn kennis hooggeprezen...' citeerde hij hardop.

Het citaat klopt niet helemaal, maar zo ging het wel ongeveer, dacht hij.

Hij vroeg zich af hoe hij zo dom had kunnen zijn. Hoe heb ik over Theresa kunnen spreken als 'wijlen mijn vrouw'?

De FBI-agenten waren daar meteen op ingesprongen. Ze stelden al jaren geen vragen meer over Theresa's verdwijning, maar nu zou het allemaal weer worden opgerakeld. Maar wanneer iemand zeven jaar wordt vermist en wettelijk dood is verklaard, is het toch niet zo vreemd als je over die persoon praat alsof ze dood is? Theresa wordt inmiddels al zeventien jaar vermist.

Dat is logisch.

Het was niet erg dat hij de trouwring droeg die hij aan Theresa had gegeven. Die ring had ze op het kastje voor hem achtergelaten. Maar was het veilig om de andere ring te blijven dragen, de ring die ze van haar tweede echtgenoot had gekregen? Hij haalde het kettinkje van zijn hals en hield beide ringen in zijn hand om ze aandachtig te bestuderen. In beide ringen was met kleine lettertjes LIEFDE IS EEUWIG gegraveerd. De ring die ze van hem heeft gekregen, is bezaaid met diamanten, dacht Norman jaloers. Ik heb haar een eenvoudige zilveren ring gegeven. Meer kon ik me op dat moment niet veroorloven.

'Wijlen mijn vrouw,' zei hij hardop.

Nu, na al die tijd, stond hij door de ontvoering van twee kleine meisjes weer in de aandacht van de FBI.

Wijlen mijn vrouw!

Het zou gevaarlijk zijn om nu ontslag te nemen bij c.f.g.&y. en naar het buitenland te vertrekken. Dat was te abrupt en in tegenspraak met alle plannen waarover hij had gepraat.

Rond een uur of twaalf merkte hij dat hij nog steeds in zijn ondergoed zat. Het had Theresa altijd vreselijk geïrriteerd als hij zich niet aankleedde. 'Normale mensen zitten niet de halve dag in hun ondergoed, Norman,' zei ze dan minachtend tegen hem. 'Het is raar. Pak een ochtendjas of trek je kleren aan, maar blijf niet in je onderbroek zitten.'

Ze had verschrikkelijk gehuild toen de tweeling te vroeg was geboren en was overleden, maar een week later had ze iets gezegd van 'misschien is het allemaal zo maar het beste'. Kort daarna was ze bij hem weggegaan, naar Californië verhuisd en van hem gescheiden. Binnen een jaar was ze hertrouwd. Hij had een paar werknemers van c.f.g.&y. erover horen lachen. 'Haar tweede echtgenoot is wel heel wat anders dan die arme Norman,' hoorde hij een van hen zeggen.

Zijn gezicht vertrok bij de herinnering aan de pijn die hij toen had gevoeld.

Tijdens hun huwelijk had hij tegen Theresa gezegd dat hij ooit algemeen directeur van c.f.g.&y. zou worden.

Inmiddels wist hij dat dat nooit zou gebeuren, maar op een bepaalde manier maakte dat ook niet meer uit. Hij had geen zin in de stress van die baan en nu had hij het geld ook niet meer nodig. Maar ik moet de ringen blijven dragen, dacht hij, terwijl hij het kettinkje weer om zijn nek hing. Zij geven me kracht. Zij herinneren me eraan dat ik meer ben dan die onzekere workaholic waar anderen me voor aanzien.

Er verscheen een glimlach op zijn gezicht. Hij dacht terug aan die ene avond, toen Theresa zich doodsbang had omgedraaid en had gezien dat hij zich op de achterbank van haar auto had verstopt.

60

'Deze schoenen zijn te groot, maar daar ga ik me nu niet druk over maken,' zei Angie. Ze had de auto voor McDonald's geparkeerd, vlak bij het winkelcentrum waar ze de schoenen had gekocht. Ze was nu bezig om ze aan Kathy's voeten te strikken. 'Onthou goed dat je je mond moet houden, maar als iemand vraagt hoe je heet, zeg je Stevie. Begrepen? Ik wil het je een keer horen zeggen.'

'Stevie,' fluisterde Kathy.

'Goed zo. Kom mee.'

De schoenen deden pijn aan Kathy's voeten, maar op een andere manier dan het vorige paar dat Angie had gekocht. Ze kon haast niet lopen, omdat haar voeten steeds uit de schoentjes gleden, maar ze moest wel vooruit omdat Angie haar meetrok. Ze durfde trouwens niet eens te zeggen dat de schoenen niet lekker zaten.

Ze voelde dat haar voet uit een van de schoenen gleed.

Bij McDonald's stond Angie stil om een krant uit een automaat te halen. Daarna gingen ze binnen in de rij staan. Toen ze hun bestelling hadden gekregen, gingen ze aan een tafeltje zitten waar Angie het busje in de gaten kon houden. 'Ik heb me vroeger nooit zorgen om die oude rammelbak hoeven maken,' zei ze. 'Maar nu er zoveel geld in de koffer zit, zou het echt iets voor mij zijn als iemand vandaag besluit de auto te stelen.'

Kathy had helemaal geen zin in het broodje ei en het glas sinaasappelsap dat Angie voor haar had besteld. Ze had geen trek en wilde eigenlijk alleen maar slapen. Omdat ze Angie niet boos wilde maken, probeerde ze toch een paar hapjes te nemen.

'Straks gaan we terug naar het motel en dan zoeken we een paar adressen op waar we tweedehands auto's kunnen krijgen,' zei Angie. 'Het probleem is alleen dat het nogal opvalt als je een auto met stapeltjes van twintig en vijftig dollar betaalt.'

Kathy voelde dat Angie kwaad begon te worden. Angie sloeg de krant open en mompelde iets wat Kathy niet kon verstaan. Daarna stak ze haar hand uit om de capuchon over Kathy's hoofd te trekken. 'Jezusmina, je foto staat overal in deze krant,' zei ze. 'Als je ik haar niet donker had geverfd, zou iedereen je herkennen. Kom mee.'

Kathy wilde niet dat Angie weer boos op haar werd. Ze gleed van haar stoel en gaf Angie een hand.

'Waar is je andere schoen, knulletje?' vroeg een vrouw die de tafel naast hen schoonmaakte.

'Haar andere schoen?' vroeg Angie. Ze keek omlaag en zag dat Kathy maar één schoen aanhad. 'Shit,' zei ze. 'Heb je de veters in de auto losgetrokken?'

'Nee,' fluisterde Kathy. 'Hij gleed uit. Hij is te groot.'

'Je andere schoen is ook te groot,' zei de mevrouw. 'Hoe heet je, jongen?'

Kathy dacht diep na, maar ze wist niet meer wat Angie had gezegd.

'Zeg eens hoe je heet,' zei de mevrouw.

'Kathy,' fluisterde ze, maar toen voelde ze Angie heel hard in haar hand knijpen. Opeens herinnerde ze zich de naam die ze van Angie moest gebruiken. 'Stevie,' zei ze. 'Ik heet Stevie.'

'O, dan heb je zeker een denkbeeldig vriendinnetje dat Kathy heet,' zei de mevrouw. 'Dat heeft mijn kleindochter ook.'

'Ja,' bevestigde Angie snel. 'Nou, we moeten gaan.'

Kathy keek om en zag dat de vrouw een krant oppakte van de stoel bij het tafeltje dat ze schoonmaakte. Op de krant zag ze haar eigen foto en die van Kelly. Ze kon zich niet bedwingen. Ze begon in het tweelingentaaltje met Kelly te praten tot Angie heel hard in haar hand kneep.

'Kom mee.' Angie gaf een ruk aan haar arm.

De andere schoen lag nog steeds op de stoep, op de plaats

waar Kathy hem had verloren. Angie bukte zich, raapte de schoen op en maakte het achterportier van het busje open. 'Instappen,' zei ze boos, terwijl ze de schoen naar binnen gooide.

Kathy klom in de auto. Zonder dat Angie het zei, ging ze op het kussen liggen en pakte ze de deken. Het volgende moment hoorde ze een mannenstem vragen: 'Waar is uw kinderzitje, mevrouw?'

Kathy keek op en zag dat er een politieman naast Angie stond.

'We waren net onderweg naar de winkel om een nieuwe te kopen,' zei Angie. 'Ik heb de auto gisteravond bij een motel geparkeerd en was vergeten de portieren af te sluiten. Mijn kinderzitje is vannacht gestolen.'

'In welk motel logeerde u?'

'Het Soundview.'

'Hebt u aangifte gedaan van de diefstal?'

'Nee,' zei Angie. 'Het was een oud zitje, dus het was niet veel meer waard.'

'We willen het graag weten als er in Hyannis dingen worden gestolen. Mag ik uw rijbewijs en kentekenbewijs even zien?'

'Ja hoor. Alstublieft.' Kathy zag dat Angie wat papieren uit haar portemonnee haalde.

'Ms. Hagen, van wie is dit busje?' informeerde de politieagent.

'Van mijn vriend.'

'Oké. Ik zal het u niet moeilijk maken. Ik wil dat u nu naar het winkelcentrum loopt om een nieuw kinderzitje te kopen. Zonder kinderzitje mag u niet met dit kind rondrijden.'

'Dank u wel, agent. Ik ga er meteen een kopen. Kom mee, Stevie.'

Angie bukte zich, tilde Kathy op en duwde haar gezicht tegen haar jas. Daarna sloot ze het busje af en liep terug naar het winkelcentrum.

'Die agent houdt ons in de gaten,' siste ze. 'Ik weet niet of het slim was om hem Linda Hagens rijbewijs te laten zien. Hij keek me een beetje wantrouwig aan, maar ik heb me in het motel ook onder Linda's naam ingeschreven. Jezus, wat een puinhoop.'

In het winkelcentrum zette ze Kathy neer. 'Kom, dan doe ik je andere schoen weer aan. Ik stop er wel een zakdoek in. Je moet lopen. Ik kan je niet over heel Cape Cod dragen. Nu moeten we een winkel zoeken waar we kinderzitjes kunnen kopen.'

Kathy had het idee dat er geen einde aan de wandeling kwam. Toen ze bij een winkel kwamen waar ze kinderzitjes verkochten, werd Angie kwaad op de verkoper. 'Maak die doos nu maar gewoon open,' zei ze. 'Ik neem het zitje wel onder mijn arm mee.'

'Dan gaat het alarm af,' legde hij uit. 'Ik kan de doos wel voor u openmaken, maar u moet het zitje erin laten zitten tot u uit de winkel bent.'

Kathy zag dat Angie ontzettend kwaad begon te worden. Daarom durfde ze niet te vertellen dat de schoen ondanks de zakdoek weer van haar voet was gegleden. Onderweg naar de auto hield iemand Angie staande. 'Uw zoontje heeft een van zijn schoenen verloren,' zei ze.

Angie tilde Kathy op. 'Die stomme verkoper heeft me de verkeerde maat voor haar verkocht,' legde ze uit. 'Ik bedoel: de verkeerde maat voor hém verkocht. Ik koop wel een paar nieuwe voor hem.' Ze liep vlug weg van de vrouw die hen had aangesproken en stond toen met Kathy op de ene arm en het zitje onder de andere stil. 'O nee, die agent staat nog steeds op de parkeerplaats. Waag het niet om antwoord te geven als hij iets tegen je zegt.' Ze liep naar de auto en zette Kathy op een van de voorstoelen. Daarna probeerde ze het kinderzitje op de achterbank vast te maken. 'Ik moet zorgen dat hij goed zit,' zei ze. Ze tilde Kathy in het zitje. 'Draai je

hoofd,' fluisterde ze. 'Kijk deze kant op. Kijk niet naar hem.'
Kathy was zo bang voor Angie dat ze begon te huilen.

'Hou je mond!' fluisterde Angie. 'Hou je mond! Die agent staat naar ons te kijken.'

Ze gooide het achterportier met een klap dicht en ging achter het stuur zitten. Eindelijk reden ze weg. Op weg naar het motel schreeuwde ze tegen Kathy: 'Je zei hoe je heette! Je praatte weer in dat tweelingentaaltje! Ik had gezegd dat je je mond moest houden. Ik had gezegd dat je je mond moest houden! Je had me vreselijk in de problemen kunnen brengen. Ik wil geen woord meer van je horen. Begrepen? De eerstvolgende keer dat je je mond opendoet, krijg je een flinke draai om je oren.'

Kathy kneep haar ogen stijf dicht en hield haar handen tegen haar oren. Ze hoorde dat Kelly met haar probeerde te praten, maar ze wist dat Angie haar pijn zou doen als ze iets terug zou zeggen.

In de motelkamer kwakte Angie Kathy op het bed en zei: 'Hou je mond en verroer je niet. Hier heb je nog wat hoestsiroop. En neem dit aspirientje maar, want je voelt weer warm aan.'

Kathy slikte de hoestsiroop en het aspirientje door. Daarna deed ze haar ogen dicht en probeerde niet te hoesten. Een paar minuten later, net voor ze in slaap viel, hoorde ze Angie aan de telefoon praten.

'Clint, lieverd, met mij,' zei ze. 'Ik ben een beetje bang. Mensen kijken naar dat kind als ik met haar op straat loop. Haar gezicht staat in alle kranten. Ik denk dat je gelijk hebt. Ik had haar met dat andere kind naar huis moeten laten gaan. Wat moet ik nu doen? Ik moet haar kwijt. Hoe pak ik dat het beste aan?'

Kathy hoorde dat er werd aangebeld. Angie fluisterde angstig: 'Clint, ik bel je straks wel terug. Er is iemand aan de deur. O god, stel dat het die politieagent is.'

Kathy begroef haar gezicht in het kussen en hoorde de telefoon dichtklappen. Naar huis, dacht ze, terwijl ze in slaap viel. Ik wil naar huis.

61

Gregg Stanford was erg rusteloos. Op zaterdagmorgen ging hij naar zijn club om te squashen en daarna reed hij terug naar het huis in Greenwich, waar zijn vrouw het grootste gedeelte van het jaar woonde. Hij douchte zich, kleedde zich aan en liet zijn lunch naar de werkkamer brengen. Het vertrek was ingericht met lambriseringen, antieke wand- en vloerkleden, en meubels in Hepplewhite-stijl. Het bood een prachtig uitzicht over Long Island Sound en was Greggs favoriete vertrek in het landhuis.

Zelfs na de perfect bereide zalm en fles Château Cheval Blanc, 1re Grand Cru Classé, kon hij zich niet ontspannen en ging hij zich niet beter voelen. Woensdag was hij zeven jaar getrouwd met Millicent. Volgens hun huwelijkse voorwaarden zou hij geen cent krijgen als ze voor die datum uit elkaar zouden zijn of in scheiding zouden liggen. Als hun huwelijk langer dan zeven jaar zou duren, stond zwart op wit dat hij twintig miljoen dollar kreeg, zelfs als hun huwelijk daarna mis zou lopen.

Millicents eerste echtgenoot was overleden, en haar tweede huwelijk had maar een paar jaar geduurd. Ze had de scheiding van haar derde echtgenoot een paar dagen voor hun zevende trouwdag aangevraagd. Nog vier dagen te gaan, dacht hij. Zelfs in deze mooie kamer brak het zweet hem uit bij die gedachte.

Gregg was ervan overtuigd dat Millicent een kat-en-muis-spelletje met hem speelde. Ze was al drie weken in Europa om vrienden te bezoeken, maar ze had dinsdag vanuit Monaco opgebeld om te zeggen dat ze zijn mening over het losgeld deelde. 'Het is een wonder dat er nog niet twintig andere kinderen van onze werknemers zijn ontvoerd,' had ze gezegd. 'Het was heel verstandig van je.'

En als we samen uit zijn, heb ik de indruk dat ze graag bij me is, dacht Gregg, in een poging zichzelf gerust te stellen.

'Als je bedenkt uit wat voor een milieu je komt, heb je verbazend veel stijl gekregen,' had ze tegen hem gezegd.

Hij had geleerd haar bijtende opmerkingen met een glimlachje terzijde te schuiven. Steenrijke mensen zijn anders dan anderen. Dat had hij in zijn huwelijk met Millicent ontdekt. Tina's vader was rijk geweest, maar hij had zich uit het niets opgewerkt. Hij leidde een luxueus leven, maar dat was nog niets vergeleken met Millicents levensstijl. Millicents stamboom was tot in het Engeland van voor de *Mayflower* te traceren, en daar was de familie trots op. Ze vond het ook leuk om op minachtende toon te zeggen dat haar familie altijd geld had gehad, heel veel geld, in tegenstelling tot al die verarmde Engelse adel.

Het ergste wat Gregg kon gebeuren, was dat Millicent achter een van zijn affaires was gekomen. Ik ben discreet geweest, dacht hij, maar als ze iets heeft ontdekt, kan ik het wel vergeten.

Hij schonk net zijn derde glas wijn in toen de telefoon ging. Het was Millicent. 'Gregg, ik heb je de laatste tijd niet aardig behandeld.'

Greggs mond werd droog. 'Ik weet niet waar je het over hebt, lieverd,' zei hij. Hij hoopte maar dat zijn stem geamuseerd klonk.

'Ik zal eerlijk zijn. Ik dacht dat je me bedroog, en dat kon ik natuurlijk niet over mijn kant laten gaan. Nu blijkt dat je niets op je kerfstok hebt, dus...' Millicent lachte. 'Wat vind je ervan om na mijn thuiskomst onze zevende trouwdag te vieren? Dan kunnen we proosten op de volgende zeven jaar.'

Deze keer hoefde Gregg Stanford de emotie in zijn stem niet te veinzen. 'O, schat toch!'

'Ik kom maandag terug. Ik... ik mag je echt erg graag, Gregg. Tot ziens.'

Langzaam legde hij de hoorn op de haak. Zoals hij wel had verwacht, had ze hem in de gaten gehouden. Het was maar goed dat hij intuïtief had gevoeld dat hij de afgelopen maanden uit de buurt van andere vrouwen moest blijven.

Nu stond niets een feestje ter ere van zijn zevende trouwdag in de weg. Het was de climax van alles waar hij in zijn leven voor had gewerkt. Hij wist dat veel mensen zich afvroegen of Millicent bij hem zou blijven. Het societynieuws in de *New York Post* had er zelfs een artikel aan gewijd, met de kop RAAD EENS WIE ER ZIJN ADEM INHOUDT? Met Millicents steun had hij zijn positie in de directie versterkt. Hij zou de eerste kandidaat zijn voor de positie van algemeen directeur. Gregg Stanford keek om zich heen, naar de lambriseringen en de wandkleden, naar de Perzische kleden en het Hepplewhite-meubilair. 'Ik heb er alles voor over om dit te behouden,' zei hij hardop.

62

Tijdens de afgelopen week, die tergend traag voorbij was gekropen, had Margaret het gevoel gekregen dat Tony Realto en Walter Carlson vrienden waren geworden, al was ze zich er voortdurend van bewust dat ze ook voor de FBI werkten. De vermoeidheid en bezorgdheid die ze vandaag in hun ogen zag, waren een troost voor haar. Ze wist dat de mannen het als mens en als politieman heel erg vonden dat ze Kathy niet hadden kunnen redden.

Ik hoef me helemaal niet te schamen voor het feit dat ik gisteravond ben ingestort, dacht ze, al dacht ze met rode wangen terug aan het moment waarop ze de manager van Abby's Discount bij de arm had gegrepen. Ik weet best dat ik me aan strohalmen vastklamp.

Of had ik misschien toch gelijk?

Realto en Carlson hadden een man bij zich, die ze aan haar voorstelden. Het was hoofdinspecteur Jed Gunther van de staatspolitie van Connecticut. Hij is ongeveer net zo oud als wij, dacht ze. Hij zal wel heel intelligent zijn als hij al zo vroeg de rang van hoofdinspecteur heeft bereikt. Ze wist dat de staatspolitie vierentwintig uur per dag met de politie van Ridgefield had samengewerkt. Agenten hadden overal aangebeld om te vragen of mensen vreemden in de buurt hadden zien rondhangen. Ze wist ook dat ze kleding van de tweeling hadden meegenomen, en dat ze op de avond van de ontvoering en de dag erna met getrainde honden de hele stad en alle parken in de buurt hadden afgezocht.

Zij en Steve gingen de politiemensen voor naar de eetkamer - onze 'commandopost', dacht Margaret. Dokter Sylvia liep achter hen aan. Margaret vroeg zich af hoe vaak ze de afgelopen week met z'n allen om de eettafel hadden gezeten, in afwachting van een telefoontje en biddend dat ze de tweeling veilig terug zouden krijgen.

Kelly had twee dezelfde babypoppen en twee teddyberen mee naar beneden genomen. Dat waren de favoriete speeltjes van de tweeling geweest. Ze had alle knuffels in de woonkamer op poppendekens uitgespreid, en was nu bezig om het speeltafeltje en de kleine stoeltjes klaar te zetten om een theevisite te houden. De meisjes vonden het altijd heerlijk om samen te spelen dat ze theedronken, dacht Margaret. Over de tafel vonden haar ogen die van dokter Sylvia. Zij denkt precies hetzelfde als ik, dacht ze. Als ik met de meisjes bij haar langsging, vroeg ze altijd of ze nog theepartijtjes hielden.

'Hoe voel je je, Margaret?' vroeg agent Carlson belangstellend.

'Het gaat wel. Waarschijnlijk heb je wel gehoord dat ik naar de winkel ben gegaan waar ik de feestjurkjes voor de meisjes heb gekocht. Ik wilde de verkoopster spreken die me had geholpen.'

'We hoorden dat ze er niet was,' zei agent Realto. 'Kun je ons vertellen waarom je haar wilde spreken?'

'Toen ik in de winkel was, vertelde ze dat ze net een vrouw had geholpen die kleertjes voor een tweeling had gekocht. Ze vond het raar dat de vrouw de maat van de kinderen niet wist. Misschien is het belachelijk, maar ik dacht opeens dat die vrouw die kleertjes misschien had gekocht omdat ze van plan was om mijn kinderen te ontvoeren en... en...' Margaret slikte. 'De verkoopster was er niet en de manager wilde me het nummer van haar mobiele telefoon eerst niet geven. Toen ik besefte dat ik een scène maakte, ben ik weggerend. Daarna heb ik eigenlijk alleen maar rondgereden. Toen ik op de borden zag dat ik in de buurt van Cape Cod was, kwam ik weer een beetje bij mijn positieven en ben ik omgedraaid. Daarna herinner ik me eigenlijk alleen maar dat een politieman met een zaklamp in mijn gezicht scheen. Ik had de auto bij het vliegveld geparkeerd.'

Steve trok zijn stoel dichter naar haar toe en legde een arm om haar schouder. Ze stak haar hand omhoog en verstrengelde haar vingers met de zijne.

'Steve, je vertelde dat Kelly in haar slaap de namen Mona en Harry had genoemd,' zei agent Realto. 'Weet je echt heel zeker dat je niemand kent die zo heet?'

'Heel zeker.'

'Heeft Kelly nog iets gezegd? Iets waarmee we de mensen die haar hebben vastgehouden zouden kunnen identificeren?'

'Ze vertelde iets over een ledikant, waardoor ik de indruk kreeg dat Kathy en zij steeds in een ledikant werden gestopt. Van de rest begreep ik niet veel.'

'Wat zei ze dan precies, Steve?' vroeg Margaret gespannen.

'Marg, lieverd, ik wou dat ik net zo hoopvol was als jij, maar...' Steves gezicht vertrok en er verschenen tranen in zijn ogen. 'Je hebt geen idee hoe graag ik nog zou hopen dat ze nog leeft.'

'Margaret, toen je me gisteren belde, vertelde je dat jij denkt dat ze nog leeft,' zei Carlson. 'Waarom denk je dat?'

'Omdat Kelly zegt dat het zo is. Omdat ze gisteren in de kerk tegen me zei dat Kathy niet kan wachten tot ze ook naar huis mag. En bij het ontbijt zei Steve dat hij haar een boek ging voorlezen en net zou doen of Kathy ook meeluisterde, en toen zei ze iets van: "Dat kan toch helemaal niet, papa. Kathy ligt aan het bed vastgebonden. Ze kan je niet horen." Verder heeft ze een paar keer geprobeerd om in het tweelingentaaltje met Kathy te praten.'

'Tweelingentaaltje?' vroeg Gunther.

'Ze hebben hun eigen taaltje ontwikkeld.' Omdat Margaret hoorde dat ze harder ging praten, hield ze even haar mond. Ze keek naar de andere mensen rond de tafel en fluisterde op smekende toon: 'Ik heb mezelf voorgehouden dat dit gewoon een reactie op mijn verdriet is, maar dat is niet zo. Als Kathy dood was, zou ik het weten. Ze is niet dood. Begrijpen jullie dat dan niet? Snappen jullie het niet?'

Ze keek even naar de woonkamer. Voordat een van de anderen iets kon zeggen, hield ze haar wijsvinger tegen haar lippen en wees met haar andere hand. Iedereen keek naar Kelly. Ze had de teddyberen op de stoeltjes bij de tafel gezet. De pop die van Kathy was geweest, lag op een deken op de grond, en Kelly had een sok over de mond gebonden. Nu zat ze er met haar eigen pop in haar armen naast. Ze fluisterde en streek met haar hand over de wang van Kathy's pop. Alsof ze voelde dat de volwassenen naar haar keken, hief ze haar hoofd op en zei: 'Ze mag niet meer met me praten.'

63

Na het vertrek van de agenten Walsh en Philburn zette Richie Mason koffie en zette hij nuchter alles op een rijtje. De FBI hield hem in de gaten. De ironische manier waarop het allemaal uit de hand was gelopen, maakte hem woedend. Het was allemaal probleemloos verlopen tot ze bij die ene zwakke schakel in de ketting waren gekomen. De schakel waarover hij zich altijd zorgen had gemaakt, had inderdaad voor problemen gezorgd.

Nu voelde hij de hete adem van de politie in zijn nek. Het was een wonder dat ze de waarheid nog niet hadden ontdekt, want ze waren er heel dichtbij. Het feit dat ze zich concentreerden op de link tussen Bailey en hem gaf hem nog wat tijd, maar hij wist dat het nooit lang kon duren voordat ze verder zochten.

Ik ga níét terug naar de gevangenis, dacht hij. De herinnering aan de piepkleine, benauwde cel, de uniformen, het vreselijke eten en het eentonige gevangenisleven bezorgde hem de rillingen over zijn rug. Voor de tiende keer in twee dagen keek hij naar het paspoort waarmee hij naar een veilige plaats kon ontsnappen.

Het was Steves paspoort. Hij had het op die dag in Ridgefield van het dressoir gestolen. Hij leek zoveel op Steve dat hij best voor zijn broer kon doorgaan. Ik hoef bij de paspoortcontrole alleen maar te zorgen dat ik net zo warm en vriendelijk glimlach als mijn broertje, dacht hij.

Natuurlijk was er altijd het gevaar dat iemand van de douane zou vragen: 'U bent toch de vader van die ontvoerde tweeling?' In dat geval zou hij gewoon zeggen dat zijn neef die tragedie had meegemaakt. 'We zijn allebei naar onze opa genoemd,' zou hij uitleggen. 'En we lijken zoveel op elkaar dat we voor broers kunnen doorgaan.'

Bahrein had geen uitleveringsverdrag met de Verenigde Staten. Maar straks zou hij een nieuwe identiteit hebben, dus dan deed het er niet meer toe.

Moest hij tevreden zijn met wat hij had, of moest hij doorgaan tot hij de grote buit binnen had?

Waarom ook niet, dacht hij bij zichzelf. Het was trouwens ook beter om de zaak goed af te ronden.

Hij was zo tevreden met zijn besluit dat er een glimlach over zijn gezicht gleed.

64

'Mrs. Frawley, ik kan niet veel doen met uw overtuiging dat Kelly contact heeft met haar zusje,' zei Tony Realto langzaam. 'Maar het is wel zo dat we geen ander bewijs van haar dood hebben dan het zelfmoordbriefje en het feit dat getuigen Lucas Wohl met een zware doos in het vliegtuig hebben zien stappen. Volgens het briefje heeft hij Kathy's lichaam in zee laten vallen. Ik zal heel eerlijk zijn. We zijn er nog niet van overtuigd dat Lucas dat briefje heeft getypt en ook niet dat hij zelfmoord heeft gepleegd.'

'Waar hebt u het over?' snauwde Steve.

'Het is goed mogelijk dat Lucas door een van zijn medeplichtigen is doodgeschoten en dat het briefje is achtergelaten om iedereen de indruk te geven dat Kathy dood is.'

'Bent u nu eindelijk bereid te geloven dat ze nog leeft?' wilde Margaret smekend weten.

'We zijn bereid te geloven dat er een kans is dat ze nog leeft.' Tony Realto benadrukte het woord 'kans'. 'Eerlijk gezegd geloof ik niet in telepathie tussen tweelingen, maar ik denk wel dat Kelly ons zou kunnen helpen. We moeten haar ondervragen. U zegt dat ze het over een zekere Mona en Harry had. Misschien ontglipt haar nog een andere naam, of kan ze ons een idee geven waar de meisjes zijn vastgehouden.'

Ze keken naar Kelly, die een poppenwashandje pakte en naar de keuken liep. Daar hoorden ze haar een stoel naar het aanrecht schuiven. Toen ze terugkwam, was het washandje nat. Ze ging op haar knieën zitten en legde het op het voorhoofd van Kathy's babypop. Omdat ze begon te praten, stonden de volwassenen op en liepen ze naar haar toe om naar haar te luisteren.

'Niet huilen, Kathy,' fluisterde ze. 'Niet huilen. Mama en papa zullen je wel vinden.'

Ze keek naar de volwassenen. 'Ze moet heel erg hoesten. Van Mona moest ze medicijnen slikken, maar die heeft ze uitgespuugd.'

Tony Realto en Jed Gunther keken elkaar ongelovig aan.

Walter Carlson bestudeerde Sylvia Harris. Zij is arts, dacht hij. Haar specialiteit is telepathie tussen tweelingen. Aan haar blik kon hij zien dat zij geloofde dat de meisjes contact met elkaar hadden.

Margaret en Steve hielden elkaar huilend vast.

'Dokter Harris,' zei Carlson rustig, 'wilt u misschien met Kelly praten?'

Sylvia knikte en ging naast Kelly op de grond zitten. 'Je zorgt heel goed voor Kathy,' zei ze. 'Is ze nog steeds zo ziek?'

Kelly knikte. 'Ze mag niet meer met me praten. Ze heeft een mevrouw verteld hoe ze heet en toen werd Mona boos en bang. Ze moet tegen iedereen zeggen dat ze Stevie heet. Haar voorhoofd is héél warm.'

'Leg je er daarom een koud washandje op, Kelly?'

'Ja.'

'Is Kathy's mond ergens mee dichtgebonden?'

'Eerst wel, maar Mona heeft het eraf gehaald toen Kathy ziek werd. Kathy valt nu in slaap.'

Kelly haalde de sok van de poppenmond af en legde haar eigen pop ook op de deken. Ze bedekte de twee poppen met een dekentje en zorgde ervoor dat hun vingers elkaar raakten.

65

De persoon die op de deur van Angies kamer tikte, was David Toomey, de manager van het motel. Het was een schriel mannetje van halverwege de zeventig en hij keek haar vanachter zijn randloze brillenglazen indringend aan. Nadat hij zich had voorgesteld, vroeg hij geïrriteerd: 'Waarom hebt u niet gezegd dat uw kinderzitje gisteravond uit uw busje is gestolen? Agent Tyron van de politie van Barnstable kwam langs om te kijken of er nog meer auto's waren opengebroken.'

Angie dacht koortsachtig na. Moest ze zeggen dat ze tegen de politie had gelogen en dat ze haar kinderzitje was vergeten? Als ze dat deed, haalde ze zich misschien alleen maar meer problemen op de hals. Dan zou die politieagent langs kunnen komen om haar een bekeuring te geven en vragen te stellen. 'Ik vond het niet zo erg,' zei ze. Ze keek om naar het bed. Kathy lag met haar gezicht naar de muur, waardoor alleen de achterkant van haar hoofd en haar donkerbruine haren zichtbaar waren. 'Mijn zoontje heeft flink kougevat en ik wilde hem snel naar binnen hebben.'

Ze zag dat Toomey vlug de kamer rondkeek. Het was of ze zijn gedachten kon lezen. Hij geloofde haar niet. Ze had contant betaald om twee nachten te blijven. Hij voelde dat er iets vreemds aan de hand was, en misschien hoorde hij Kathy's ademhaling wel piepen.

Dat geluid hoorde hij inderdaad. 'Misschien is het een goed idee als u met uw zoontje naar de eerste hulp van Cape Cod Hospital gaat,' stelde hij voor. 'Mijn vrouw krijgt na een bronchitisaanval altijd astma, en uw zoontje klinkt alsof hij op het punt staat om een astma-aanval te krijgen.'

'Dat was ik inderdaad van plan,' zei Angie. 'Kunt u me vertellen hoe ik naar het ziekenhuis moet rijden?'

'Dat is hier tien minuten vandaan,' antwoordde Toomey. 'Ik wil u best brengen.'

'Nee. Nee, dat hoeft niet. Mijn... mijn moeder arriveert rond een uur. Zij gaat wel met ons mee.'

'Goed. Nou, Ms. Hagen, ik stel voor dat u niet te lang wacht om met dat kind naar de dokter te gaan.'

'Komt in orde. Hartelijk bedankt. Aardig dat u zo bezorgd bent. En maakt u zich geen zorgen over dat kinderzitje. Ik bedoel, het was toch al oud. Snapt u?'

'Ik begrijp u heel goed, Ms. Hagen. Het is dus niet gestolen. Maar ik begreep van agent Tyron dat u inmiddels wel een kinderzitje hebt.' Toomey deed niet eens moeite om het sarcasme in zijn stem te verbergen toen hij de deur achter zich dichtdeed.

Angie deed meteen beide sloten op de deur. Vanaf nu houdt hij me in de gaten, dacht ze. Hij weet dat ik geen kinderzitje had en is boos omdat zijn motel een slechte naam krijgt als mensen zeggen dat er wordt gestolen. Die agent wantrouwt me ook. Ik moet hier weg, maar ik weet niet waarnaartoe. Ik kan niet al mijn spullen meenemen, want dan weet hij dat ik op de loop ga. Nu moet ik doen alsof ik op mijn moeder wacht. Als ik nu meteen wegga, weet hij dat er iets aan de hand is. Misschien kan ik even wachten en dan met het kind naar buiten lopen en haar in het kinderzitje zetten. Dan kan ik nog een keer terug naar de kamer lopen, alsof ik mijn tas ben vergeten. Vanuit zijn kantoortje kan hij alleen de zijdeur van de auto zien. Ik kan een deken over de koffer met het geld leggen en de koffer aan de andere kant in de auto stoppen. Ik laat de rest van mijn spullen hier, om hem de indruk te geven dat ik terugkom. Als hij me aanspreekt, zeg ik dat mijn moeder heeft gebeld en dat ze in het ziekenhuis op me wacht. Maar met een beetje geluk gaan er gasten weg of komen er net nieuwe gasten aan in dit snertmotel. Als hij bezig is, kan ik ongezien wegsluipen.

Als ze vanuit haar kamer naar links keek, zag ze de parkeerplaats van de receptie. De volgende veertig minuten bleef ze in haar kamer wachten. Toen Kathy's ademhaling steeds moeizamer en benauwder werd, besloot ze een van de penicillinecapsules open te breken, een deel van de inhoud op een lepel op te lossen en het meisje te dwingen het medicijn op te drinken. Ik moet dat kind kwijt, dacht ze, maar ik wil niet dat ze voor die tijd doodgaat. Woedend en nerveus maakte ze haar handtas open, haalde het potje met capsules eruit en brak er eentje open. Ze strooide de inhoud in een badkamerglas, verdunde het met een beetje water en pakte een plastic lepeltje van het koffiezetapparaat op het aanrecht. Daarna schudde ze Kathy wakker, die haar ogen opendeed en meteen begon te huilen.

'Jezus, je bent gloeiend heet,' snauwde Angie. 'Hier, drink op.'

Kathy schudde haar hoofd en perste haar lippen op elkaar toen ze het eerste slokje van de vloeistof proefde. 'Ik zei, drink op!' schreeuwde Angie. Ze slaagde erin om een deel van de vloeistof in Kathy's mond te gieten, maar Kathy kokhalsde en een deel van het geneesmiddel liep over haar wang. Ze begon te huilen en te hoesten. Angie pakte een handdoek en bond die om haar mond om het geluid te dempen, tot ze zich herinnerde dat Kathy zou kunnen stikken. Daarom haalde ze de handdoek weer weg. 'Hou je mond,' siste ze. 'Luister heel goed. Als je nu nog een kik geeft, vermoord ik je. Dit is allemaal jouw schuld. Allemaal!'

Toen ze uit het raam keek, zag ze dat er een paar auto's voor de receptie stonden. Dit is mijn kans, dacht ze. Ze tilde Kathy op, rende naar buiten, deed het portier van het busje open en zette het meisje in haar kinderzitje. Daarna haastte ze zich terug naar de motelkamer, pakte de in een deken gewikkelde koffer en haar handtas en gooide die naast Kathy in de auto. Dertig tellen later reed ze achteruit haar parkeerplaats af.

Ze vroeg zich af waar ze naartoe moest gaan. Moet ik Cape Cod meteen verlaten? Ik heb Clint nog niet teruggebeld. Hij weet niet eens waar ik ben. Als die agent achterdochtig wordt en me wil spreken, heeft hij mijn kenteken. De man van het motel trouwens ook. Ik moet Clint vragen om in een huurauto of iets dergelijks hierheen te komen. Het is niet veilig meer om in dit ding rond te rijden.

Maar waar moet ik nu naartoe?

Het was inmiddels opgeklaard en de middagzon stond fel aan de hemel. Er was zoveel verkeer op de weg dat ze niet erg opschoot. Bij de gedachte dat de agent die haar een kinderzitje had laten kopen in een patrouillewagen naast haar zou kunnen verschijnen, kreeg Angie zin om te gillen van frustratie. Aan het einde van Main Street kreeg ze te maken met eenrichtingsverkeer en moest ze rechts afslaan. Ik moet weg uit Hyannis, dacht ze. Als die agent onraad ruikt en zijn collega's waarschuwt, wil ik niet bij een van de bruggen worden aangehouden. Ik ga wel over Route 28.

Ze keek over haar schouder naar Kathy. Het meisje had haar ogen gesloten en haar hoofd lag op haar borst, maar Angie zag dat ze door haar mond moest ademen en erg benauwd was. Haar wangen waren vuurrood. Ik moet een kamer in een ander motel nemen, dacht ze. Dan bel ik Clint en zeg ik dat hij hiernaartoe moet komen. Die nieuwsgierige manager van het Soundview Motel denkt waarschijnlijk dat we terugkomen, omdat ik een aantal spullen heb laten liggen. Tot vanavond laat blijft hij waarschijnlijk nog wel in die waan.

Veertig minuten later, net nadat ze het bord naar Chatham was gepasseerd, zag ze het soort motel dat ze zocht. Het lag naast een wegrestaurant en kondigde met een knipperend neonbord aan dat er kamers vrij waren. 'Het Shell and Dune,' zei ze hardop. 'Daar doen we het mee.' Ze sloeg af en zette het busje op een parkeerplaats vlak bij de receptie, maar zorgde ervoor dat Kathy vanuit de receptie niet zichtbaar was.

Achter de balie zat een bleke receptionist, die met zijn vriendin aan het bellen was en nauwelijks opkeek toen hij haar een incheckformulier gaf. Omdat ze bang was dat de agent uit Hyannis een opsporingsbericht zou laten uitgaan, besloot ze zich niet onder de naam Linda Hagen in te schrijven. Maar als die receptionist mijn legitimatie wil zien, zal ik toch iets moeten tonen, dacht ze. Met tegenzin haalde ze haar eigen rijbewijs uit haar tas. Ze verzon een kenteken en krabbelde dat op het formulier. Ze was ervan overtuigd dat de receptionist, die alleen maar aandacht voor zijn gesprek had, niet de moeite zou nemen om het te controleren. Hij nam het contant geld voor een overnachting aan en gooide een sleutel naar haar toe. Enigszins gerustgesteld stapte Angie weer in het busje. Ze reed naar de achterkant van het motel en ging naar haar kamer.

'Beter dan het vorige motel,' zei ze hardop, terwijl ze de koffer onder het bed verstopte. Ze liep weer naar buiten om Kathy te halen, die niet eens wakker werd toen ze uit haar kinderzitje werd gehaald. Lieve help, haar temperatuur loopt nog verder op, dacht Angie. Gelukkig verzet ze zich niet als ik haar kinderaspirine geef. Waarschijnlijk denkt ze dat het snoep is. Ik zal haar wakker maken om haar nog wat te geven.

Maar eerst moet ik Clint bellen.

Hij nam meteen op. 'Waar zit je verdomme?' blafte hij. 'Waarom heb je me niet eerder gebeld? Ik zit me hier met het angstzweet in mijn handen af te vragen of je in de gevangenis bent beland.'

'De manager van mijn eerste motel werd te nieuwsgierig. Ik ben zo snel mogelijk weggegaan.'

'Waar zit je?'

'Cape Cod.'

'Wat?'

'Dat leek me wel een goede plaats om me schuil te houden. En ik weet de weg hier. Clint, dat kind is flink ziek, en die agent over wie ik je vertelde, die man van wie ik dat kinderzitje moest kopen, heeft het kenteken van het busje genoteerd. Hij ruikt onraad, dat voel ik gewoon. Ik was bang dat ik bij de brug zou worden tegengehouden als ik van Cape Cod af ging. Ik zit nu in een ander motel. Het ligt aan Route 28, in een plaatsje dat Chatham heet. Je zei dat je hier als kind was geweest. Je weet waarschijnlijk wel waar het is.'

'Ja, dat weet ik wel. Blijf daar, Angie. Ik vlieg naar Boston en huur daar een auto. Het is nu halfvier. Ik denk dat ik tussen negen uur en halftien bij je kan zijn.'

'Heb je dat ledikant weggedaan?'

'Ik heb het uit elkaar gehaald en in de garage gezet. Ik heb immers geen busje meer om het weg te brengen. Maar dat ledikant is wel mijn laatste zorg. Besef je wel wat je me hebt aangedaan? Ik kon niet weg, want dit is het enige nummer waarop je me kon bereiken. Alles wat ik heb, is tachtig dollar en een creditcard. Nu heb je de aandacht van de politie van Cape Cod getrokken, en die verkoopster van de winkel waar je die kinderkleertjes hebt gekocht – die je trouwens met mijn creditcard hebt betaald – begon ook al achterdocht te krijgen en kwam hier rondneuzen.'

'In jouw huis? Waarom in vredesnaam?' Angies stem klonk luid en angstig.

'Ze beweerde dat ze twee van die shirtjes wilde omruilen, maar volgens mij kwam ze alleen maar een kijkje nemen. Daarom moet ik hier zo snel mogelijk weg. En daarom moet jij daar blijven tot ik bij je ben. Heb je dat begrepen?'

Ik zit hier verdorie op hete kolen te wachten, bang dat een of andere agent jou, het kind en die hele koffer met geld naar het politiebureau heeft gebracht, dacht Clint. Ze heeft het helemaal verpest. Ik kan niet wachten tot ik haar onder handen kan nemen.

'Ja. Clint, het spijt me dat ik Lucas heb doodgeschoten. Het leek me gewoon leuk om een kind en een miljoen dollar voor onszelf te hebben. Ik weet dat je bevriend met hem was.'

Clint zei niet dat hij bang was dat de FBI hem zou willen spreken als ze ontdekten dat hij jaren geleden in Attica een cel met Lucas had gedeeld. Als Clint Downes was hij veilig, maar als ze ooit zijn vingerafdrukken controleerden, wisten ze meteen dat Clint Downes niet bestond.

'Hou maar op over Lucas. Hoe heet dat motel?'

'Het Shell and Dune, de schelp en het duin. Afgezaagd, hè? Ik hou van je, Clint.'

'Ja hoor, al goed. Hoe gaat het met het kind?'

'Ze is echt flink ziek. Ze heeft hoge koorts.'

'Geef haar dan wat aspirine.'

'Clint, ik ben haar beu. Ik kan haar niet uitstaan.'

'Daar vinden we wel wat op. We laten haar wel in het busje zitten als we het ergens in het water laten verdwijnen. Misschien was het je nog niet opgevallen, maar er is daar veel water in de buurt.'

'Goed, goed. Clint, ik zou niet weten wat ik zonder jou moest doen. Echt niet. Je bent een slimmerik, Clint. Lucas dacht dat hij slimmer was dan jij, maar dat was niet zo. Ik kan haast niet wachten tot je bij me bent.'

'Ik weet het. Jij en ik. Wij met ons tweetjes. Zo hoort het.'

Clint hing op. 'En als je dat gelooft, ben je nog dommer dan ik dacht,' zei hij hardop.

66

'Ik geloof nog steeds niet dat Kelly werkelijk contact met haar zusje heeft,' had Tony Realto ongezouten gezegd voordat hij en hoofdinspecteur Gunther om drie uur bij de Frawleys weggingen. 'Maar ik denk wel dat ze ons nuttige dingen kan vertellen over de mensen bij wie ze was of de plaats waar ze is vastgehouden. Daarom moeten jullie alles opschrijven wat ze zegt, of ze nu hardop droomt of wakker is. Jullie moeten haar ook vragen stellen als ze dingen zegt die met de ontvoering te maken kunnen hebben.'

'Maar bent u wel bereid om ervan uit te gaan dat Kathy misschien nog leeft?' had Margaret aangedrongen.

'Mrs. Frawley, vanaf dit moment houden we ons niet meer bezig met de vraag of Kathy nog in leven is, maar gaan we er bij ons onderzoek van uit dat dat inderdaad het geval is. Zorg dat deze informatie niet naar buiten lekt. Ons enige voordeel is dat de dader ervan uitgaat dat wij denken dat ze dood is.'

Na hun vertrek dommelde Kelly in de woonkamer naast haar poppen in. Steve legde een kussen onder haar hoofd en bedekte haar met een dekentje. Daarna gingen Margaret en hij in kleermakerszit naast haar zitten.

'Soms praten zij en Kathy in hun slaap,' legde dokter Harris aan Walter Carlson uit.

Dokter Harris en Carlson zaten nog steeds aan de tafel in de eetkamer. 'Dokter Harris, ik ben van nature sceptisch,' zei Carlson langzaam. 'Maar dat betekent niet dat we niet allemaal ondersteboven zijn van Kelly's gedrag. Ik heb het u al eerder gevraagd, maar nu zal ik het anders formuleren. Ik weet dat u gelooft dat de meisjes contact met elkaar hebben, maar zou het niet kunnen dat alles wat Kelly zegt en naspeelt gewoon een herinnering is aan wat ze zelf tijdens de ontvoering heeft meegemaakt?'

'Toen Kelly werd gevonden en naar het ziekenhuis werd gebracht, zagen we dat ze een blauwe plek op haar arm had,' antwoordde Sylvia Harris effen. 'Toen ik die plek zag, zei ik dat iemand haar hard had geknepen. In mijn ervaring zijn het doorgaans vrouwen die kinderen op die manier straffen. Gistermiddag begon Kelly te gillen. Steve dacht dat ze haar arm aan het tafeltje in de hal had gestoten, maar Margaret besefte dat ze reageerde op Kathy's pijn. Op dat moment rende ze het huis uit om de verkoopster te spreken. Mr. Carlson, Kelly heeft weer zo'n grote blauwe plek op haar arm gekregen. Ik durf te zweren dat die is ontstaan nadat Kathy gisteren is geknepen, of u me nu gelooft of niet.'

Dankzij zijn Zweedse voorouders en zijn opleiding bij de FBI had Walter Carlson geleerd hoe hij zijn gevoelens kon verbergen. 'Als dat zo is...'

'Het ís zo, Mr. Carlson.'

'... dan is Kathy misschien bij een vrouw die kinderen mishandelt.'

'Ik ben blij dat u dat inziet. Maar wat minstens zo erg is, is dat ze flink ziek is. Herinnert u zich wat Kelly met Kathy's pop deed? Ze zorgt voor de pop alsof die koorts heeft. Daarom legde Kelly een nat washandje op haar voorhoofd. Dat doet Margaret ook wel eens als een van de meisjes verhoging heeft.'

'Een van de meisjes? Bedoelt u dat ze nooit tegelijkertijd ziek zijn?'

'Het zijn twee aparte individuen, al moet ik wel zeggen dat Kelly niet verkouden is en gisteravond toch vaak moest hoesten. Er was voor haar geen enkele reden om te hoesten, tenzij ze zich identificeerde met Kathy. Ik ben echt heel bang dat Kathy ernstig ziek is.'

'Dokter Sylvia...'

Ze keken op toen Margaret terug naar de eetkamer kwam. 'Heeft Kelly iets gezegd?' vroeg Sylvia Harris bezorgd.

'Nee, maar ik zou het fijn vinden als u met Steve even bij haar gaat zitten. Agent Carlson... ik bedoel, Walter, wil jij me naar de winkel brengen waar ik de feestjurkjes voor de meisjes heb gekocht? Het laat me gewoon niet meer los. Ik weet dat ik compleet overstuur was toen ik er gisteren naartoe ging. Dat kwam omdat iemand Kathy pijn had gedaan, maar ik móét de verkoopster spreken die me heeft geholpen. Volgens mij vertrouwde ze die vrouw die kort voor mij kleertjes voor een tweeling had gekocht niet helemaal. Gisteren had die verkoopster een vrije dag, maar als ze er vandaag niet is, weet ik zeker dat ze me haar telefoonnummer en adres willen geven als jij bij me bent.'

Carlson stond op. Aan de blik op Margaret Frawleys gezicht zag hij dat hij haar niet op andere gedachten kon brengen. Ze was vastbesloten haar missie uit te voeren.

'Kom mee,' zei hij. 'Het maakt niet uit waar die verkoopster nu is. We zoeken haar op om met haar te praten.'

67

De Rattenvanger had Clint elk halfuur gebeld. Een kwartier na Angies telefoontje belde hij weer. 'Heb je al iets van haar gehoord?' informeerde hij.

'Ze is op Cape Cod,' antwoordde Clint. 'Ik vlieg naar Boston en huur daar een auto.'

'Waar zit ze?'

'Ze houdt zich schuil in een motel in Chatham. Ze heeft al een aanvaring met een agent gehad.'

'Welk motel?'

'Het Shell and Dune.'

'Wat ga je doen als je daar aankomt?'

'Precies wat u denkt. Luister, ik moet ophangen, de taxichauffeur drukt al op zijn claxon. Hij kan niet door de slagboom.'

'Dan spreken wij elkaar niet meer. Veel succes, Clint.' De Rattenvanger verbrak de verbinding, wachtte even en toetste vervolgens het nummer in van een bedrijf dat privévliegtuigen verhuurde. 'Ik wil over een uur van Teterboro vertrekken naar het vliegveld dat het dichtst in de buurt van Chatham op Cape Cod ligt,' commandeerde hij.

68

De vierenzestigjarige Elsie Stone kreeg de hele dag geen gelegenheid een krant te lezen. Tijdens haar werk bij McDonald's, in de buurt van de Cape Cod Mall, had ze helemaal geen tijd om op haar gemak iets te lezen. Vandaag, zaterdag, had ze zich naar haar dochters huis in Yarmouth gehaast om haar zesjarige kleindochter op te halen. Elsie en Debby waren 'twee handen op een buik', zoals Elsie vaak zei, en ze was altijd bereid om op het meisje te passen.

Elsie had de ontvoeringszaak van de tweeling geïnteresseerd gevolgd. De gedachte dat iemand Debby zou kunnen ontvoeren en vermoorden was te afschuwelijk voor woorden. Gelukkig hebben de Frawleys nog een kind teruggekregen, dacht ze, maar o, wat was het een vreselijke tragedie voor hen.

Vandaag gingen zij en Debby terug naar haar huis in Hyannis om koekjes te bakken. 'Hoe is het met je denkbeeldige vriendinnetje?' vroeg ze, terwijl Debby het koekbeslag met stukjes chocola op het bakblik schepte.

'Ben je dat vergeten, oma? Ik heb geen denkbeeldig vriendinnetje meer. Dat had ik toen ik klein was.' Debby schudde haar hoofd om haar woorden kracht bij te zetten. Haar lichtbruine haar danste daarbij op haar schouders.

'O ja, dat is waar ook.' Elsie kreeg rimpeltjes rond haar ogen toen ze lachte. 'Ik moest aan je vriendinnetje denken omdat er vandaag een jongetje in het restaurant was. Hij heette Stevie en zijn denkbeeldige vriendinnetje heette Kathy.'

'Ik ga een heel groot koekje bakken,' kondigde Debby aan.

Die denkbeeldige vriendinnetjes interesseren haar dus echt niet meer, dacht Elsie. Gek dat ik toch steeds aan dat kleine jongetje moet denken. De moeder had haast. Ze gaf dat arme kind nauwelijks gelegenheid om iets te eten.

Toen ze het bakblik in de oven schoven, zei ze: 'Zo, Debs,

oma wil even de krant lezen tot de koekjes klaar zijn. Ga jij de volgende bladzijde in je Barbie-kleurboek maar kleuren.'

Elsie ging in haar luie stoel zitten en vouwde de krant open. Op de voorpagina stond weer een verhaal over de tweeling van Frawley. FBI MASSAAL OP ZOEK NAAR ONTVOER-DERS, stond er boven het artikel. Elsie kreeg tranen in haar ogen toen ze de foto van de tweeling bij hun verjaardagstaart zag. Ze begon het artikel te lezen. De Frawleys hadden zich teruggetrokken. De FBI had bevestigd dat Lucas Wohl in zijn zelfmoordbriefje had bekend dat hij Kathy per ongeluk had gedood. Uit Wohls vingerafdrukken was gebleken dat hij in werkelijkheid Jimmy Nelson was, een ex-veroordeelde die wegens een aantal inbraken zes jaar in Attica had gezeten.

Hoofdschuddend sloeg Elsie de krant dicht. Haar ogen gleden weer naar de voorpagina en de foto van de tweeling. 'Kathy en Kelly op hun derde verjaardag', stond er onder de foto. Terwijl ze naar de foto staarde, vroeg ze zich af waarom de gezichtjes haar toch zo bekend voorkwamen.

Op dat moment begon het klokje van de oven te piepen. Debby liet haar kleurpotlood vallen en keek op van haar kleurboek. 'Oma, oma, de koekjes zijn klaar,' riep ze, terwijl ze naar de keuken rende.

Elsie liet de krant op de grond glijden en stond op om achter haar aan te lopen.

69

Nadat hoofdinspecteur Jed Gunther bij de Frawleys was weggegaan, reed hij rechtstreeks naar het politiebureau van Ridgefield. Hij hield zichzelf voor dat hij niet in tweelingen-taaltjes of telepathie tussen tweelingen geloofde, maar de ge-beurtenissen in het huis van de Frawleys had hem erger aan-gegrepen dan hij aan het echtpaar of zijn collega's wilde toegeven. Toch dacht hij nog steeds dat Kelly haar eigen ervaringen in de ontvoeringszaak naar buiten bracht.

Hij was er inmiddels wel van overtuigd dat Kathy Frawley nog had geleefd op het moment dat Kelly met het lichaam van Lucas Wohl in de auto was achtergelaten.

Hij parkeerde zijn auto voor het politiebureau en haastte zich door de gestaag vallende regen naar de hoofdingang. Het zou vroeg in de middag opklaren, dacht hij hoofdschuddend. Ja ja. Het weerbericht had er weer eens flink naast gezeten.

De brigadier achter de balie bevestigde dat hoofdinspecteur Martinson in zijn werkkamer was en toetste het nummer van Martinsons toestel in. Gunther nam de hoorn van hem over. 'Marty, met Jed. Ik ben net bij de Frawleys geweest en ik wil je graag even spreken.'

'Tuurlijk, Jed, kom maar binnen.'

De mannen waren allebei zesendertig en waren al vanaf de kleuterschool bevriend. Na de middelbare school hadden ze onafhankelijk van elkaar besloten bij de politie te gaan. Hun leiderschapskwaliteiten hadden ertoe geleid dat ze vroeg en regelmatig promotie hadden gemaakt, Marty bij de politie van Ridgefield en Jed bij de staatspolitie van Connecticut.

Door de jaren heen hadden ze vele tragedies meegemaakt, waaronder een aantal akelige gebeurtenissen waarbij jonge mensen waren omgekomen. Dit was voor hen allebei de eerste keer dat ze met een ontvoering te maken hadden. Vanaf het moment dat er vanuit het huis van de Frawleys naar het alarmnummer was gebeld, hadden hun bureaus en de FBI als een hecht team samengewerkt. Het was beide mannen een doorn in het oog dat ze nog geen aanwijzing hadden waarmee ze de misdaad konden oplossen.

Jed gaf Martinson een hand en ging in de stoel bij Marty's bureau zitten. Hij was bijna tien centimeter groter dan zijn vriend en had dik, donker haar. Martinson begon al een beetje kaal te worden en had al wat grijze haren. Toch vertoonden ze voor een buitenstaander duidelijk overeenkomsten. Beiden straalden intelligentie en zelfvertrouwen uit.

'Hoe gaat het met de Frawleys?' informeerde Martinson.

In het kort vertelde Jed Gunther wat er eerder die dag was gebeurd. 'Je weet dat Wohls bekentenis nogal verdacht is,' zo besloot hij zijn verhaal. 'Ik ben er nu van overtuigd dat Kathy donderdagochtend, toen we haar zusje in de auto vonden, nog leefde. Ik heb nog eens in het huis van de Frawleys rondgekeken. Het is wel duidelijk dat de ontvoering door minimaal twee mensen is gepleegd.'

'Daar moet ik ook steeds aan denken,' beaamde Martinson. 'Er hingen geen gordijnen of vitrage in de woonkamer. Er waren alleen rolgordijnen, die niet helemaal naar beneden waren getrokken. De daders hadden door het raam naar binnen kunnen kijken en de oppas met haar mobiele telefoon op de bank kunnen zien zitten. Dat oude slot op de keukendeur kon al met een creditcard worden opengemaakt. De trap aan de achterkant zit naast die deur, dus ze konden ervan uitgaan dat ze snel boven zouden zijn. De vraag is of ze een van de kinderen aan het huilen hebben gemaakt om de oppas naar boven te lokken. Ik denk van wel.'

Gunther knikte. 'Dat denk ik ook. Ze deden boven het licht in de gang uit en hadden chloroform bij zich om het meisje uit te schakelen. Misschien droegen ze wel maskers, voor het geval ze hun gezicht zou zien. Ze konden niet riskeren dat ze boven nog naar de kinderkamer moesten zoeken. Volgens mij wisten ze de weg, dus een van hen moet een keer eerder in het huis zijn geweest. De vraag is natuurlijk wanneer. De Frawleys hebben het huis na de dood van de oude Mrs. Cunningham gekocht en meteen betrokken. Het was in slechte staat, dus daarom kregen ze het voor een schappelijke prijs.'

'Hoe slecht de staat van het huis ook was, er moet een deskundige naar hebben gekeken voordat de hypotheek werd goedgekeurd,' merkte Martinson op.

'Dat is de reden van mijn bezoek,' zei Gunther. 'Ik heb de rapporten gelezen, maar ik wilde ze graag met je doornemen. Jullie kennen deze stad als je broekzak. Zou het kunnen dat iemand in dat huis is geweest en heeft gekeken hoe het in elkaar zat voordat de Frawleys erin trokken? De gang op de eerste verdieping is heel lang en de vloerplanken kraken. De deuren van de drie slaapkamers die de Frawleys niet gebruiken, zijn altijd dicht. De ontvoerders moeten hebben geweten dat de tweeling in een van de kamers aan het einde van de gang sliep.'

'We hebben de bouwkundige gesproken die de keuring heeft uitgevoerd,' zei Martinson langzaam. 'Hij woont hier al dertig jaar. Tijdens zijn keuring is er niemand binnen geweest. Twee dagen voordat de Frawleys erin trokken, heeft de makelaar een schoonmaakploeg langsgestuurd om het huis grondig schoon te maken. Dat bedrijf is van een familie waarvoor ik persoonlijk kan instaan.'

'En Franklin Bailey? Had hij hier iets mee te maken?'

'Ik weet niet wat de FBI denkt, maar volgens mij niet. Als ik de berichten moet geloven, staat de arme man op het punt om een hartaanval te krijgen.'

Jed stond op. 'Ik ga weer terug naar mijn bureau om te kijken of ik in de dossiers iets over het hoofd heb gezien. Marty, ik blijf erbij dat ik niet in telepathie geloof, maar weet je nog dat Kathy hoestte toen we haar op dat bandje hoorden? Als ze nog leeft, is ze erg ziek. Wat mij zorgen baart, is dat dat zelfmoordbriefje wel eens werkelijkheid zou kunnen worden. Het is misschien niet hun bedoeling om haar te doden, maar ik weet zeker dat ze niet met haar naar een dokter gaan. Haar foto heeft in alle kranten gestaan. Als ze geen medische zorg krijgt, ben ik bang dat ze doodgaat.'

70

Op LaGuardia Airport vroeg Clint de chauffeur om hem bij de uitgang van Continental Airlines af te zetten. Als de FBI hem op de hielen zat, hoefden ze van de chauffeur niet te horen dat hij bij de ingang van de shuttle was uitgestapt. Dan zouden ze namelijk meteen weten dat hij naar Boston of Washington ging.

Hij betaalde de taxichauffeur met zijn creditcard. Op het moment dat de chauffeur de kaart doorhaalde, brak het angstzweet Clint uit bij de gedachte dat Angie voor haar vertrek misschien nog meer had gewinkeld en de kredietlimiet had bereikt. Als dat gebeurde, zou hij de tachtig dollar in zijn zak tot op de laatste stuiver kwijt zijn.

Gelukkig werd de kaart niet geweigerd. Opgelucht haalde hij adem.

Hij begon steeds bozer op Angie te worden. De woede borrelde langzaam in hem omhoog, als het gerommel dat aan een vulkaanuitbarsting voorafgaat. Als ze beide kinderen in de auto hadden achtergelaten en het miljoen hadden gedeeld, zou Lucas nog steeds limousines verhuren en Bailey rondrijden, net als vroeger. En volgende week zouden Angie en hij onderweg zijn naar die nepbaan in Florida en zou niemand daar iets achter zoeken.

Nu had ze niet alleen Lucas vermoord, maar ook nog zijn nieuwe identiteit in gevaar gebracht. Hoe lang zou het duren voordat ze op zoek gingen naar de oude celgenoot van Lucas? Het zou vast een keer gebeuren. Clint wist hoe de FBI te werk ging. En die oliedomme, suffe Angie had die kleren voor de kinderen met zijn creditcard gekocht. Zelfs die maffe verkoopster was slim genoeg om te voelen dat er iets vreemds aan de hand was.

Met het tasje waarin hij een paar overhemden, wat ondergoed, sokken, zijn tandenborstel en scheerspullen had gestopt, liep Clint de terminal in. Daarna liep hij weer naar buiten en wachtte op de bus die hem naar de shuttle van US Airways zou brengen. Daar kocht hij bij een automaat een kaartje. Het volgende vliegtuig naar Boston ging om zes uur, wat betekende dat hij nog veertig minuten over had. Omdat hij niet had geluncht, liep hij naar een restaurantje om een hotdog, frietjes en koffie te bestellen. Hij had veel meer zin in een glas whisky, maar dat zou straks zijn beloning zijn.

Toen het eten arriveerde, nam hij een grote hap van de hotdog en spoelde die weg met een slok bittere koffie. Was het nog maar tien dagen geleden dat Lucas en hij met een fles whisky aan de eettafel in zijn huis hadden gezeten? Ze hadden tevreden het glas geheven, omdat ze blij waren dat alles goed was verlopen.

Angie, dacht hij, terwijl de woede in zijn binnenste weer aanzwol. Ze heeft op Cape Cod al een aanvaring met een agent gehad, en nu heeft hij het kenteken van het busje. Misschien is hij op dit moment wel naar haar op zoek. Hij at vlug door, keek op de rekening en legde een aantal verfrommelde biljetten van een dollar op de bar. De fooi voor de serveerster bedroeg achtendertig cent. Hij gleed van zijn kruk. Zijn jack was tijdens het zitten omhooggeschoven en hij trok het weer naar beneden. Daarna sjokte hij naar de gate van het vliegtuig naar Boston.

De serveerster, een derdejaarsstudente die Rosita heette, keek hem minachtend na. Er zit nog mosterd op zijn bolle gezicht, dacht ze. Ik moet er niet aan denken dat ik 's avonds zo'n vent thuis zag komen. Wat een viespeuk. Nou ja, dacht ze schouderophalend, bij hem hoef je in elk geval niet bang te zijn dat het een terrorist is. Als er iemand ongevaarlijk is, is het die klojo wel.

Alan Hart, de man die 's avonds als manager van het Sound-view Motel in Hyannis werkte, moest om zeven uur beginnen. Bij binnenkomst vertelde motelmanager David Toomey hem meteen dat Linda Hagen, de vrouw in kamer A-49, aan agent Tyron had verteld dat haar kinderzitje was gestolen. 'Ik weet zeker dat ze loog,' zei Toomey. 'Ik zou er mijn hand voor in het vuur durven steken dat ze nooit een kinderzitje heeft gehad. Heb jij haar busje toevallig bekeken toen ze gisteravond incheckte, Al?'

'Ja, daar heb ik naar gekeken,' antwoordde Hart met een frons op zijn smalle, ernstige gezicht. 'Je weet dat ik alle auto's even bekijk. Daarom heb ik die nieuwe buitenlamp opgehangen. Die magere vrouw met dat bruine haar arriveerde kort na middernacht. Ik kon haar busje duidelijk zien en ik wist niet eens dat ze een kind had. Waarschijnlijk lag het op de achterbank te slapen, want het zat beslist niet in een kinderstoeltje.'

'Ik vond het heel vervelend dat Sam Tyron langskwam,' mopperde Toomey. 'Hij wilde weten of we wel vaker met diefstallen te maken hadden. Toen hij weg was, ben ik naar dat mens van Hagen gegaan. Ze heeft een zoontje van een jaar of drie, vier. Ik zei dat ze met hem naar het ziekenhuis moest, want ik hoorde de ademhaling van dat jochie vreselijk astmatisch piepen.'

'Is ze gegaan?'

'Geen idee. Ze beweerde dat ze op haar moeder wachtte en dat ze samen naar het ziekenhuis zouden gaan.'

'Ze heeft de kamer tot morgenochtend geboekt en met briefjes van twintig dollar betaald. Ik dacht dat ze misschien op haar vriend wachtte en dat zij de kamer voor haar rekening nam. Zijn zij en dat kind al teruggekomen?' vroeg Hart.

'Volgens mij niet. Misschien moet ik maar even op de deur kloppen en naar dat kind vragen.'

'Vertrouw je haar niet?'

'Al, dat mens interesseert me geen fluit, maar volgens mij beseft ze niet hoe ziek dat jochie is. Als ze er niet is, ga ik naar huis. Maar ik ga wel bij het politiebureau langs om te zeggen dat er gisteravond géén kinderzitje is gestolen.'

'Oké. Ik hou wel in de gaten of ik haar zie.'

David Toomey stak zijn hand op, liep naar buiten en sloeg rechts af naar kamer A-49, die op de begane grond lag. Hij zag dat er achter het dichtgetrokken gordijn geen licht brandde. Hij klopte, wachtte en haalde na een korte aarzeling zijn loper tevoorschijn. Nadat hij de deur had opengemaakt, liep hij naar binnen en deed het licht aan.

Het was wel duidelijk dat Linda Hagen nog terug zou komen, want op de grond stond een openstaande koffer met vrouwenkleding erin. Bij het zien van het kinderjasje op het bed gingen Toomeys wenkbrauwen omhoog. Dat jasje had vanmiddag op precies dezelfde plaats gelegen. Had ze dat jongetje zonder jas meegenomen? Misschien had ze hem in een deken gewikkeld. Hij keek in de kast en zag dat de extra deken weg was. Hij knikte. Dat had hij goed aangevoeld.

Hij nam ook een kijkje in de badkamer, waar hij make-up en toiletartikelen op de wastafel zag staan. Ze is van plan om terug te komen, dacht hij. Misschien moet het kind wel in het ziekenhuis blijven. Ik hoop het. Ik ga naar huis. Toen hij terug naar de buitendeur wilde lopen, viel zijn blik op een papiertje op de grond. Hij bukte om het te bekijken. Het was een briefje van twintig dollar.

Het briefje lag vlak bij het bed, en de verschoten bruin-met-oranje sprei hing niet helemaal op de grond. Toen Toomey op zijn knieën ging zitten om de rand recht te trekken, werden zijn ogen groot van verbazing. Verspreid onder het bed lagen zeker tien briefjes van twintig. Hij raakte ze geen van alle aan en stond langzaam op. Dat mens is knettergek, dacht hij. Waarschijnlijk bewaart ze haar geld in een tas onder haar bed en heeft ze niet eens gemerkt dat er wat uit is gevallen.

Hoofdschuddend liep hij naar de deur, deed het licht uit en ging weg. Hij was al de hele dag in touw en wilde graag naar huis. Ik kan het politiebureau ook wel even bellen, dacht hij. Toch besloot hij er even langs te rijden. Ik wil zwart op wit zien staan dat er in mijn motel niets is gestolen. Als ze dat mens van Hagen willen vervolgen omdat ze tegen een agent heeft gelogen, is dat haar probleem.

72

'Lila is vandaag vroeg vertrokken,' zei Joan Howell, de manager van Abby's Discount, tegen Margaret Frawley en agent Carlson. 'Ze is in haar lunchpauze weggegaan, ik geloof om een boodschap te doen. Toen ze terugkwam, had ze kleddernat haar. Ik vroeg waarom ze zo halsoverkop was vertrokken en toen zei ze dat ze een blunder had gemaakt. Maar ze ging vroeg weg omdat ze liep te rillen en bang was dat ze kou had gevat.'

Margaret had zin om te gillen, maar perste haar lippen op elkaar. Ze had net Joan Howells belangstellende vragen hoe het vandaag met haar ging en haar condoleance met het verlies van Kathy moeten doorstaan.

Walter Carlson had haar al zijn insigne laten zien. Toen ze even haar mond hield om adem te halen, zag hij zijn kans. 'Ms. Howell, ik heb nu meteen het telefoonnummer, mobiele nummer en huisadres van Ms. Jackson nodig.'

Ms. Howells wangen werden rood en ze keek de winkel rond. Het was zaterdagmiddag, dus het was druk in de kledingzaak. Een paar klanten die in de buurt stonden, keken nieuwsgierig in hun richting. 'Natuurlijk,' zei ze. 'Geen probleem. Ik hoop niet dat Lila in de problemen zit. Het is een ontzettend aardige meid. Slim! Ambitieus! Ik zeg altijd tegen haar: "Lila, waag het niet om zelf een winkel te beginnen, want dan kunnen wij de deuren wel sluiten. Begrepen?" '

Bij het zien van de gezichten van Margaret Frawley en agent Carlson leek het haar beter om de volgende anekdote over Lila's veelbelovende toekomst te laten zitten. 'Loopt u maar mee naar het kantoortje,' zei ze.

Walter Carlson zag dat het kantoortje nauwelijks groot genoeg was om een bureau, een stoel en een paar dossierkasten te herbergen. Een grijsharige vrouw van over de zestig, die een leesbril op het puntje van haar neus had, keek op.

'Jean, wil jij Lila's adres en telefoonnummers nu meteen aan Mrs. Frawley geven?' vroeg Ms. Howell. Haar toon gaf aan dat Jean haar order maar beter meteen kon uitvoeren.

Jean Wagner had tegen Mrs. Frawley willen zeggen dat ze heel blij was dat ze een dochter had teruggekregen, maar dat ze het heel erg vond dat de andere dochter was omgekomen. Bij het zien van Margarets ijzige blik besloot ze de woorden voor zich te houden. 'Ik zal het voor u opschrijven,' zei ze zakelijk.

Margaret mompelde een bedankje en moest zich inhouden om het briefje niet uit haar hand te grissen. Ze liep meteen weg, op de voet gevolgd door agent Carlson.

'Wat is er aan de hand?' vroeg Jean Wagner aan Joan Howell. 'Die man die Mrs. Frawley bij zich had, werkt voor de FBI. Hij heeft niet de moeite genomen me iets uit te leggen. Maar gisteren, toen Mrs. Frawley zo van streek binnenkwam, zei ze dat Lila aan een andere klant kleren voor een tweeling had verkocht en dat die mevrouw niet wist welke maat ze moest hebben. Ik weet niet waarom dat nu zo belangrijk is. Onder ons gezegd en gezwegen, denk ik dat die arme Margaret Frawley onder de wol moet en dat ze haar iets kalmerends moeten geven, tot ze het aankan om haar verdriet te verwerken. Daarom hebben we in onze kerk een rouwverwerkingsgroep. Toen mijn moeder overleed, heb ik daar heel veel aan gehad. Ik zou niet weten hoe ik die tijd anders had moeten doorkomen.'

Achter Joan Howells rug hief Jean Wagner haar ogen ten hemel. Ms. Howells moeder was zesennegentig geworden en had Joan stapelgek gemaakt voordat de Heer zo genadig was geweest om haar bij Zich te roepen. Maar ze was meer van slag door de rest van Joan Howells verhaal.

Lila dacht al dat er iets met die vrouw aan de hand was, dacht Jean. Ik heb bij de creditcardmaatschappij haar adres voor Lila opgevraagd. Ik weet het nog: Mrs. Clint Downes, Orchard Avenue 100 in Danbury.

Joan Howell had de deur opengedaan en was al onderweg naar buiten. Jean wilde haar nog terugroepen, maar bedacht zich. Lila vertelt die mensen wel wie die vrouw was, dacht ze. Joan begint een slecht humeur te krijgen. Ze vindt het vast niet leuk dat ik de regels heb overtreden om Lila dat adres te geven. Laat ik me maar met mijn eigen zaken bemoeien.

73

Angie legde Kathy op een kussen op de badkamervloer. Daarna deed ze de stop in het bad en zette ze de douche zo hard en heet mogelijk aan om de badkamer met stoom te vullen. Ze was erin geslaagd om Kathy nog twee kinderaspirientjes met sinaasappelsmaak te laten slikken.

Ze werd met de minuut nerveuzer. 'Waag het niet om dood te gaan,' zei ze tegen Kathy. 'Daar heb ik dus echt geen behoefte aan. Ik wil niet dat er nog een nieuwsgierige motelmanager op mijn deur komt bonzen en dat jij niet ademhaalt. Kon ik je nog maar wat penicilline laten slikken.'

Anderzijds begon ze zich af te vragen of Kathy misschien allergisch was voor de penicilline die ze had gekregen. Overal op haar armen en borst begon ze rode vlekjes te krijgen. Te laat herinnerde Angie zich dat een man met wie ze had samengewoond ook allergisch voor penicilline was geweest. De eerste keer dat hij het geneesmiddel had gebruikt, had hij ook overal rode vlekjes gekregen.

'Jezus, zou dat bij jou ook zo zijn?' vroeg Angie aan Kathy. 'Het was een stom idee om naar Cape Cod te komen. Ik was vergeten dat ik in geval van nood over een van de twee bruggen moet ontsnappen, en nu houden ze die bruggen misschien wel in de gaten. Dat oude Cape Cod was geen goed idee.'

Kathy hield haar ogen dicht. Het kostte haar moeite om adem te halen. Ze wilde naar mama. Ze wilde naar huis. In gedachten zag ze Kelly thuis met hun poppen op de grond zitten. Ze hoorde Kelly vragen waar ze was.

Hoewel ze wist dat ze niet met haar zusje mocht praten, bewoog ze haar lippen en fluisterde: 'Cape Cod.'

Kelly was wakker geworden, maar wilde op de vloer van de woonkamer blijven zitten. Sylvia Harris kwam binnen met een dienblad met melk en koekjes en zette dat op het tafeltje waaraan de teddyberen zaten. Kelly had er geen aandacht voor. Steve zat in kleermakerszit nog steeds tegenover haar op het kleed en was geen centimeter van zijn plaats gekomen. Hij verbrak de stilte. 'Dokter Sylvia, kunt u zich hun geboorte nog herinneren? Margaret kreeg een keizersnee en er moest een vliesje tussen Kelly's rechterduim en Kathy's linkerduim worden doorgesneden.'

'Ja, Steve, dat weet ik nog. Ze waren niet alleen eeneiig, ze hadden letterlijk een bijzondere band met elkaar.'

'Dokter Sylvia, ik durf het niet te geloven, maar...' Hij maakte zijn zin niet af. 'U weet wel wat ik bedoel, maar zelfs de mensen van de FBI houden er nu rekening mee dat ze misschien nog leeft. Mijn hemel... Wisten we maar waar ze was, waar we haar moesten zoeken. Denkt u dat Kelly dat misschien weet?'

Kelly keek op. 'Ik weet waar ze is.'

Sylvia Harris hief waarschuwend haar hand op naar Steve. 'Waar is ze dan, Kelly?' vroeg ze rustig, zonder enige emotie in haar stem.

'Op het oude Cape Cod. Dat heeft ze me net verteld.'

'Toen Margaret vanochtend met Kelly in bed lag, vertelde ze dat ze gisteravond helemaal van streek was doorgereden tot ze het bord Cape Cod zag. Toen wist ze dat ze moest omdraaien,' fluisterde Sylvia tegen Steve. 'Daar heeft Kelly haar over Cape Cod horen praten.'

Kelly hapte opeens naar adem en begon te hoesten en te kokhalzen. Sylvia greep haar beet, gooide haar over haar schoot en gaf haar een felle tik tussen de schouderbladen.

Toen Kelly begon te huilen, draaide dokter Harris haar om en nestelde het hoofdje van het meisje tegen haar nek. 'Sorry, lieverd,' zei ze troostend. 'Ik was bang dat je iets in je mond had gestopt en stikte.'

'Ik wil naar huis,' zei Kelly snikkend. 'Ik wil naar mama.'

74

Agent Carlson belde aan bij het bescheiden huis in Danbury waar Lila Jackson woonde. In de auto had hij haar nummer ingetoetst, maar de telefoonlijn was bezet. Daarna had hij haar mobiele telefoon geprobeerd, maar die nam ze niet op. 'Gelukkig betekent die bezette lijn dat er iemand thuis is,' zei hij als geruststelling tegen Margaret. Hij trapte het gaspedaal in en legde de vijf kilometer afstand naar haar huis met hoge snelheid af.

'Ze móét thuis zijn,' had Margaret in de auto gezegd. Nu ze voetstappen naar de deur hoorden komen, fluisterde ze: 'O, ik hoop toch zo dat ze ons iets kan vertellen.'

Lila's moeder deed de deur open. Haar warme glimlach verdween toen ze twee onbekende mensen op de stoep zag staan. Vlug deed ze de deur bijna helemaal dicht om het veiligheidskettinkje erop te schuiven.

Nog voordat de vrouw iets kon zeggen, had Carlson zijn insigne van de FBI al naar haar uitgestoken. 'Mijn naam is Walter Carlson,' zei hij vlug. 'Dit is Margaret Frawley, de moeder van de ontvoerde tweeling. Uw dochter Lila heeft haar de feestjurkjes voor de verjaardag van de meisjes verkocht. We komen net van Abby's Discount, waar Ms. Howell ons vertelde dat Lila vroeg is weggegaan omdat ze zich niet lekker voelde. We moeten haar dringend spreken.'

Het kettinkje werd van de deur gehaald en Lila's moeder maakte blozend haar excuses. 'Neemt u mij niet kwalijk. Tegenwoordig kun je niet voorzichtig genoeg zijn. Kom binnen, kom alstublieft binnen. Lila ligt in de televisiekamer op de bank. Kom binnen.'

Ze móét ons iets kunnen vertellen, dacht Margaret. O God, alstublieft, alstublieft, alstublieft. In de spiegel die tegenover de deur in het halletje hing, ving ze een glimp van zichzelf op. Ze had haar haren eerder die dag opgestoken, maar de wind had een paar slierten losgeblazen en die hingen nu langs haar nek. De donkere kringen onder haar ogen vormden een sterk contrast met haar bleke gezicht, en haar ogen zagen er dof en vermoeid uit. Een zenuw bij haar mondhoek spande zich steeds aan, waardoor haar gezicht trilde. Ze had zo vaak op haar onderlip gebeten dat die gezwollen en gescheurd was.

Geen wonder dat die mevrouw de deur dichtdeed toen ze me zag staan, dacht ze. Het volgende moment maakte ze zich niet druk meer om haar uiterlijk, want in de televisiekamer zag ze iemand lekker ingepakt op de bank zitten.

Lila droeg haar favoriete, met fleece gevoerde badjas en had een deken om zich heen geslagen. Haar voeten lagen op een poef en ze dronk een kop hete thee. Toen ze opkeek, herkende ze Margaret onmiddellijk. 'Mrs. Frawley!' Ze boog naar voren om haar theekopje op de salontafel te zetten.

'Blijf alstublieft lekker zitten,' zei Margaret. 'Sorry dat ik zomaar bij u kom binnenvallen, maar ik moet met u praten. Het gaat om iets wat u zei toen ik de feestjurkjes voor mijn tweeling kocht.'

'Daar heeft Lila het over gehad,' riep Mrs. Jackson uit. 'Ze wilde zelfs naar de politie gaan, maar mijn vriend Jim Gilbert zei dat dat onzin was. Hij heeft verstand van dergelijke dingen.'

'Ms. Jackson, wat wilde u de politie vertellen?' Walter Carlsons toon was dwingend en spoorde Lila aan meteen eerlijk antwoord te geven.

Lila keek van hem naar Margaret en zag de gretige hoop in Margarets ogen. Omdat ze wist dat ze Margaret moest teleurstellen, richtte ze zich tot Carlson. 'Zoals ik Mrs. Frawley die avond vertelde, had ik net vóór haar een klant gehad die kleren voor haar driejarige tweeling wilde kopen. Die mevrouw wist niet welke maat ze moest hebben. Na de ontvoering heb ik haar naam opgezocht, maar zoals mijn moeder al zei, vond Jim Gilbert het niet de moeite waard om die aan de politie door te geven. Gilbert was vroeger rechercheur en werkte hier in Danbury.' Ze keek naar Margaret. 'Vanochtend hoorde ik dat u gisteren naar de winkel was gekomen om met me te praten. Daarom besloot ik vandaag in mijn lunchpauze met die vrouw van die kleertjes te gaan praten.'

'Weet u waar ze is?' Margaret snakte naar adem.

Volgens de manager van de winkel had Lila gezegd dat ze een blunder had gemaakt, dacht Carlson grimmig.

'Ze heet Angie. Ze woont samen met de conciërge van de Country Club in een huis op het terrein van de club. Ik ging met een smoes naar haar toe - ik zei dat twee van de poloshirtjes die ze had gekocht beschadigd waren. Maar de conciërge vertelde me hoe de vork in de steel zat. Angie werkt vaak als kinderoppas en was ingehuurd om met een moeder en twee kinderen naar Wisconsin te rijden. Hij zei dat de kinderen geen tweeling waren, maar dat ze nog geen jaar met elkaar scheelden. Toen de moeder op weg naar Angie was, besefte ze dat ze een van de koffers was vergeten. Ze belde Angie om te zeggen dat ze nog wat spulletjes moest kopen. Daarom wist ze niet welke maat ze moest hebben.'

Margaret was blijven staan, maar nu voelde ze haar knieën knikken en liet ze zich op de stoel tegenover de bank zakken. Een dood spoor, dacht ze. Onze enige kans. Ze deed haar ogen dicht en dreigde voor de eerste keer de hoop kwijt te raken dat ze Kathy nog op tijd kon vinden.

Walter Carlson had nog meer vragen. 'Had u de indruk dat er kinderen in dat huis waren geweest, Ms. Jackson?' vroeg hij.

Lila schudde haar hoofd. 'Het is een klein huis. Een woonkamer, met links een eethoek die door een laag muurtje van de keuken is afgescheiden. De deur naar de slaapkamer stond open. Ik weet zeker dat die Clint alleen thuis was. Ik kreeg de indruk dat de vrouw bij wie Angie moest oppassen haar had opgehaald, dus daarom ben ik weggegaan.'

'Maakte die Clint een nerveuze indruk op u?' wilde Carlson weten.

'Jim Gilbert kent de conciërge en zijn vriendin persoonlijk,' kwam Lila's moeder tussenbeide. 'Daarom zei hij dat het hele verhaal onzin was.'

We kunnen net zo goed weggaan, dacht Margaret. Dit is nutteloos en hopeloos. De spanning in haar lichaam maakte plaats voor een doffe pijn. Ik wil naar huis, dacht ze. Ik wil bij Kelly zijn.

Lila gaf antwoord op Carlsons vraag. 'Nee, ik had niet de indruk dat Clint, of hoe die man dan ook mag heten, echt nerveus was. Hij transpireerde verschrikkelijk, maar ik nam gewoon aan dat hij zo'n zwaargebouwde man was die van nature veel zweet.' Ze trok een vies gezicht. 'Zijn vriendin zou hem wel een krat deodorant mogen geven. Hij stonk als een klccdkamer in een sporthal.'

Margaret staarde haar aan. 'Wat zegt u?'

Lila voelde zich duidelijk niet op haar gemak. 'Sorry, Mrs. Frawley. Het was niet mijn bedoeling om flauwe grapjes te maken. Ik wou met heel mijn hart dat ik u kon helpen.'

'Maar u hebt me geholpen!' riep Margaret uit. Haar gezicht begon te stralen. 'Dit was heel nuttig!' Ze sprong op van haar stoel en keek naar Carlson. Aan zijn gezicht zag ze dat hij het belang van Lila's achteloze opmerking ook inzag.

Trish Logan, de babysitter, had maar twee dingen meegekregen van de man die haar had beetgegrepen: hij was zwaar gebouwd en er hing een vieze zweetlucht om hem heen.

75

Hoewel de Rattenvanger haast had om op Cape Cod te komen, had hij de tijd genomen om een sweater met capuchon te zoeken die hij onder zijn jas kon dragen. Hij had ook een oude zonnebril opgezocht, die de helft van zijn gezicht bedekte. Hij reed naar het vliegveld, parkeerde zijn auto en liep de kleine terminal binnen, waar de piloot al op hem wachtte. Ze wisselden slechts een paar woorden. Hij kreeg te horen dat het vliegtuig al op de baan klaarstond. Zoals hij had gevraagd, zou er bij aankomst in Chatham een auto met een kaart van de omgeving voor hem klaarstaan. De piloot zou op hem wachten om later die avond met hem terug te vliegen. Iets meer dan een uur later stapte de Rattenvanger uit het vliegtuig. Het was zeven uur. Hij had niet verwacht dat het op Cape Cod droog zou zijn en dat hij een heldere sterrenhemel zou zien. De aanblik maakte hem nerveus, want hij had verwacht dat het net zo bewolkt en regenachtig zou zijn als in het gebied rond New York. Gelukkig bleek de auto wel precies aan zijn verwachting te voldoen. Het was een zwarte middenklasser, die tussen het andere verkeer niet opviel. Nadat hij de kaart even had bestudeerd, zag hij dat het niet ver naar het Shell and Dune Motel aan Route 28 was.

Ik heb nog minstens een uur, misschien nog wel meer, dacht hij. Misschien heeft Clint de Delta Shuttle van halfzes wel kunnen nemen. Anders heeft hij de US Air Flight van zes uur genomen. Waarschijnlijk is hij nu in Boston een auto aan het huren. De piloot zei dat de rit van Boston naar Chatham ongeveer anderhalf uur zou duren. Ik parkeer mijn auto wel in de buurt van het motel om hem op te wachten.

Tijdens het telefoongesprek met Clint had hij naar het kenteken van het busje willen vragen, maar hij wist dat hij daarmee Clints achterdocht zou wekken. Lucas had gezegd dat het een oude roestbak was. Er moesten natuurlijk kentekenplaten uit Connecticut op zitten. Het kon nooit moeilijk zijn om zo'n auto op het parkeerterrein van het motel te vinden.

Lucas had Clint en Angie wel in neerbuigende termen aan hem beschreven, maar de Rattenvanger had geen van beiden ooit ontmoet. Nam hij een onnodig risico door hier te komen? Was het niet verstandiger om Clint gewoon Angie en het kind te laten vermoorden? Het was toch niet erg als hij dat miljoen hield? Nee, dacht hij. Ik kan rustiger slapen als ze allemaal dood zijn. Lucas kende me. Zij niet. Maar misschien heeft hij wel tegen Clint gezegd wie ik ben. Ik moet er niet aan denken dat hij bij mij op de stoep staat als hij zijn deel van het losgeld erdoor heeft gejaagd. Misschien vindt hij dan wel dat ik die andere zeven miljoen met hem moet delen.

Er was meer verkeer op Route 28 dan hij had verwacht. Cape Cod is waarschijnlijk net als al die andere vakantieoorden, dacht hij. Het komt steeds vaker voor dat mensen er het hele jaar wonen.

Nou ja, wat maakte het uit.

Zijn oog viel op het reclamebord van het Shell and Dune,

en hij zag aan het knipperende bordje dat er kamers vrij waren. Het motel, een wit, houten gebouw met groene luiken, zag er een stuk netter uit dan de meeste andere motels langs de snelweg. Hij zag dat de oprit zich achter het reclamebord in tweeën splitste. De ene kant leidde naar een overkapping met een receptie en de andere kant leidde om de receptie heen. Hij sloeg rechts af en volgde de weg die om de receptie heen ging. Omdat hij liever geen aandacht wilde trekken, hield hij een rustig tempo aan. Ondertussen flitsten zijn ogen heen en weer, zoekend naar het busje. Hij wist bijna zeker dat het niet aan de voorkant van het motel stond, want die was vanaf de snelweg te zien. Hij reed om het gebouw heen naar de achterkant. Daar stonden nog veel meer auto's, waarschijnlijk van de mensen die een kamer op de eerste verdieping hadden. Dat was gunstig. Als hij het busje had gevonden, kon hij een parkeerplaats vlakbij zoeken.

Als Angie slim was, had ze haar auto niet te dicht bij het motel geparkeerd. In het licht van de buitenlamp waren de kentekenplaten van de voorste auto's duidelijk te lezen. De Rattenvanger ging nog langzamer rijden en bestudeerde de auto's die hij passeerde.

Eindelijk zag hij de auto die van haar moest zijn. Het was een donkerbruin busje, minstens tien of twaalf jaar oud. Het had kentekenplaten uit Connecticut en er zat een deuk in de zijkant. Vijf parkeerplaatsen verder, in de volgende rij, kon hij zijn auto kwijt. Hij parkeerde zijn auto, stapte uit en liep naar het busje om het te bestuderen. In het licht van de buitenlamp kon hij zien dat er een kinderzitje op de achterbank was vastgemaakt.

Hij keek op zijn horloge. Hij had nog meer dan genoeg tijd, en hij had trek. Zijn oog viel op het wegrestaurant naast het motel. Hij kon best iets gaan eten. Hij pakte zijn donkere zonnebril, zette hem op en stak het parkeerterrein over. Toen hij in het restaurant kwam, zag hij dat er veel mensen waren. Des te beter, dacht hij. Er was nog maar één plaats aan de bar over, naast de plek waar mensen afhaalmaaltijden konden krijgen. Hij ging zitten en stak zijn hand uit naar de menukaart. Precies op dat moment bestelde de vrouw naast hem een hamburger, zwarte koffie en een waterijsje met sinaasappelsmaak om mee te nemen.

De Rattenvanger keek abrupt opzij, maar nog voordat hij de magere vrouw met haar sliertige haar had gezien, herkende hij haar barse, agressieve stem.

Hij begroef zijn gezicht in de menukaart. Hij wist dat hij zich niet vergiste.

Het was Angie.

76

Het kantoor van schoonmaakbedrijf A-One Reliable Cleaning Service was gevestigd in de kelder van Stan Shafters huis. Een uur na zijn gesprek met Jed Gunther besloot Marty Martinson nog een keer met Shafter te gaan praten. Hij had verklaringen van Stans twee zoons, en van de vrouwen die al heel lang bij het bedrijf in dienst waren en die de dag voor de verhuizing van de familie Frawley het hele huis hadden afgestoft, schoongeschrobd en opgepoetst. Marty had die verklaringen nog eens doorgelezen, en alle betrokkenen hadden gezegd dat er tijdens hun werkzaamheden verder niemand in het huis was geweest.

Toen Marty de verklaringen van Shafters werknemers doorlas, viel hem op dat ze allemaal iets waren vergeten. Niemand had verteld dat Stan tijdens het werk in het huis was geweest, terwijl Stan had verklaard dat hij zijn gebruikelijke inspectie had uitgevoerd. Als ze Stans bezoekje waren vergeten, hadden ze misschien ook wel iemand anders over het hoofd gezien. Marty besloot dat het verstandig was om nog eens bij Stan langs te gaan en erover te beginnen.

Stan Shafter deed zelf open. Hij was een kleine, krachtig uitziende man van achter in de vijftig met dik, knalrood haar en levendige bruine ogen. Hij had de naam dat hij er altijd gehaast uitzag. Marty zag dat hij zijn zware winterjas aanhad. Dat betekende dat Stan net was thuisgekomen of net wilde weggaan.

Stans wenkbrauwen gingen omhoog toen hij zag wie er had aangebeld. 'Kom binnen, Marty. Of moet ik je hoofdinspecteur noemen?'

'Zeg maar Marty, Stan. Ik wilde je graag even spreken, tenzij je nu wegmoet.'

'Ik ben net drie minuten thuis en ik ga vandaag nergens meer naartoe. Er lag een briefje van Sonya dat de telefoon van het bedrijf de hele middag roodgloeiend heeft gestaan, dus ik moet de boodschappendienst bellen en alle berichten afluisteren.'

Terwijl Marty achter hem aan de trap af liep, dankte hij de hemel dat Stans vrouw niet thuis was. Ze was zo'n kletskous en roddeltante dat ze hem zou hebben overladen met vragen over het onderzoek.

De muren van het kantoor in de kelder waren betimmerd met schrootjes, die Marty aan zijn grootmoeders televisiekamer deden denken. Het grote prikbord achter Shafters bureau hing vol met cartoons van schoonmaakklusjes.

'Ik heb een paar nieuwe, Marty,' zei Shafter. 'Ontzettend grappig. Moet je kijken.'

'Een andere keer,' zei Marty. 'Stan, ik moet je even spreken over het huis van de Frawleys.'

'Oké, maar jouw jongens hebben ons na de ontvoering al grondig ondervraagd.'

'Dat weet ik, maar er zijn nog steeds onduidelijkheden. Bij onze zoektocht naar de ontvoerders staan we stil bij alle dingen die niet kloppen, hoe onbelangrijk ze ook lijken. Daar zul je wel begrip voor hebben.'

'Ja, maar ik hoop niet dat je insinueert dat een van mijn mensen tegen jullie heeft gelogen.' Stans nijdige toon en de manier waarop hij zijn rug rechtte en zijn brede borstkas opzette, deden Marty aan een boze haan denken.

'Nee, ik verdenk jouw mensen nergens van, Stan,' stelde Marty hem vlug gerust. 'Waarschijnlijk is dit gewoon weer een van de vele doodlopende sporen. Het komt hierop neer: wij denken dat iemand het huis in de gaten heeft gehouden en heeft uitgezocht in welke kamer de tweeling sliep. Zoals je weet, is het huis een stuk groter dan het er van de buitenkant uitziet. Er zijn vijf slaapkamers, die allemaal geschikt zouden zijn als kamer voor de tweeling. Toch wist de dader precíés waar hij moest zijn. De Frawleys zijn een dag na jullie schoonmaakbeurt in het huis getrokken. Margaret Frawley zegt dat er vóór de ontvoering geen onbekenden in het huis zijn geweest. We betwijfelen dat iemand het lef heeft gehad om naar binnen te sluipen en de boel te verkennen.'

'Dus je bedoelt…'

'Ik bedoel dat iemand precies wist waar hij moest zijn. Ik geloof dat jouw personeel nooit opzettelijk zou liegen, maar jij hebt verklaard dat je aan het einde van de dag in het huis bent geweest om het te inspecteren. Geen van je personeelsleden heeft dat vermeld.'

'Waarschijnlijk dachten ze dat je wilde weten of er een buitenstaander was geweest. Ze zien mij als lid van het team. Praat maar met ze. Ze komen zo terug om hun auto op te halen.'

'Wisten jullie welke kamer de slaapkamer van de meisjes zou worden?'

'Ja. De ouders kwamen die avond langs om hem te schilderen. De blikken blauwe verf waren in de grote kamer achterin opgestapeld, en de witte vloerbedekking lag opgerold in de hoek. Ze hadden zelfs wat speelgoed en een hobbelpaard meegenomen. Die stonden daar ook.'

'Heb je het daar met iemand over gehad, Stan?'

'Alleen met Sonya. Je kent mijn vrouw, Marty. Ze zou een van jouw speurders kunnen zijn. Ze is jaren geleden in dat huis geweest, toen de oude Mrs. Cunningham een of ander liefdadigheidsevenement had georganiseerd. Zal ik je eens iets vertellen? Ze wilde dat ik het huis zou kopen toen Mrs. Cunningham overleed. Ik zei dat ze dat op haar buik kon schrijven.'

Stan Shafter glimlachte vertederd. 'Sonya vond het geweldig om te horen dat er een eeneiige tweeling in het huis kwam wonen. Ze wilde weten welke kamer ze kregen, of dat ze aparte slaapkamers kregen. Ze vroeg of er Assepoester-behang was gebruikt, omdat zij daar zelf voor zou kiezen. Ik vertelde haar dat de meisjes samen de grote kamer aan de achterkant zouden krijgen, dat de muren hemelsblauw werden geschilderd en dat er witte vloerbedekking op de grond zou worden gelegd. Toen zei ik: "Sonya, laat me nu even rustig een biertje drinken met Clint." '

'Clint?'

'Clint Downes, de conciërge van de Danbury Country Club. Ik ken hem al jaren. We maken daar altijd schoon voordat het seizoen begint. Clint was hier toevallig toen ik uit het huis van de Frawleys kwam en ik nodigde hem uit om een biertje te blijven drinken.'

Marty stond op en pakte zijn politiepet. 'Wil je me bellen als je iets te binnen schiet, Stan?'

'Ja, natuurlijk. Als ik naar mijn kleinkinderen kijk, moet ik er niet aan denken dat ik er eentje voorgoed kwijt zou zijn. Dat is te erg voor woorden.'

'Dat begrijp ik heel goed.' Marty liep een paar traptreden op. 'Stan, weet jij waar die Clint Downes woont?'

'Ja, in het huisje op het terrein van de club.'

'Komt hij regelmatig bij je langs?'

'Nee. Hij kwam vertellen dat hij een baan in Florida heeft aangenomen en dat hij binnenkort weggaat. Hij dacht dat ik misschien iemand kende die zijn baan bij de golfclub wilde hebben.' Stan lachte. 'Ik weet dat veel mensen Sonya vermoeiend vinden, maar Clint was heel beleefd en deed net of hij die verhalen over het huis van de Frawleys erg interessant vond.'

'Oké. Tot kijk.'

Tijdens de terugrit naar het politiebureau dacht Marty na over wat Shafter hem had verteld. Danbury valt buiten mijn jurisdictie, maar ik denk dat ik Carlson maar even bel om dit door te geven, dacht hij. Waarschijnlijk is het weer een dood spoor, maar we klampen ons nu toch al aan strohalmen vast, dus het kan vast geen kwaad om onderzoek naar deze kerel te doen.

77

Zaterdagavond stonden agenten Sean Walsh en Damon Philburn op Newark Liberty Airport bij de bagagecarrousel van Galaxy Airlines in de terminal voor internationale aankomsten. Ze waren allebei casual gekleed en probeerden onopvallend op te gaan in de menigte passagiers.

Ze hadden alle twee de geërgerde blik opgezet van reizigers die na een lange vlucht haast niet kunnen wachten tot ze hun bagage op de carrousel zien vallen. In werkelijkheid hielden ze een man van middelbare leeftijd met een mager gezicht in de gaten, die op zijn bagage stond te wachten. Toen hij zich bukte om een onopvallende zwarte koffer van de carrousel te halen, gingen ze vlug aan weerskanten van hem staan.

'FBI,' zei Walsh. 'Gaat u rustig mee, of bent u van plan een scène te maken?'

De man gaf geen antwoord, maar knikte en liep met hen mee. Ze namen hem mee naar een kantoortje in een afgeschermd deel van de terminal, waar collega's van hen Danny Hamilton bewaakten. Hamilton was een bange, twintigjarige jongen in het uniform van een bagagekruier.

Zodra de man met het magere gezicht Hamiltons handboeien zag, werd hij asgrauw en flapte hij eruit: 'Ik zeg niets. Ik wil een advocaat.'

Walsh legde de koffer op tafel en klikte de sloten open. Hij legde de nette stapeltjes opgevouwen ondergoed, overhemden en lange broeken op een stoel en sneed vervolgens met een zakmes de randen van de dubbele bodem los. Zodra hij deze lostrok, gaf de koffer zijn geheimen prijs. Er waren grote pakken wit poeder in verstopt.

Sean Walsh glimlachte naar de koerier. 'U hebt inderdaad een advocaat nodig.'

Walsh en Philburn waren nog steeds verbaasd dat het allemaal zo was gelopen. Ze waren hier gekomen om met Richie Masons collega's te praten en aanwijzingen te zoeken dat Mason iets met de ontvoering te maken had. Tijdens hun gesprek met Hamilton hadden ze meteen gemerkt dat de jongen opvallend nerveus was.

Toen ze hem onder druk hadden gezet, had de jongen heftig ontkend iets van de ontvoering te weten. Vervolgens was hij doorgeslagen en had bekend dat de bagage van de vliegtuigen soms cocaïnezendingen voor Richie Mason bevatten. Hij zei dat Richie hem drie of vier keer vijfhonderd dollar zwijggeld had gegeven. Hij vertelde vervolgens dat Richie aan het einde van de middag had gebeld om te zeggen dat er weer een zending aankwam, maar dat hij niet kon komen om de cocaïne op te halen.

Richie had Hamilton opgedragen om de koerier bij de carrousel op te wachten. Met Richies beschrijving kon Hamilton de man herkennen, want hij had hem op het vliegveld al eens eerder in Masons gezelschap gezien. Richie had zijn jonge collega opdracht gegeven om de codewoorden 'weer gelukt' uit te spreken. Dan zou de koerier weten dat hij de koffer met cocaïne veilig aan Hamilton kon overhandigen. Volgens Hamilton had Richie hem opgedragen de koffer bij hem thuis te verstoppen. Richie zou binnen een paar dagen contact met hem opnemen om te laten weten hoe hij de koffer in zijn bezit wilde krijgen.

Het mobieltje van Sean Walsh ging over. Hij klapte het open, hield het aan zijn oor en keek naar Philburn. 'Mason is niet in zijn appartement in Clifton. Ik denk dat hij de benen heeft genomen.'

78

'Margaret, misschien maken we onszelf blij met een dode mus,' waarschuwde agent Carlson toen ze van Lila Jacksons huis naar het huisje van Clint Downes reden.

'Dit is geen dode mus,' hield Margaret vol. 'Het laatste wat Trish meekreeg voordat het zwart voor haar ogen werd, was dat ze werd beetgepakt door een zwaargebouwde man met een hevige transpiratiegeur. Ik wist het wel. Ik wist gewoon dat die verkoopster me iets zou kunnen vertellen waar ik iets aan had. Waarom ben ik niet eerder bij haar langsgegaan?'

'Ons bureau haalt Downes door de computer,' vertelde Carlson. Hij reed door het centrum van Danbury in de richting van de golfclub. 'We zullen straks weten of hij ooit in aanraking met de politie is geweest. Maar als die man niet thuis is, moet je beseffen dat we geen aanleiding hebben om in te breken. Ik heb geen zin om te wachten tot een van onze agenten ter plekke is, dus ik heb gevraagd of een surveillancewagen van de politie van Danbury ons daar opwacht.'

Margaret zei niets. Ze kon zich wel voor het hoofd slaan dat ze niet eerder met Lila was gaan praten. Waar zou die vrouw zijn, die Angie? Zou ze Kathy bij zich hebben?

Boven hun hoofd trok de hemel eindelijk open, doordat de harde wind de wolken verdreef. Maar het was al na vijven en het begon al donker te worden. Tijdens de rit naar de golfclub belde Margaret naar huis. Dokter Harris vertelde dat Kelly weer in slaap was gevallen en dat het leek alsof het meisje met Kathy communiceerde. Ze voegde eraan toe dat Kelly een hevige hoestbui had gekregen.

Lila Jackson had tegen Carlson gezegd dat ze bij het hek van de ventweg moesten parkeren. Bij het uitstappen zei Carlson tegen Margaret dat ze in de auto moest blijven. 'Als die man iets met de ontvoering te maken heeft, zou hij gevaarlijk kunnen zijn.'

'Walter, als die man thuis is, ga ik met hem praten,' zei Margaret. 'Als je dat niet wilt, zul je me hier moeten vastbinden.'

Er stopte een patrouillewagen naast hen, waaruit onmiddellijk twee politiemensen stapten. Een van hen had brigadiersstrepen op zijn jasje. In het kort vertelde Carlson over de kledingaankoop bij Abby's Discount en dat de beschrijving die de babysitter van haar overvaller had gegeven, overeenkwam met wat Lila Jackson over Clint had gezegd. Ze had verteld dat hij zwaargebouwd was en naar zweet stonk.

Net als Carlson probeerden de politiemannen Margaret ertoe te bewegen in de auto te blijven. Toen ze daar niet van wilde horen, zeiden ze dat ze op een afstandje moest blijven, tot ze zeker wisten dat Clint Downes zich niet verzette als ze naar binnen wilden gaan om hem te ondervragen.

Bij aankomst bij het huisje was voor iedereen duidelijk dat die voorzorgsmaatregelen overbodig waren. Nergens in huis brandde licht. De deur van de garage stond open en er was geen auto te bekennen. Diep teleurgesteld zag Margaret de politie met zaklampen langs alle ramen lopen en naar binnen schijnen. Vanmiddag rond een uur was hij nog thuis, dacht ze. Dat is nog maar vier uur geleden. Heeft Lila hem bang gemaakt en weggejaagd? Waar kan hij naartoe zijn gegaan? Waar is die Angie?

Ze liep naar de garage en knipte het licht aan. Aan haar rechterhand zag ze het ledikant dat door Clint uit elkaar was gehaald en tegen de muur was gezet. Haar oog viel op de maat van de matras. Die was twee keer zo breed als de matras in een normaal ledikant. Was het gekocht door iemand die wist dat er twee kinderen op moesten liggen? Terwijl de FBI-agent en de twee politiemensen uit Danbury zich naar de garage haastten, liep Margaret naar de matras om eraan te ruiken. De vage, vertrouwde geur van Vicks VapoRub vulde haar neusgaten.

Ze draaide zich om en schreeuwde tegen de politiemensen: 'Ze zijn hier geweest! Ze zijn hier vastgehouden! Waar zijn ze naartoe? Jullie moeten uitzoeken waar ze met Kathy naartoe zijn gegaan!'

79

Op Logan Airport liep Clint rechtstreeks naar de balies van de autoverhuurbedrijven. Omdat hij zich pijnlijk bewust was van het feit dat hij geen auto kon huren als Angie het maximumbedrag op de creditcard had uitgegeven, bestudeerde hij de tarieven en koos hij uiteindelijk het goedkoopste bedrijf en de goedkoopste auto.

Een miljoen dollar in contanten, dacht hij, maar als mijn creditcard wordt geweigerd, moet ik een auto stelen om op Cape Cod te komen.

Gelukkig werd de creditcard niet geweigerd.

'Hebt u een kaart van Maine?' vroeg hij aan degene die hem hielp.

'Daarginds.'

Onverschillig wees de baliemedewerker naar een rek met

kaarten. Clint pakte zijn kopie van de huurovereenkomst en liep naar het rek. Daar pakte hij een kaart van Cape Cod en stopte die in zijn jas, waarbij hij ervoor zorgde dat de baliemedewerker niet kon zien welke hij pakte. Twintig minuten later perste hij zijn lijf achter het stuur van de goedkope huurauto. Hij deed het lampje boven zijn hoofd aan en bestudeerde de kaart. Het was ongeveer net zover als hij zich dacht te herinneren. Vanuit Boston zou hij er ongeveer anderhalf uur over doen. In deze tijd van het jaar is er waarschijnlijk niet veel verkeer op de weg, dacht hij.

Hij startte de auto. Angie wist nog dat hij had gezegd dat hij ooit op Cape Cod was geweest. Ze vergeet nooit iets, dacht hij. Wat ik haar niet heb verteld, was dat ik er was om met Lucas een klus uit te voeren. Lucas had een of andere hoge ome naar Cape Cod moeten brengen en vervolgens het hele weekend in een motel op hem moeten wachten. Daardoor was hij in de gelegenheid geweest om zijn ogen goed de kost te geven. Clint herinnerde zich dat ze een paar maanden later terug waren gegaan om bij een huis in Osterville in te breken. Mooie buurt, maar de buit was kleiner dan Lucas had verwacht. Sterker nog, hij gaf mij bijna niets voor mijn moeite. Daarom wilde ik bij deze klus de helft hebben.

Clint reed weg van het vliegveld. Volgens de kaart moest hij linksaf door de Ted Williamstunnel en daarna de borden Cape Cod in de gaten houden. Als ik het goed heb gezien, leidt Route 3 rechtstreeks naar de Sagamore Bridge, dacht hij. Volgens de kaart moet ik daarna de Mid-Cape Highway naar Route 137 nemen, die me naar Route 28 zal leiden.

Hij was blij dat het in Boston helder weer was, want daardoor kon hij de borden makkelijker lezen. Straks zou het heldere weer wel eens een probleem kunnen zijn, maar daar zou hij wel iets op vinden. Was het misschien een goed idee om ergens te stoppen en Angie te bellen? Dan kon hij zeggen dat hij er om halftien zeker zou zijn.

Voor de zoveelste keer verwenste hij haar omdat ze de mobiele telefoons had meegenomen.

Een paar minuten nadat hij uit de tunnel was gekomen, zag hij een bord Cape Cod. Misschien is het maar goed dat ik geen telefoon heb, dacht hij. Op haar eigen krankzinnige manier is Angie een slimme meid. Misschien komt ze er zelf wel achter dat ze dat kind net zo goed in haar eentje kan dumpen en gaat ze er in haar eentje met al het geld vandoor, zonder op mij te wachten.

Bij die gedachte drukte hij het gaspedaal nog wat verder in.

80

Als Geoffrey Sussex Banks in het weekend tijd had, racete hij van Bel-Air naar zijn huis in Palm Springs in Californië. Dit weekend was hij in Los Angeles gebleven, en toen hij aan het einde van de zaterdagmiddag van een partijtje golf thuiskwam, vertelde zijn huishoudster hem dat er iemand van de FBI op hem wachtte. 'Hij heeft me zijn kaartje gegeven, meneer. Alstublieft.' Terwijl ze het hem overhandigde, voegde ze eraan toe: 'Het spijt me.'

'Dank je, Conchita.'

Hij had Conchita en Manuel jaren geleden aangenomen, toen hij en Theresa nog maar net getrouwd waren. Het echtpaar was dol op Theresa geweest, en toen ze acht maanden later hadden gehoord dat ze een tweeling verwachtte, waren ze heel blij geweest. Kort daarna was Theresa verdwenen, maar ze waren al die jaren blijven hopen dat de deur op een dag open zou gaan en dat ze haar zouden zien staan. 'Misschien is ze bevallen van de kinderen en heeft ze haar geheugen verloren. Misschien herinnert ze zich opeens wie ze is en komt ze met uw zoontjes thuis.' Dat was Conchita's liefste wens. Maar nu de FBI er was, wist Conchita dat er weer vragen over Theresa's verdwijning zouden worden gesteld. Of, erger nog, dat ze na al die jaren zouden bevestigen dat haar lichaam was gevonden.

Geoff liep door de hal naar zijn bibliotheek en zette zich al schrap voor het nieuws.

Dominick Telesco was afkomstig van het hoofdkwartier van de FBI in Los Angeles. Hij werkte al tien jaar voor de FBI en had in het economisch katern van de *L.A. Times* vaak gelezen over Geoffrey Sussex Banks, de internationale bankier, filantroop en knappe societyfiguur wiens jonge, zwangere vrouw zeventien jaar geleden op weg naar een feestje ter ere van de naderende geboorte was verdwenen.

Telesco wist dat Banks vijftig jaar oud was. Dat betekent dat hij drieëndertig was toen zijn vrouw verdween, dacht hij. Net zo oud als ik. Hij keek door de ramen uit over de golfbaan. Waarom zou hij nooit zijn hertrouwd? Hij kon aan elke vinger tien vrouwen krijgen.

'Mr. Telesco?'

Telesco draaide zich vlug om, een beetje gegeneerd dat hij Banks niet had horen aankomen. 'Sorry, Mr. Banks. Ik zag net iemand een prachtige bal slaan en ik hoorde u niet binnenkomen.'

'Dan weet ik wel wie dat zou kunnen zijn,' zei Banks met een beleefd glimlachje. 'De meeste leden van de club vinden de zestiende hole erg lastig. Er zijn maar een of twee leden die er geen problemen mee hebben. Neemt u plaats.'

Heel even bestudeerden de twee mannen elkaar. Telesco had donkerbruin haar en donkerbruine ogen. Hij was slank gebouwd en droeg een zakelijk streepjespak en een das. Banks droeg een golfshirt en een korte broek. Zijn edele gelaatstrekken waren een beetje verkleurd door de zon. Zijn haar, dat inmiddels meer zilvergrijs dan donkerblond was, begon een beetje dun te worden.

Telesco had gehoord dat Banks die zeldzame combinatie van

249

gezag en charme uitstraalde. Zijn eerste indruk was dat die verhalen klopten.

'Gaat dit om mijn vrouw?' vroeg Banks, die er niet omheen draaide.

'Ja, meneer, al ben ik hier omdat ze mogelijk met een andere zaak te maken heeft,' antwoordde Telesco. 'Ik neem aan dat u wel iets over de ontvoering van de tweeling van Frawley in Connecticut hebt gelezen.'

'Ja, natuurlijk. Ik heb begrepen dat ze een van de kinderen hebben teruggekregen.'

'Dat klopt.' Telesco vertelde niet dat er binnen de FBI een memo circuleerde dat het tweede meisje misschien nog in leven was. 'Mr. Banks, weet u dat Norman Bond, de eerste echtgenoot van uw vrouw, directielid van C.F.G.&Y. is en dat de directie heeft besloten het losgeld voor de tweeling van Frawley te betalen?'

'Ik weet dat Norman Bond in de directie van C.F.G.&Y. zit.'

De woede in Banks' stem ontging Telesco niet. 'Mr. Banks, Norman Bond heeft de vader van de tweeling, Steve Frawley, onder tamelijk ongewone omstandigheden een baan bij C.F.G.&Y. aangeboden. Drie werknemers uit het middenkader van het bedrijf waren kandidaat voor die baan, maar Bond koos voor Frawley. Het is opvallend dat Steve Frawley de vader is van een eeneiige tweeling en dat hij in Ridgefield in Connecticut woont. Norman Bond en zijn vrouw woonden in Ridgefield toen zijn vrouw van een eeneiige tweeling beviel.'

Hoewel Geoff Banks door de zon verbrand was, was duidelijk te zien dat alle kleur uit zijn gezicht wegtrok. 'Bedoelt u dat Bond iets met de ontvoering van de kinderen Frawley te maken had?'

'U hebt na de verdwijning van uw vrouw een aantal vermoedens uitgesproken. Denkt u, gezien die vermoedens, dat Norman Bond in staat zou zijn om een ontvoering te plannen en uit te voeren?'

'Norman Bond is een verdorven mens,' antwoordde Banks effen. 'Ik ben ervan overtuigd dat hij verantwoordelijk is voor de verdwijning van mijn vrouw. Iedereen weet dat hij verschrikkelijk jaloers was toen hij hoorde dat ze weer een tweeling verwachtte. Bij haar verdwijning heb ik mijn leven opgeschort. Ik zal de draad pas oppakken als ik precies weet wat er met haar is gebeurd.'

'Ik heb de zaak grondig onderzocht, meneer. Er is geen enkele aanwijzing dat Norman Bond iets met uw vrouws verdwijning te maken heeft. Getuigen hebben hem die avond in New York gezien.'

'Getuigen dáchten dat ze hem die avond in New York hebben gezien, of anders heeft hij misschien iemand ingehuurd om de klus voor hem te klaren. Ik blijf bij wat ik toen heb gezegd: hij is verantwoordelijk voor wat er met Theresa is gebeurd.'

'We hebben hem vorige week gesproken. Daarbij verwees Bond naar uw echtgenote als "wijlen mijn vrouw". We vroegen ons af of dat een verspreking was, of dat hij daarmee per ongeluk de verdenking op zich laadde.'

'"Wijlen zijn vrouw,"' riep Geoffrey Banks uit. 'Kijk uw rapporten nog eens na. Al die jaren heeft die man tegen iedereen gezegd dat hij dacht dat Theresa nog leefde en dat ze bij mij weg wilde. Hij heeft nooit over haar gepraat alsof ze dood was. Wilt u van mij weten of hij in staat is om de kinderen te ontvoeren van een man die het leven leidt dat hij had willen hebben? Nou en of. Nou en of hij daartoe in staat is!'

Toen Dominick Telesco weer in zijn auto zat, keek hij op zijn horloge. Aan de oostkust was het even na zevenen. Hij belde naar Angus Sommers van de FBI in New York en vertelde hem over zijn gesprek met Banks. 'Ik denk dat het een goed idee is om Bond dag en nacht te gaan volgen,' zei hij.

'Ik ook,' beaamde Sommers. 'Bedankt.'

81

'Lila Jackson zei tegen ons dat de garage leeg was,' vertelde agent Carlson aan de twee politiemensen uit Danbury. 'Ze zei ook dat Clint Downes tijdens haar bezoek een telefoontje aannam van iemand die Gus heette. Ze had haar vermoedens wel eerder willen rapporteren, maar een van jullie gepensioneerde rechercheurs, Jim Gilbert, hield haar tegen. Hij beweerde dat hij Downes en diens vriendin kende. Misschien is die Gus degene die Downes hier eerder ophaalde. Misschien weet Gilbert wel wie Gus is.'

Margaret kon haar ogen niet van de onderdelen van het ledikant afhouden. In dat bed hebben mijn kinderen gelegen, dacht ze. Wat zijn die zijkanten hoog. Het lijkt wel een kooi! Op die ochtend dat de pastoor de mis voor Kathy opdroeg, heeft Kelly dit ledikant beschreven. Ze had het over het hoge bed. Ik moet naar huis. Ik moet haar ondervragen. Zij is de enige die ons kan vertellen waar Kathy nu is.

82

De Rattenvanger legde de menukaart neer en liet zich van zijn kruk glijden. Hij moest weten in welke motelkamer Angie logeerde. Omdat de nieuwsgierige ogen van de man achter de bar hem aankeken, haalde hij zijn mobiele telefoon uit zijn zak. Hij vond het vervelend om de aandacht op zich te vestigen, maar klapte het toestel open en deed net of hij opnam. Hij luisterde aandachtig en wandelde naar buiten.

Vanuit de schaduw van het wegrestaurant zag hij Angie met een zak eten in haar hand naar buiten komen. Ze keek niet naar links of rechts, maar stak snel de parkeerplaats van het wegrestaurant over en liep over de stoep die de parkeerplaats van het terrein van het motel scheidde. De Rattenvanger keek haar na en zag dat ze het motel weer in wilde gaan. Ze verwacht Clint pas over anderhalf uur, redeneerde hij. Misschien denkt ze dat ze in haar motelkamer veilig is.

Tot zijn genoegen deed ze de deur van een kamer op de begane grond open. Die kamers zijn makkelijker in de gaten te houden, dacht hij. Zou hij het wagen om terug te gaan naar het wegrestaurant en iets te eten? Nee, het was beter om haar voorbeeld te volgen en wat eten te halen. Het was tien voor halfacht. Met een beetje geluk zou Clint hier tussen halfnegen en negen arriveren.

Angie had de gordijnen van haar motelkamer helemaal dichtgedaan. De Rattenvanger rolde de kraag van zijn jas omhoog. Met zijn capuchon over zijn hoofd en zijn zonnebril op liep hij langzaam langs de kamer. Toen hij even stilstond, hoorde hij een kind huilen. Aan de hortende, jengelende toon te horen, huilde ze al een hele poos.

Hij haastte zich terug naar het wegrestaurant, waar hij een hamburger en een kop koffie bestelde om mee te nemen. Met zijn bestelling liep hij weer langs Angies motelkamer. Hij wist niet zeker of hij het kind nog hoorde, maar het geluid van een herhaling van *Everybody loves Raymond* vertelde hem dat Angie nog steeds op Clint wachtte.

Alles verliep volgens plan.

83

Gus Svenson zat op zijn vaste kruk in de Danbury Pub toen er aan weerskanten van hem twee mannen kwamen staan. 'FBI,' zei de ene man. 'Sta op.'

Gus was aan zijn derde biertje bezig. 'Is dit een grap?'

'Nee.' Tony Realto keek naar de barkeeper. 'Hij wil even afrekenen.'

Vijf minuten later zat Gus op het politiebureau van Danbury.

'Wat is er aan de hand?' wilde hij weten. Ik moet zorgen dat mijn hoofd een beetje helderder wordt, dacht hij. Die lui zijn getikt.

'Waar is Clint Downes naartoe gegaan?' snauwde Realto.

'Hoe moet ik dat weten?'

'Je hebt hem vanmiddag om kwart over een gebeld.'

'Je bent niet goed bij je hoofd. Om kwart over een vanmiddag was ik bezig aan de waterleidingen van de burgemeester. Bel hem maar als je me niet gelooft. Hij was erbij.'

Realto en Carlson keken elkaar aan. Hij spreekt de waarheid, seinden ze met hun ogen. 'Waarom zou Clint net doen of hij jou aan de telefoon had?'

'Dat moet je aan hem vragen. Misschien wilde hij niet dat zijn vriendin wist dat hij een andere vrouw aan de lijn had.'

'Zijn vriendin? Angie?'

'Ja. Zo gek als een deur.'

'Wanneer heb je Clint voor het laatst gezien?'

'Even denken. Het is vandaag zaterdag. Gisteravond heb ik wat met hem gegeten.'

'Was Angie daar ook bij?'

'Nee, die moest babysitten.'

'Wanneer heb je haar voor het laatst gezien?'

'Clint en ik zijn donderdagavond ook een biertje gaan drinken en een hamburger gaan eten. Angie was thuis toen ik hem ophaalde. Ze paste op een jongetje. Stevie, heette hij.'

'Heb je het kind gezien?' Carlson kon niet verhinderen dat er opwinding in zijn stem doorklonk.

'Een klein stukje. Hij was in een deken gewikkeld. Ik zag de achterkant van zijn hoofd.'

'Kon je zijn haarkleur zien?'

'Donkerbruin. Kort.'

Carlsons mobiele telefoon ging over. Op de display zag hij dat het telefoontje uit het politiebureau van Ridgefield kwam. 'Walt, ik wil je al een paar uur bellen, maar er kwam een spoedgeval tussen,' begon Marty Martinson. 'Een paar tieners hebben met hun auto een ernstig ongeluk veroorzaakt. Gelukkig vielen hun verwondingen mee. Ik wilde je een naam doorgeven in de zaak-Frawley. Misschien heb je er niets aan, maar ik zal uitleggen waarom het mij een goed idee lijkt om hem toch even na te trekken.'

Nog voordat Martinson kon doorgaan, wist agent Carlson al dat hij de naam Clint Downes zou horen.

Aan de andere kant van de tafel leek Gus Svenson opeens een stuk nuchterder te worden. 'Ik was al maanden niet meer met Clint gaan eten, maar toen kwam ik Angie bij de drogist tegen,' vertelde hij aan Tony Realto. 'Ze kocht dingen als een inhalator en hoestmiddelen, omdat ze op een ziek kind moest passen. En ik...'

Terwijl de agenten luisterden, vertelde Gus vrijwillig alles wat hij zich van zijn recente ontmoetingen met Clint en Angie herinnerde. 'Ik belde Clint woensdagavond om te vragen of hij een biertje met me wilde drinken, maar Angie zei dat hij op een nieuwe auto uit was. Ze was aan het oppassen en de kinderen huilden, dus het gesprek duurde niet lang.'

'Kinderen? Meer dan één?' vroeg Realto kortaf.

'Misschien heb ik me vergist. Ik dacht dat ik er twee hoorde, maar dat wist ik niet zeker. Toen ik ernaar vroeg, wilde Angie meteen ophangen.'

'Wacht even. Dus je hebt Angie donderdagavond voor het laatst gezien, en Clint gisteravond?'

'Ja. Ik heb hem opgehaald en later thuisgebracht. Hij zei dat hij geen vervoer had. Angie was in Wisconsin op een kind aan het passen en hij had het busje verkocht.'

'Geloofde je dat?'

'Weet ik veel. Ik begrijp alleen niet waarom hij een auto verkoopt voordat hij een ander vervoermiddel heeft.'

'Weet je zeker dat zijn busje er gisteren niet stond?'

'Honderd procent. Toen ik hem donderdagavond kwam halen, stond het nog in de garage, en Angie was thuis met dat kind waar ze op moest passen.'

'Oké. Blijf zitten, Gus, we zijn zo terug.' De agenten liepen het vertrek uit en gingen in de gang staan. 'Wat denk jij, Walt?' vroeg Realto.

'Ik denk dat Angie Kathy in het busje heeft meegenomen. Het zou kunnen dat ze het geld hebben gedeeld en uit elkaar zijn gegaan, maar het kan ook zijn dat ze elkaar ergens ontmoeten.'

'Dat denk ik ook.'

Ze gingen terug naar het kantoor waar Gus zat. 'Gus, had Clint toevallig veel contant geld bij zich toen jullie uitgingen?'

'Nee. Ik moest beide avonden betalen.'

'Ken je iemand anders die hem vandaag ergens naartoe kan hebben gebracht?'

'Nee.'

De brigadier uit Danbury die ook bij het huis op het golfterrein was geweest, had zelf het een en ander nagevraagd. Hij kwam het vertrek binnen en hoorde nog net de laatste vraag. 'Clint Downes is door Danbury Taxi bij Continental Airlines op LaGuardia afgezet,' zei hij. 'Hij is daar rond halfzes aangekomen.'

Pas twee uur geleden, dacht Walter Carlson. De strop om zijn nek wordt aangetrokken, maar krijgen we hem te pakken voordat het voor Kathy te laat is?

84

Op het politiebureau in Hyannis luisterde de dienstdoende brigadier, Ari Schwartz, geduldig naar David Toomeys boze protest dat er helemaal niets van het parkeerterrein van het motel was gestolen. 'Ik werk al tweeëndertig jaar in het

Soundview,' zei Toomey fel, 'dus ik kan het niet over mijn kant laten gaan dat die oplichtster, die nog te dom is om voor een ziek kind te zorgen, tegen Sam Tyron liegt dat er een kinderzitje is gestolen. Dat mens hád niet eens een kinderzitje.'

De brigadier kende Toomey en kon goed met hem opschieten. 'Kalm aan, Dave,' suste hij. 'Ik praat wel met Sam. Dus jouw avondmanager weet heel zeker dat de vrouw geen kinderzitje in haar auto had?'

'Heel zeker.'

'Dan zullen we het rapport aanpassen.'

Bij die belofte leek Toomey weer wat rustiger te worden. Hij draaide zich om om weg te gaan, maar aarzelde nog even. 'Ik maak me echt zorgen om dat jochie, want hij was flink ziek. Wil jij misschien even naar het ziekenhuis bellen om te vragen of hij is opgenomen of op de eerste hulp is behandeld? Hij heet Steve, en zijn moeder heet Linda Hagen. Ik kan natuurlijk ook zelf bellen, maar het maakt meer indruk als jij het doet.'

Schwartz voelde irritatie opborrelen, maar liet dat niet merken. Het was aardig dat David Toomey bezorgd was om het kind, maar het zou niet meevallen om uit te zoeken waar hij was. Er waren wel tien eerstehulpposten op Cape Cod, en hij wist natuurlijk niet waar de moeder naartoe was gegaan. Hoewel hij dat tegen Dave had kunnen zeggen, belde hij naar het ziekenhuis.

Er was geen enkel patiëntje met die naam binnengebracht.

Toomey wilde graag naar huis, maar bleef toch nog even dralen. 'Iets aan die vrouw zit me dwars,' zei hij, evenzeer tegen zichzelf als tegen de brigadier. 'Als dat mijn kleinzoon was, zou mijn dochter verschrikkelijk bezorgd zijn.' Hij haalde zijn schouders op. 'Laat ik me maar met mijn eigen zaken bemoeien. Bedankt, brigadier.'

Zes kilometer verderop stak Elsie Stone de sleutel in de deur van haar witte houten huis. Ze had Debby terug naar Yarmouth gebracht, maar had het aanbod om bij haar dochter en schoonzoon te blijven eten afgeslagen. 'Ik kan merken dat ik op leeftijd begin te raken,' zei ze opgewekt. 'Ik ga naar huis, warm wat van mijn groentesoep op en eet die lekker bij de krant en het journaal op.'

Al word je van die nieuwsberichten niet vrolijk, dacht ze, terwijl ze het licht in de gang aanknipte. Maar al word ik nog zo beroerd van die ontvoering, ik wil weten of de arrestatie van die vreselijke mensen al een stapje dichterbij is gekomen.

Ze hing haar jas op en liep rechtstreeks naar de televisiekamer om het journaal aan te zetten. De nieuwslezer van half-zeven vertelde: 'Een onbekende bron meldt dat de FBI er inmiddels van uitgaat dat Kathy Frawley nog leeft.'

'O, goddank,' zei Elsie hardop. 'Ik hoop echt dat ze dat arme kleine meisje vinden.'

Omdat ze geen woord van het nieuws wilde missen, zette ze de televisie wat harder voordat ze naar de keuken liep. Terwijl ze haar zelfgemaakte groentesoep in een kommetje goot en in de magnetron zette, besefte ze dat de naam 'Kathy' maar door haar hoofd bleef spoken.

'Kathy… Kathy… Kathy…' Ze vroeg zich af waarom ze er toch steeds aan moest denken.

85

'Ze is in dat huis geweest,' huilde Margaret in Steves armen. 'Ik heb het ledikant gezien waarin ze de tweeling vasthielden. De matras rook naar Vicks, net als Kelly's pyjama toen we haar terugkregen. Al die tijd waren ze vlakbij, Steve. Hier vlakbij! De vrouw die kleertjes kocht op de avond dat ik de feestjurkjes uitzocht, is degene die Kathy nu heeft. En Kathy is ziek. Ziek. Ziék!'

Ken Lynch, een jonge agent van de politie in Danbury, had Margaret naar huis gebracht. Tot zijn verbazing had het in de straat van de Frawleys zwart gezien van de journalisten. Met zijn hand onder haar arm was hij met haar naar het huis gehold, langs Steve, die de voordeur voor hen openhield. Nu voelde hij zich een beetje hulpeloos en hij liep onder de boog door de woonkamer in. Daar stond hij stil.

Dit moet de kamer zijn waar de oppas aan de telefoon zat en een van de kinderen hoorde huilen, dacht hij. Toen hij zijn ogen door de kamer liet dwalen en alle details in zich opnam om ze later aan zijn vrouw te kunnen vertellen, zag hij twee precies dezelfde babypoppen op de grond. Ze lagen onder een deken in het midden van de kamer en hun vingers raakten elkaar. Voor de open haard stonden een klein tafeltje en een paar stoeltjes klaar voor een theevisite. Aan het tafeltje zaten twee precies dezelfde beren tegenover elkaar.

'Mammie, mammie.'

Van boven klonk een opgewonden stemmetje, gevolgd door roffelende kindervoetjes op de houten trap. Hij zag dat Kelly zich in Margarets armen stortte. Ondanks het ongemakkelijke gevoel dat hij wel een voyeur leek, werd zijn blik onweerstaanbaar getrokken naar het verdrietige gezicht van de moeder toen ze haar kind dicht tegen zich aan trok.

Dat is vast de kinderarts die bij hen logeert, dacht hij, toen een oudere dame met zilvergrijs haar snel de trap af liep.

Margaret zette Kelly neer en ging naast haar op haar knieën zitten. Ze legde haar handen op de schouders van haar dochter. 'Kelly,' zei ze zacht, 'heb je weer met Kathy gepraat?'

Kelly knikte. 'Ze wil naar huis.'

'Dat weet ik, lieverd. Ik wil ook dat ze thuiskomt, want ik verlang net zo naar haar als jij. Weet je waar ze is? Heeft ze dat gezegd?'

'Ja, mama. Dat heb ik ook al tegen papa gezegd. En tegen dokter Sylvia. En tegen jou. Kathy is op het oude Cape Cod.'
Margaret ademde hoorbaar in en schudde haar hoofd. 'O, lieverd, weet je dat niet meer? Toen je vanochtend bij me in bed lag, had ik het over Cape Cod. Daar heb je die naam gehoord. Misschien heeft Kathy wel verteld dat ze ergens anders is. Kun je het haar nu vragen?'
'Kathy is nu heel slaperig.' Met een gekwetste blik draaide Kelly zich om en liep langs agent Lynch heen. Ze ging op de grond bij de poppen zitten. Terwijl Lynch gefascineerd naar haar staarde, hoorde hij haar fluisteren: 'Je bent wél op Cape Cod.' Daarna zei ze nog iets, maar hoewel Lynch zijn best deed om mee te luisteren, kon hij het vreemde taaltje niet verstaan.

86

Angie knapte op van de hamburger en de koffie. Ik had zelf niet door dat ik zo'n honger had, dacht ze chagrijnig. Ze zat in de enige comfortabele stoel die de motelkamer rijk was en deed net of ze Kathy niet zag. Het kleine meisje had Angies waterijsje niet aangeraakt en lag met haar ogen dicht op het bed.
Ik moest haar bij McDonald's wegslepen omdat die nieuwsgierige oude serveerster met haar begon te praten, dacht Angie, die in gedachten haar moeilijke dag nog eens doornam. 'Hoe heet je, knulletje?' 'Ik heet Kathy. Ik heet Stevie.' 'O, mijn kleindochter heeft ook een denkbeeldig vriendinnetje.' Al die tijd had er een foto van de tweeling op het tafeltje gelegen. Mijn hemel, als die oude taart goed had gekeken, zou ze meteen die agent hebben geroepen.
Hoe laat zou Clint komen? Vast niet voor negen uur. Hij klonk kwaad aan de telefoon. Ik had wat geld voor hem

moeten achterlaten. Nou ja, die boosheid zakt wel weer. Het was wel dom om die spullen bij Abby's Discount met de creditcard te betalen. Ik had het geld moeten gebruiken dat ik van Lucas had gekregen. Hoe dan ook, het heeft geen zin om daar nu nog over te piekeren. Ik zit hier goed tot Clint komt. Hij zal zijn huurauto wel ergens achterlaten, en dan gebruiken we gewoon een gestolen auto tot we van Cape Cod af kunnen.

En dan hebben we een miljoen dollar voor onszelf. Een miljoen! Ik ga me helemaal mooi laten maken, beloofde Angie zichzelf. Ze stak haar hand uit naar de afstandsbediening en keek even in de richting van het bed. Het idee dat ik een kind wilde hebben, zal ik maar gauw vergeten. Je hebt alleen maar last van die kleine koters.

87

De diverse ordehandhavers hadden in het kantoor van de FBI in Danbury een commandopost ingericht. Agenten Tony Realto en Walter Carlson zaten met hoofdinspecteur Jed Gunther en de commissaris van politie in Danbury in een vergaderkamer.

'We weten inmiddels zeker dat Clint Downes en Lucas Wohl in Attica een cel hebben gedeeld,' zei Realto. 'Direct na hun voorwaardelijke vrijlating doken ze onder. Ze hebben allebei een nieuwe identiteit aangenomen en zijn er op een of andere manier in geslaagd om sindsdien onopvallend door het leven te gaan. We weten nu hoe het komt dat Baileys creditcard is gebruikt om de auto van Excel te betalen. Lucas wist het nummer, omdat hij vaak als Baileys chauffeur optrad en met diens creditcard werd betaald.'

Realto was op zijn negentiende gestopt met roken, maar merkte nu dat hij zin had in een sigaret. 'Volgens Gus Svenson woont Angie al zeven of acht jaar met Downes samen,' vervolgde hij. 'Helaas is er nergens in het huis een foto van hen te vinden. Je kunt er donder op zeggen dat de oude gevangenisfoto van Downes helemaal niet meer op hem lijkt. Het enige wat we kunnen doen, is de media compositietekeningen en beschrijvingen van hen geven.'

'Iemand heeft naar de pers gelekt,' zei Carlson. 'Het gerucht gaat al dat Kathy nog leeft. Geven we daar commentaar op?'

'Nog niet. Ik ben bang dat we haar doodvonnis tekenen als we onze vermoedens uitspreken dat ze nog leeft. Ik denk dat Clint en Angie inmiddels wel vermoeden dat we naar hen op zoek zijn. Als ze beseffen dat alle agenten in Amerika elk driejarig kind bestuderen, raken ze misschien in paniek en proberen ze zich van haar te ontdoen. Zolang ze ervan overtuigd zijn dat wij denken dat ze dood is, proberen ze misschien wel als gezin te reizen.'

'Margaret Frawley houdt bij hoog en laag vol dat de tweelingzusjes contact met elkaar hebben,' zei Carlson. 'Ik had gehoopt dat ze iets van zich zou laten horen. Als Kelly iets belangrijks had gezegd, zou ze me wel hebben gebeld. Is die agent die haar naar huis heeft gebracht nog in de buurt?'

'Dat is Ken Lynch,' zei de commissaris van Danbury. 'Ik weet dat hij inmiddels terug is van de Frawleys.' Hij stak zijn hand uit naar de telefoon op zijn bureau. 'Roep Lynch op en zeg dat hij hier moet komen.'

Een kwartier later kwam Lynch binnenlopen. 'Ik ben ervan overtuigd dat Kelly contact met haar zusje heeft,' zei hij effen. 'Ik stond erbij toen Kelly volhield dat Kathy zich op Cape Cod bevindt.'

88

Er was niet veel verkeer op de Sagamore Bridge. Terwijl Clint het Cape Cod Canal overstak, werd hij steeds ongeduldiger en keek hij voortdurend op zijn snelheidsmeter om er zeker van te zijn dat hij niet te hard reed. Hij was op het nippertje aan een aanhouding ontsnapt toen hij honderd reed in een gebied waar hij maar tachtig mocht.

Hij keek op zijn horloge. Het was exact acht uur. Ik ben nog minstens veertig minuten onderweg, dacht hij. Hij zette de radio aan en hoorde de nieuwslezer nog net opgewonden zeggen: 'Bij het lichaam van de man was een zelfmoordbriefje gevonden, waarin hij bekende dat hij Kathy Frawley had gedood. Toch blijven er geruchten circuleren dat het briefje een vervalsing was. De politie wil het gerucht niet bevestigen of ontkennen, maar heeft wel de namen vrijgegeven van twee verdachten die in verband met de ontvoering van de kinderen Frawley worden gezocht.'

Het zweet brak Clint aan alle kanten uit.

'In het hele land is de politie op zoek naar ex-gevangene Ralph Hudson, die onder de valse naam Clint Downes tot voor kort conciërge was van de Danbury Country Club in de plaats Danbury in Connecticut. Men is ook op zoek naar Angie Ames, de vrouw met wie hij samenwoont. Naar verluidt is Downes vanmiddag even na vijven voor het laatst gezien, toen hij op LaGuardia Airport werd afgezet. De vrouw, Angie Ames, is sinds donderdagavond niet meer gezien. Er wordt aangenomen dat ze in een twaalf jaar oud, donkerbruin Chevy-busje met kentekenplaten uit Connecticut rijdt.'

Ze weten binnen de kortste keren dat ik de shuttle heb gepakt, dacht Clint in paniek. Daarna komen ze erachter dat ik een auto heb gehuurd en krijgen ze een beschrijving van deze auto. Ik moet hem kwijt zien te raken. Hij verliet de brug en reed de Mid-Cape Highway op. Gelukkig was ik zo slim om de man van het autoverhuurbedrijf om een kaart van Maine te vragen, dacht hij. Daar kan ik misschien wat tijd mee winnen. Eens even denken. Wat moet ik nu doen?

Ik moet het risico nemen en op de snelweg blijven, besloot hij. Hoe dichter ik bij Chatham in de buurt kan komen, hoe beter. Als de politie vermoedt dat we op Cape Cod zijn, gaan ze de motels controleren. Misschien zijn ze daar zelfs al mee bezig, dacht hij grimmig.

Bij elke afrit liet hij zijn ogen over de weg flitsen, op zoek naar surveillancewagens. Toen hij afrit 5 naar Centerville bereikte, kwam het landschap hem weer bekend voor. Daar hebben we die kraak gezet, dacht hij. Afrit 8, Dennis/Yarmouth. Het leek wel een eeuwigheid te duren voor hij bij afrit 11 naar Harwich/Brewster kwam en kon afslaan naar Route 137. Ik ben bijna in Chatham, dacht hij, in een poging zichzelf gerust te stellen. Tijd om deze auto te dumpen. Het volgende moment zag hij een ideale plaats: een bioscoop met een volle parkeerplaats.

Tien minuten later zag hij een paar tieners uit een kleine personenauto stappen en de hal van de bioscoop in lopen. Hij stond twee rijen verder geparkeerd en stapte uit zijn huurauto. Hij volgde de tieners naar de hal en zag vanuit een hoek dat ze in de rij gingen staan voor een kaartje. Hij wachtte tot de zaalwachter hun kaartjes had gescheurd en hij de tieners door de gang zag verdwijnen. Daarna liep hij naar buiten. Ze hebben niet eens de moeite genomen om de auto af te sluiten, dacht hij, met zijn hand op het portier van de auto. Jullie maken het me wel makkelijk. Hij stapte in en wachtte even tot hij zeker wist dat er niemand in de buurt was.

Hij bukte en reikte onder het dashboard, waar hij met snelle, ervaren vingers een paar draadjes aan elkaar bond. Toen hij de motor hoorde starten, was hij voor het eerst sinds hij het nieuwsbericht had gehoord weer een beetje opgelucht. Hij deed de lampen aan, zette de auto in de goede versnelling en begon aan de laatste fase van de rit naar Chatham.

89

'Waarom is Kelly is zo stil, dokter Sylvia?' vroeg Margaret met angstige stem.

Kelly zat met gesloten ogen op Steves schoot.

'Dat is gewoon een reactie op wat er allemaal is gebeurd, Margaret.' Sylvia Harris deed haar best om overtuigend te klinken. 'Daarnaast lijkt het wel of ze ergens allergisch op reageert.' Ze boog zich voorover om de mouw van Kelly's poloshirt omhoog te schuiven en beet op haar lip. De blauwe plek begon paars te worden, maar dat was niet wat ze aan Margaret wilde laten zien. Ze wilde de aandacht vestigen op talloze rode plekjes op Kelly's arm.

Margaret staarde naar de plekjes. Vervolgens keek ze van dokter Harris naar Steve en weer terug. 'Kelly is nergens allergisch voor,' zei ze. 'Het is een van de weinige verschillen tussen haar en Kathy. Zou het kunnen dat Kathy ergens allergisch op reageert?'

Haar dwingende toon eiste een antwoord.

'Mar, hier hebben Sylvia en ik het over gehad,' zei Steve. 'Wij denken dat Kathy misschien allergisch reageert op iets wat ze toegediend heeft gekregen. Medicijnen, misschien.'

'Je denkt toch niet dat het penicilline kan zijn? Dokter Sylvia, weet u nog dat Kathy vreselijk allergisch reageerde op de kleine beetjes penicilline die u haar had toegediend om haar te testen? Ze kreeg overal rode vlekjes en haar arm zwol op. U zei dat het haar dood had kunnen betekenen als u haar een spuit had gegeven.'

'Margaret, we weten het gewoon niet.' Sylvia Harris probeerde haar eigen angst niet in haar stem door te laten klin-

265

ken. 'Zelfs een overdosis aspirine kan een reactie veroorzaken.' Margaret staat op het punt om in te storten, of misschien is ze dat punt al gepasseerd, dacht ze. Nu had ze weer een nieuwe zorg aan haar hoofd, een rampscenario waar ze eigenlijk niet aan moest denken. Kelly werd slap en lusteloos. Zou het kunnen dat de vitale functies van de meisjes zo met elkaar verweven waren dat Kelly hetzelfde lot zou ondergaan als Kathy iets overkwam?

Sylvia had die afschuwelijke mogelijkheid al met Steve besproken. Nu zag ze dat dezelfde gedachte bij Margaret opkwam. Margaret ging naast Steve op de bank in de woonkamer zitten en nam Kelly van hem over. 'Lieverd, praat alsjeblieft met Kathy,' smeekte ze. 'Vraag haar waar ze is. Zeg maar dat papa en mama van haar houden.'

Kelly deed haar ogen open. 'Ze kan me niet horen,' zei ze slaperig.

'Waarom niet, Kelly? Waarom kan ze je niet horen?' wilde Steve weten.

'Ze kan niet meer wakker worden,' antwoordde Kelly met een zucht. Ze krulde zich als een foetus op in Margarets armen en viel weer in slaap.

90

De Rattenvanger zat onderuitgezakt in zijn auto naar de radio te luisteren. Het laatste nieuws, dat om de paar minuten werd herhaald, was dat Kathy Frawley misschien nog leefde. De politie was op zoek naar twee verdachten, een ex-gevangene die Clint Downes heette en zijn vriendin Angie Ames. Er werd aangenomen dat ze in een twaalf jaar oud, donkerbruin Chevy-busje met kentekenplaten uit Connecticut reed.

Toen de eerste paniek was gezakt, dacht de Rattenvanger diep na. Wat kon hij nu het beste doen? Waarschijnlijk was het verstandig om terug naar het vliegveld te rijden en weer in het vliegtuig te stappen, maar stel dat Lucas aan Clint had verteld wie de Rattenvanger was. Als de FBI Clint arresteert, verraadt hij mijn naam om strafvermindering te krijgen, dacht hij. Dat risico kan ik niet nemen.

Er vertrokken auto's van de parkeerplaats en er kwamen nieuwe auto's voor in de plaats. Met een beetje geluk zie ik Clint voordat hij bij Angie naar binnen gaat, dacht hij. Ik moet hem spreken voordat hij op de deur van die kamer klopt.

Een uur later werd zijn geduld beloond. Een personenauto maakte langzaam een rondje over de parkeerplaats en reed tussen alle auto's door. De zwaargebouwde bestuurder parkeerde de auto op de lege plaats naast Angies busje en stapte uit. Binnen een paar tellen stond de Rattenvanger naast Clint, die zich omdraaide en zijn hand in zijn jaszak wilde steken.

'Je hoeft geen wapen te pakken,' zei de Rattenvanger. 'Ik ben hier om je te helpen. Je plan heeft geen enkele kans. Je kunt niet in dat busje blijven rondrijden.'

Hij zag dat de geschrokken blik op Clints gezicht overging in sluwheid. 'U bent de Rattenvanger.'

'Dat klopt.'

'Na alle risico's die ik heb moeten nemen, wordt het onderhand tijd dat ik u ontmoet. Wie bent u?'

Hij weet het echt niet, dacht de Rattenvanger. Nu is het te laat om weg te gaan. Nu moet ik het ook afronden. 'Ze zit daarbinnen,' zei hij, wijzend op Angies kamer. 'Vertel haar maar dat ik hier ben om jullie te helpen ontsnappen. Hoe kom je aan die auto?'

'Die heb ik gestolen. De eigenaars zitten in de bioscoop. De eerste uren is er nog niets aan de hand.'

'Stap dan met haar en het kind in die auto en ga ervandoor. Doe maar met hen wat je goeddunkt. Ik rij achter jullie aan en daarna neem ik je mee naar mijn vliegtuig. Ik zet je wel af in Canada.'

Clint knikte. 'Zij heeft alles verpest.'

'Nog niet,' verzekerde de Rattenvanger hem. 'Maar neem haar alsjeblieft mee voordat het te laat is.'

91

De taxichauffeur die Clint naar LaGuardia Airport had gebracht, was op het politiebureau van Danbury.

'De man die ik op de ventweg van de country club heb opgepikt, had heel weinig bagage bij zich,' vertelde hij aan de FBI-agenten en de politiecommissaris. 'Hij betaalde met zijn creditcard en er kon nauwelijks een fooi vanaf. Als hij geld had, heb ik daar niets van gemerkt.'

'Dan heeft Angie het losgeld waarschijnlijk in het busje meegenomen,' zei Carlson tegen Realto. 'Ze hebben vast ergens afgesproken.'

Realto knikte.

'Heeft hij niet laten doorschemeren waar hij naartoe ging?' hield Carlson vol. Die vraag had hij de taxichauffeur al gesteld, maar tegen beter weten in hoopte hij een antwoord te krijgen waar hij iets aan had.

'Ik moest hem bij Continental afzetten. Meer heeft hij niet gezegd.'

'Heeft hij een mobiele telefoon gebruikt?'

'Nee. En hij heeft alleen maar gezegd waar ik naartoe moest rijden. Verder heeft hij de hele weg geen mond opengedaan.'

'Goed. Dank u wel.' Gefrustreerd keek Walter Carlson naar de klok. Na het bezoekje van Lila Jackson wist Clint dat het een kwestie van tijd zou zijn voordat wij op de stoep stonden, dacht hij. Zouden hij en Angie op LaGuardia hebben afgesproken? Of is hij misschien met een andere taxi naar Kennedy gereden en op een internationale vlucht gestapt? En waar is Kathy dan?

Carlson wist dat Ron Allen, de FBI-man die over de operaties op LaGuardia en JFK ging, op beide vliegvelden onderzoek deed. Als Clint van een van beide vliegvelden was vertrokken, zouden ze zijn naam op een passagierslijst terugvinden.

Een kwartier later kreeg hij een telefoontje van Allen. 'Downes heeft de shuttle van zes uur naar Boston gepakt,' deelde hij zakelijk mee. 'Ik heb al gezegd dat onze jongens op Logan naar hem moeten uitkijken.'

92

'We moeten zorgen dat ze wakker blijft.' Sylvia Harris deed geen moeite om de bezorgdheid in haar stem te verbergen. 'Zet haar neer, Margaret. Hou haar hand vast. Jij ook, Steve. Zorg dat ze met jullie rondloopt.'

Margarets lippen waren wit van angst, maar ze deed wat Sylvia haar had opgedragen. 'Kom, Kelly,' zo spoorde ze haar dochter aan. 'Papa, Kathy, jij en ik vinden het heerlijk om met ons vieren te wandelen. Kom, schat.'

'Ik... kan niet... Nee... Ik wil... niet...' jengelde Kelly slaperig.

'Kelly, je moet tegen Kathy zeggen dat ze ook wakker moet worden,' zei dokter Harris op dwingende toon tegen Kelly.

Kelly liet haar kin op haar borst zakken en schudde haar hoofd. 'Nee, nee... Ik wil niet meer... Ga weg, Mona.'

'Kelly, wat is er?' O God, help me toch, bad Margaret. Laat me toch tot Kathy doordringen. Die vrouw, Angie, moet degene zijn die door Kelly 'Mona' wordt genoemd. 'Kelly, wat doet Mona met Kathy?' informeerde ze wanhopig.

Kelly liep struikelend rond tussen Margaret en Steve en bleef alleen maar overeind omdat ze haar vasthielden. 'Mona is aan het zingen,' fluisterde ze. Met trillende stem zong ze vals: 'Nooit... meer... oude Cape Cod.'

93

'Ik ben bang dat ze me zien als een van die mensen die graag hun naam in de krant willen hebben,' vertrouwde Elsie Stone haar dochter toe. Ze hield de telefoon in de ene hand en de *Cape Cod Times* in de andere. Op de televisie werden steeds weer foto's van de tweeling Frawley getoond. 'De vrouw zei dat het kind een jongetje was, maar ik ben ervan overtuigd dat het een meisje is. En Suzie, ik durf met mijn hand op mijn hart te zweren dat dat kind Kathy Frawley was. Ze had een capuchon op en er kwam donkerbruin haar onder vandaan, maar achteraf vond ik dat het haar er nep uitzag. Je weet wel wat ik bedoel, net als dat lelijke geverfde haar van je oom Ray. En toen ik vroeg hoe ze heette, zei ze Kathy, maar toen die vrouw onvriendelijk naar haar keek, keek het meisje heel bang en zei ze dat ze Stevie heette.'

'Mam, weet je heel zeker dat je fantasie niet met je op de loop gaat?' onderbrak Suzie haar. Ze keek naar haar man en haalde haar schouders op. Ze hadden gewacht met het avondeten tot Debby in bed lag. Nu lagen de lamskoteletjes op haar bord af te koelen en maakte haar man, Vince, met zijn vingers snijbewegingen langs zijn hals om aan te geven dat ze het gesprek moest afkappen.

Vince was dol op zijn schoonmoeder, maar vond wel dat Elsie de neiging had om 'in herhalingen te vervallen'.

'Ik wil mezelf natuurlijk niet voor gek zetten, maar stel nu dat...'

'Mam, ik zal je vertellen wat je moet doen en daarna hang ik op en ga ik weer aan tafel voordat Vin een hartaanval krijgt. Bel de politie van Barnstable. Vertel ze letterlijk wat je tegen mij hebt gezegd en laat het daarna aan hen over. Ik hou van je, mam. Debby heeft het vandaag heerlijk bij je gehad, en de koekjes die ze meebracht zijn fantastisch. Tot volgende keer, mam.'

Met de hoorn in de hand stond Elsie Stone te dubben wat ze moest doen. Moest ze de politie bellen, of dat nummer waarop tips konden worden doorgegeven? Waarschijnlijk kregen ze op dat laatste nummer heel veel onzintelefoontjes.

'Als u niet wilt bellen, leg de hoorn dan op de haak.' Bij het horen van de zoemende computerstem hakte Elsie de knoop door. 'Ik wil wel degelijk bellen,' zei ze. Ze drukte op de haak, wachtte even en toetste daarna het informatienummer. Toen een andere computerstem haar om een stad en staat vroeg, zei ze vlug: 'Barnstable, Massachusetts.'

'Barnstable in Massachusetts, is dat correct?' herhaalde de mechanische stem.

Omdat Elsie opeens besefte dat er haast bij was als haar informatie betrekking op de zaak-Frawley had, snauwde ze: 'Ja, dat is correct, en waarom verdoe ik in vredesnaam mijn tijd met jou?'

'Zakelijk nummer of privénummer?' wilde de computerstem weten.

'De politie van Barnstable.'

'De politie van Barnstable, is dat correct?'

'Ja. Ja. Ja.'

Na een korte pauze kreeg ze een mens van vlees en bloed aan de lijn. 'Gaat het om een spoedgeval, mevrouw?'

'Verbind me alstublieft meteen door met het politiebureau.'

'Komt in orde.'

'Politiebureau van Barnstable, u spreekt met brigadier Schwartz.'

'Brigadier, u spreekt met Mrs. Elsie Stone.' Opeens was Elsie al haar terughoudendheid vergeten. 'Ik ben serveerster bij McDonald's, in de buurt van het winkelcentrum. Ik weet bijna zeker dat ik Kathy Frawley vanochtend in het restaurant heb gezien. Luister.' Ze vertelde de brigadier wat er die ochtend was gebeurd.

Op het politiebureau hadden ze het over het laatste nieuws in de zaak-Frawley gehad. Terwijl brigadier Schwartz naar Elsie Stone luisterde, vergeleek hij haar verhaal met David Toomeys geïrriteerde verslag van de diefstal bij het Soundview Motel, die nooit had plaatsgevonden.

'Dat kind zei dus dat ze Kathy heette, en verbeterde dat vervolgens in Stevie?' vroeg hij, om zeker te weten dat hij haar goed had begrepen.

'Ja. Het zit me al de hele dag dwars, tot ik de foto van die schattige meisjes in de krant bestudeerde en hun foto weer op de televisie zag. Het was hetzelfde gezichtje. Ik zweer het op alles wat me lief is, het was hetzelfde gezichtje en ze zei dat ze Kathy heette. Ik hoop maar dat u me gelooft en niet denkt dat dit een flauwe grap is.'

'Nee, Mrs. Stone, ik denk helemaal niet dat dit een flauwe grap is. Ik ga nu meteen de FBI bellen. Blijft u alstublieft aan de lijn. Het kan zijn dat ze u willen spreken.'

94

'Walter, met Steve Frawley. Kathy is op Cape Cod. Jullie moeten daar gaan zoeken.'

'Steve, ik wilde je net bellen. We weten dat Downes de shuttle naar Boston heeft genomen, maar toen hij een auto huurde, vroeg hij om een kaart van Maine.'

'Daar zit hij niet. Kelly probeert ons al sinds gisteren te vertellen dat Kathy op Cape Cod is. Waar we eerder geen aandacht aan schonken, was dat ze het niet alleen over de naam Cape Cod had. Ze probeerde zelfs dat liedje te zingen, 'het oude Cape Cod'. De vrouw die door de tweeling Mona werd genoemd, zingt dat liedje nu voor Kathy. Geloof me. Alsjeblieft, geloof me.'

'Kalm aan, Steve. We zullen onze jongens vragen om dit meteen aan Cape Cod door te geven, maar we weten zeker dat Clint Downes anderhalf uur geleden voor een loket van een autoverhuurbedrijf op Logan Airport heeft gestaan en om een kaart van Maine heeft gevraagd. We weten inmiddels ook meer over zijn vriendin, Angie. Ze is in Maine opgegroeid. We denken dat ze zich daar bij vrienden schuilhoudt.'

'Nee. Jullie moeten naar Cape Cod! Kathy is op Cape Cod!'

'Wacht even, Steve, er komt nog een telefoontje binnen.' Carlson zette Steve in de wacht, nam het andere telefoontje aan en luisterde even zwijgend. Nadat hij de verbinding had verbroken, hervatte hij zijn gesprek met Frawley. 'Steve, je zou wel eens gelijk kunnen hebben. We hebben een ooggetuige die beweert dat ze Kathy vanochtend in een McDonald's in Hyannis heeft gezien. Vanaf nu gaan we alleen nog in dat gebied zoeken. Over een kwartier haalt een vliegtuig van de FBI Realto en mij op.'

'Wij gaan ook mee.'

Zodra Steve had opgehangen, rende hij terug naar de woonkamer, waar Margaret en dokter Sylvia Kelly dwongen om door de kamer te lopen. 'Kathy is vanochtend op Cape Cod gezien,' zei hij. 'We vliegen er nu heen.'

95

'Je bent op het oude Cape Cod,' zong Angie, terwijl ze haar armen om Clints hals sloeg. 'Ik heb je gemist, Grote Beer.'

'Echt waar?' Clint had zin om haar van zich af te duwen, maar herinnerde zich op tijd dat hij haar achterdocht niet mocht wekken. Daarom omhelsde hij haar ook. 'En raad eens wie jou heeft gemist, nachtegaaltje?'

'Clint, je zult wel kwaad zijn dat ik er met het geld vandoor ben gegaan, maar ik maakte me zorgen dat iemand een link tussen jou en Lucas zou leggen. In dat geval wilde ik veilig weg zijn.'

'Dat begrijp ik, dat begrijp ik, maar we moeten hier weg. Heb je naar de radio geluisterd?'

'Nee, ik heb naar *Everybody loves Raymond* gekeken. Ik heb dat kind nog meer hoestsiroop gegeven en uiteindelijk is ze in slaap gevallen.'

Clint keek even opzij naar Kathy, die op het bed lag. Ze had maar één schoen aan en haar vochtige haar plakte op haar gezicht. Hij kon het niet laten om te zeggen: 'Als we ons aan het plan hadden gehouden, zou dat kind nu thuis zijn en waren wij met een half miljoen onderweg naar Florida. Nu zijn ze in het hele land naar ons op zoek.'

Hij kon de uitdrukking op Angies gezicht niet zien. Haar blik zou hem hebben verteld dat ze spijt had dat ze hem had verteld waar ze was. 'Waarom denk je dat het hele land naar ons op zoek is?' vroeg ze.

'Zet de radio aan. Luister naar verschillende zenders. Laat die herhalingen van die televisieseries even zitten. Je bent overal in het nieuws, schatje, of je het nu leuk vindt of niet.'

Met een nadrukkelijke klik op de afstandsbediening zette Angie de televisie uit. 'Wat stel je voor?'

'Ik heb een auto waarin we veilig zijn. We gaan hier weg en dumpen dat kind op een plaats waar niemand haar kan vinden. Daarna gaan we samen van Cape Cod af.'

'Maar we zouden het kind én het busje dumpen.'

'We laten het busje hier staan.'

Ik sta hier onder mijn eigen naam ingeschreven, dacht Angie. Als ze inderdaad naar ons op zoek zijn, hebben ze ons zo gevonden. Maar dat hoeft Clint niet te weten. Ik zie aan hem dat hij liegt. Hij is kwaad, en als die sukkel kwaad wordt, moet je oppassen.

Hij wil van me af.

'Clint, lieverd, die agent in Hyannis heeft het kenteken van het busje opgeschreven,' zei ze. 'Inmiddels weten alle politiemensen op Cape Cod dat ik vanmiddag in Hyannis was. Als ze denken dat ik hier nog in de buurt ben, gaan ze op zoek naar het busje. Als ze het hier op de parkeerplaats vinden, weten ze dat we nooit ver weg kunnen zijn. Ik heb vroeger in een jachthaven gewerkt, nog geen vijf minuten hiervandaan. Die is in deze tijd van het jaar dicht. Ik kan met het busje en het kind naar het einde van de pier rijden en eruit springen terwijl de auto nog rijdt. Het is daar zo diep dat het busje helemaal onder water zal verdwijnen. Het duurt nog maanden voordat ze het vinden. Kom lieverd, we hebben geen seconde te verliezen.'

Ze zag dat Clint aarzelend naar het raam keek. Haar bloed veranderde in ijswater toen ze besefte dat er buiten nog iemand stond, iemand die achter hem aan wilde rijden. Ze begreep ook dat Clint niet was gekomen om met haar te ontsnappen, maar om haar te vermoorden.

'Clint, je bent een open boek voor me.' Op vleiende toon probeerde ze hem te bepraten. 'Je bent boos dat ik Lucas heb doodgeschoten en de benen heb genomen. Misschien is dat terecht, misschien ook niet. Zeg eens eerlijk. Heb je de Rattenvanger bij je?'

Aan de blik op zijn gezicht zag ze dat ze de spijker op de kop had geslagen. Hij wilde iets zeggen, maar ze hield hem tegen. 'Zeg maar niets, ik weet het antwoord al. Heb je hem gezien?'

'Ja.'

'Ken je hem?'

'Nee, maar hij komt me wel bekend voor, alsof ik hem al eens eerder heb gezien. Ik heb geen idee waar ik hem van ken. Daar moet ik nog eens over nadenken.'

'Om hem te kunnen identificeren?'

'Ja.'

'Denk je nu werkelijk dat hij je laat leven nu je hem hebt gezien? Ik weet wel beter. Hij heeft zeker gezegd dat je je van mij en het kind moet ontdoen en dat jij en hij dan beste maatjes zijn. Nou, dat kun je wel vergeten. Geloof me. Je kunt beter op mij vertrouwen. We gaan hier weg - en dat zal ons lukken - met een half miljoen extra nu Lucas er niet meer is. En als we erachter zijn wie die kerel is, zeggen we dat we meer geld willen, omdat we hem anders verraden.'

Ze zag de woede uit Clints gezicht wegtrekken. Ik heb hem altijd al om mijn vinger kunnen winden, dacht ze. Wat is hij toch een oen. Maar als hij eenmaal weet wie die man is, zitten we gebeiteld. 'Lieverd, pak jij de koffer maar,' zei ze. 'Zet hem maar in jouw auto. Maar wacht even: heb je die onder je eigen naam gehuurd?'

'Nee, maar nu ze naar ons op zoek zijn, komen ze er door mijn creditcard wel snel achter dat ik bij dat autoverhuurbedrijf ben geweest. Maar ik ben slim geweest. Ik heb om een kaart van Maine gevraagd en bij een bioscoop een andere auto meegenomen.'

'Goed zo. Oké, ik neem het kind mee en jij het geld. Kom mee. Rijdt de Rattenvanger achter ons aan?'

'Ja. Hij denkt dat ik straks bij hem in de auto stap en met hem meega naar een plek waar een vliegtuig staat te wachten.'

'Maar in plaats daarvan lozen we het busje en gaan we er in jouw auto vandoor,' zei Angie. 'Ik kan me niet voorstellen dat hij achter ons aan komt en het risico wil lopen dat de politie hem aanhoudt. Daarna gaan we van Cape Cod af, regelen weer een andere auto en rijden naar Canada. Daar stappen we op het vliegtuig en verdwijnen spoorloos.'

Clint dacht even na en knikte. 'Afgesproken. Pak het kind maar.' Toen Angie Kathy optilde, zag hij dat haar ene schoentje van haar voet viel. Laat maar zitten, dacht hij. Ze heeft toch geen schoenen meer nodig.

Drie minuten later, om kwart voor tien, reed Angie van de parkeerplaats van het Shell and Dune Motel. Ze had Kathy in een deken gewikkeld en op de vloer van het busje gelegd. Clint reed in zijn gestolen auto achter haar aan, op de voet gevolgd door de Rattenvanger, die niet wist dat Angie en Clint samen weer afspraken hadden gemaakt. Hij vroeg zich af waarom Angie in het busje reed. Hij had gezien dat Clint een koffer bij zich had en concludeerde dat het geld daarin moest zitten. 'Het is nu alles of niets,' zei hij hardop tegen zichzelf, terwijl hij zijn plaats aan het einde van de dodelijke processie innam.

96

Twaalf minuten nadat agent Sam Tyron een kort en bondig telefoontje van de politie van Barnstable had gehad, arriveerde hij bij het Soundview Motel. Onderweg kon hij zich wel voor het hoofd slaan dat hij zich niet meer met die vrouw van dat busje zonder kinderzitje had beziggehouden. Zijn intuïtie had hem verteld dat ze niet te vertrouwen was, maar die boodschap had hij genegeerd.

Ik dacht nota bene nog dat ze niet erg op de foto op haar rijbewijs leek, dacht hij. Het leek hem maar beter om dat niet tegen zijn superieuren te zeggen.

Toen hij bij het motel aankwam, zag het daar al zwart van de politiemensen. Iedereen was opgetrommeld na het besef dat het tweede dochtertje van de Frawleys nog leefde en in Hyannis was gesignaleerd. Er was een hele groep collega's aanwezig in de motelkamer van de vrouw die zich als Linda Hagen had ingeschreven. De rondslingerende briefjes van twintig dollar onder het bed leken er sterk op te wijzen dat de ontvoerder zich hier inderdaad had opgehouden. Een paar uur geleden had Kathy Frawley nog op dat bed gelegen.

Een opgewonden David Toomey had een telefoontje van de avondmanager gehad en was naar het motel teruggekomen. 'Dat kind is echt heel erg ziek,' waarschuwde hij. 'Je kunt er donder op zeggen dat ze niet bij de dokter is geweest. Ze hoestte en piepte en had meteen naar de eerste hulp gemoeten. Jullie moeten haar snel vinden, want anders is het te laat. Ik bedoel...'

'Wanneer hebt u haar voor het laatst gezien?' wilde de politiecommissaris van Barnstable op dringende toon weten.

'Rond halfeen. Ik weet niet hoe laat ze is weggegaan.'

Dat is zevenenhalf uur geleden, dacht Sam Tyron. Dat kind kan allang in Canada zitten.

De commissaris sprak die mogelijkheid uit en voegde eraan toe: 'Maar voor het geval dat ze nog in de buurt is, zullen we alle motels op Cape Cod vragen extra alert te zijn. De staatspolitie zet bij de bruggen wegversperringen neer.'

97

In het vliegtuig wisselden de volwassenen geen woord met elkaar. Ze deden alleen hun best om Kelly wakker te houden. Het meisje was erg sloom en lag met haar ogen dicht in Margarets armen. Ze had haar hoofdje tegen Margarets hart gelegd en was steeds minder goed aanspreekbaar.

Walter Carlson en Tony Realto zaten in hetzelfde vliegtuig. Ze hadden contact gehad met het hoofdkwartier van de FBI in Boston. Hun collega's uit die stad zouden naar Cape Cod gaan om het onderzoek van hen over te nemen. Op het vliegveld zouden ze worden opgewacht door een auto van de FBI, die hen naar het politiebureau in Hyannis zou brengen. Daar was de commandopost voor de verdere speurtocht gevestigd. Voordat de twee mannen in het vliegtuig waren gestapt, hadden ze zachtjes tegen elkaar gezegd dat ze allebei met eigen ogen hadden kunnen zien dat Kelly contact met haar zusje had. Nu ze naar Kelly's gedrag keken, waren ze allebei bang dat het wel eens te laat zou kunnen zijn om Kathy te redden.

Er zaten acht passagiers in het vliegtuig. Carlson en Realto zaten naast elkaar, allebei verdiept in hun eigen gedachten. Ze hadden alle twee de pest in dat ze net een paar uur te laat waren geweest om Clint Downes op te pakken. Zelfs als Angie vanochtend nog op Cape Cod was, heeft ze waarschijnlijk ergens in Maine met hem afgesproken, dacht Carlson. Dat zou de meest logische conclusie zijn. Hij heeft bij het autoverhuurbedrijf een kaart van Maine meegenomen. Zij is in Maine opgegroeid.

Realto probeerde in gedachten te analyseren wat hij zou doen als hij in de schoenen van Clint en Angie stond. Ik zou het busje en de huurauto lozen en me van het kind ontdoen, besloot hij. Kathy was een blok aan hun been geworden nu de politie in het hele land naar haar zocht. Ik hoop maar dat ze het fatsoen hebben om haar ergens achter te laten waar ze snel gevonden wordt.

Maar ja, als ze dat doen, kunnen wij van daaruit weer naar hen op zoek, dacht hij grimmig. Ik denk dat deze mensen te verdorven en te wanhopig zijn om nog enig fatsoen te hebben.

98

Alle politiemensen op Cape Cod zijn op zoek naar dit busje, dacht Angie. Ze beet op haar lip en reed nerveus over Route 28 het stadje Chatham uit. Gelukkig ligt de jachthaven net binnen de bebouwde kom van Harwich, en als we deze oude rammelbak lozen, komt alles goed. Jezus, en dan te bedenken dat ik dit kind wilde hebben. Ze heeft me alleen maar last bezorgd. Het is niet vreemd dat Clint boos op me is.

Ze keek omhoog naar de hemel en zag dat de sterren inmiddels achter een wolkendek schuilgingen. Het weer is snel veranderd, dacht ze. Zo gaat dat hier nu eenmaal. Misschien is dat ook wel gunstig. Nu moet ik goed opletten dat ik die afslag niet mis.

Met tegenzin ging Angie wat langzamer rijden. Ze was op van de zenuwen, omdat ze ieder moment verwachtte een politiesirene te horen. Ik ben bijna bij de afslag, dacht ze. Ja, het is niet deze, maar de volgende. Even later sloeg ze met een zucht van opluchting links af en verliet Route 28. Vervolgens reed ze verder over de bochtige weg in de richting van Nantucket Sound. De meeste huizen aan deze weg gingen schuil achter hoge struiken. In de huizen die ze kon zien, brandde geen licht. Waarschijnlijk de hele winter onbewoond, dacht ze. Een prima plaats om het busje te lozen. Ik hoop dat Clint dat ook beseft.

Gevolgd door Clint reed ze de laatste bocht door. Ze vermoedde dat de Rattenvanger niet dichtbij zou durven komen. Hij weet inmiddels dat er met mij niet te spotten valt, dacht ze. De pier lag recht vooruit en ze wilde er net oprijden toen ze achter zich iemand kort op een claxon hoorde duwen.

Wat was Clint toch een ongelooflijke sukkel. Waarom toeterde hij nu? Angie stopte en keek laaiend van woede naar Clint, die uit zijn gestolen auto stapte en naar het busje rende. Ze deed het portier open. 'Wil je dat kind soms een afscheidskus geven?' snauwde ze.

Het laatste wat ze meekreeg, was een scherpe zweetlucht. Clints vuist vloog door de lucht en sloeg haar buiten bewustzijn. Terwijl ze over het stuur zakte, zette Clint de auto in de versnelling en plaatste hij haar voet op het gaspedaal. Op het moment dat de auto verder over de pier begon te rijden, gooide hij het portier dicht. Aan het einde van de pier bleef het busje heel even op de rand balanceren voordat het voorovertuimelde en uit zijn gezichtsveld verdween.

Phil King, die in het Shell and Dune Motel achter de balie stond, hield de klok goed in de gaten. Om tien uur was zijn dienst afgelopen, en hij wilde graag weg. Hij had die dag al zijn vrije tijd nodig gehad om een ruzie met zijn vriendin bij te leggen, en ze had eindelijk ingestemd om even iets te gaan drinken in de bar van de Impudent Oyster. Nog maar tien minuten, dacht hij, popelend om weg te gaan.

Achter de balie stond een kleine televisie om de mensen met avonddienst gezelschap te houden. Omdat hij zich herinnerde dat de Celtics in Boston tegen de Nets moesten spelen, zette hij de televisie aan, in de hoop dat hij de uitslag nog kon horen.

In plaats daarvan viel hij midden in een nieuwsbulletin. De politie had bevestigd dat Kathy Frawley die ochtend inderdaad op Cape Cod was gezien. Haar ontvoerder, Angie Ames, reed in een twaalf jaar oud donkerbruin Chevy-busje met kentekenplaten uit Connecticut. De nieuwslezer las het kenteken voor.

Phil King hoorde het niet eens meer. Hij staarde met open mond naar de televisie. Angie Ames, dacht hij. Angie Ames! Met trillende handen pakte hij de telefoon om het alarmnummer in te toetsen.

Toen hij de telefonist aan de lijn kreeg, schreeuwde hij: 'Angie Ames logeert hier! Angie Ames logeert hier! Ik heb haar nog geen tien minuten geleden van onze parkeerplaats zien wegrijden.'

100

Clint zag het busje over de rand van de pier verdwijnen. Mooi zo, dacht hij grimmig. Hij draaide zich om, stapte weer

in zijn gestolen auto en maakte een bocht van honderdtach-
tig graden. In het licht van de koplampen zag hij de geschrokken blik van de Rattenvanger, die op hem af kwam lopen.
Dat dacht ik al, dacht Clint. Hij heeft een wapen. Meneer
was dus van plan om alles met mij te delen. Ja hoor. Ik zou
hem natuurlijk dood kunnen rijden, maar dat is veel te makkelijk. Het is veel leuker om nog een beetje met hem te spelen.

Hij reed recht op de Rattenvanger af en zag tot zijn genoegen
dat de man zijn pistool liet vallen en naar de kant dook. Nu
moet ik van Cape Cod zien te komen, dacht Clint, maar eerst
moet ik deze auto kwijt zien te raken. Die kinderen komen
over een klein uurtje uit de bioscoop, en daarna gaat de politie op zoek naar deze auto.

Hij scheurde over de rustige weg tot hij weer bij Route 28
kwam. Hij vermoedde dat de Rattenvanger achter hem aan
zou komen, maar hij wist dat zijn voorsprong te groot was.
Hij denkt vast dat ik in de richting van de brug rij, dacht hij.
Er zat ook niet veel anders op, want dat was de beste route.
Hij sloeg links af. Op de Mid-Cape Highway zou hij harder
kunnen rijden, maar hij besloot op Route 28 te blijven. Inmiddels weten ze waarschijnlijk wel dat ik naar Boston ben
gevlogen en een auto heb gehuurd, dacht hij. Zouden ze in
mijn afleidingsmanoeuvre met die kaart van Maine zijn getrapt?

Toen hij de radio aanzette, hoorde hij een opgewonden pre-
sentator nog net zeggen dat Kathy Frawley werkelijk in Hyannis was gesignaleerd. Ze was in het gezelschap van de ontvoerder, Angie Ames, die ook de naam Linda Hagen
gebruikte. Er werden wegversperringen opgeworpen.

Clints handen verkrampten zich om het stuur. Ik moet hier
zo snel mogelijk vandaan, dacht hij. Ik heb geen seconde te
verliezen. De koffer met geld lag achter in de auto op de
grond. Alleen de gedachte aan dat fortuin en alles wat hij met

een miljoen kon doen, weerhielden Clint ervan om volledig in paniek te raken. Hij reed door South Dennis en Yarmouth en bereikte eindelijk de buitenwijken van Hyannis. Nog twintig minuten, dan ben ik bij de brug, dacht hij.

Hij dook in elkaar toen hij een politiesirene hoorde. Dat is niet voor mij, ik rij niet te hard, dacht hij. Tot zijn ontzetting moest hij stoppen toen een politiewagen hem de weg afsneed. Achter zich zag hij een tweede politiewagen tot stilstand komen.

'Handen omhoog en uitstappen.' Het bevel kwam uit een luidspreker in de auto achter hem.

Clint voelde het zweet over zijn wangen stromen. Hij deed langzaam het portier open en stapte met zijn dikke armen boven zijn hoofd naar buiten.

Twee agenten kwamen met hun wapen in de aanslag naar hem toe. 'Je hebt pech,' zei een van hen vriendelijk. 'Die kinderen vonden de film niet leuk en zijn halverwege weggegaan. Je staat onder arrest wegens diefstal van een auto.'

De andere agent scheen met zijn zaklamp in Clints gezicht en leek te schrikken. Clint begreep dat de politieman zijn signalement had gekregen en hem nu met die beschrijving vergeleek. 'Jij bent Clint Downes,' zei de agent, die heel zeker van zijn zaak leek te zijn. Op woedende toon wilde hij weten: 'Waar is dat kleine meisje, rotzak? Waar heb je Kathy Frawley gelaten?'

101

Margaret, Steve, dokter Harris en Kelly zaten in de werkkamer van de commissaris toen het bericht binnenkwam dat Angie Ames zich onder haar eigen naam had ingeschreven bij een motel in Chatham. De jongeman achter de balie had haar tien minuten geleden in haar busje zien wegrijden.

'Zat Kathy erin?' vroeg Margaret fluisterend.

'Dat weet hij niet, maar er lag een kinderschoentje op het bed en het kussen was ingedeukt. Waarschijnlijk is Kathy wel in dat motel geweest.'

Kelly zat nu op schoot bij dokter Harris, die het kind plotseling door elkaar begon te schudden. 'Kelly, wakker worden,' beval ze. 'Kelly, je moet wakker worden.' Ze keek naar de politiecommissaris. 'Haal een respirator,' beval ze. 'Nu meteen!'

102

De Rattenvanger had gezien dat de politie Clint de weg versperde. Hij weet niet hoe ik heet, maar als hij me beschrijft, staat de politie meteen bij me op de stoep, dacht hij. Hij kon zich wel voor het hoofd slaan. Ik had niet eens hoeven komen, want Lucas heeft hem niet verteld wie ik ben.

Hij werd zo verschrikkelijk kwaad dat zijn handen begonnen te trillen en hij zijn stuur nog maar nauwelijks kon beethouden. Met moeite slaagde hij erin zijn woede te onderdrukken. In Zwitserland ligt zeven miljoen dollar op me te wachten, dacht hij. Het enige wat daar nog vanaf gaat, zijn de kosten van de bank. Ik heb mijn paspoort in mijn zak. Ik moet zo snel mogelijk op een intercontinentale vlucht stappen. Ik zal de piloot van het vliegtuig opdragen me naar Canada te brengen. Ik denk niet dat Clint me meteen verlinkt, want hij kan me gebruiken om te onderhandelen. Ik ben zijn troefkaart.

Met droge mond en een dikke keel van angst draaide de Rattenvanger van Route 28 North af. Nog voordat Clint met handboeien om naar een politiewagen was geleid, was de Rattenvanger via Route 28 South op weg naar Chatham Airport.

103

'We weten dat je vriendin twintig minuten geleden uit het Shell and Dune Motel is vertrokken. Had ze Kathy Frawley bij zich?'

'Ik heb geen idee waar jullie het over hebben,' antwoordde Clint effen.

'Dat weet je heel goed,' snauwde Frank Reeves, FBI-agent van het kantoor in Boston. Realto, Carlson en de commissaris van Barnstable waren bij hem in de verhoorkamer van het politiebureau van Barnstable. 'Zat Kathy in dat busje?'

'Lees me mijn rechten maar voor. Ik wil een advocaat.'

'Clint, luister nou,' drong Carlson aan. 'We denken dat Kathy Frawley erg ziek is. Als ze doodgaat, heb je twee aanklachten wegens moord aan je broek hangen. We weten dat je vriend Lucas geen zelfmoord heeft gepleegd.'

'Lucas?'

'Clint, het DNA van de tweeling is waarschijnlijk overal in dat huis in Danbury te vinden. Je vriend Gus vertelde dat hij twee kinderen hoorde huilen toen hij Angie aan de telefoon had. Angie heeft de kleertjes voor de tweeling met jouw creditcard betaald. Een politieman in Barnstable heeft haar vanochtend met Kathy gezien. Een serveerster van McDonald's ook. We hebben meer dan genoeg bewijzen verzameld. Je enige kans op strafvermindering is een bekentenis.'

Ze draaiden allemaal abrupt hun hoofd toen ze buiten de deur geschuifel hoorden. Vervolgens hoorden ze de brigadier achter de balie zeggen: 'Sorry, Mrs. Frawley, daar mag u niet naar binnen.'

'Ik móét naar binnen. Daar zit de man die mijn kinderen heeft ontvoerd.'

Reeves, Realto en Carlson keken elkaar aan. 'Laat haar maar binnenkomen,' riep Reeves.

De deur knalde open en Margaret rende naar binnen. Haar

blauwe ogen waren nu gitzwart en haar gezicht was krijtwit. Haar lange haren piekten verward om haar gezicht. Ze keek rond en liep rechtstreeks naar Clint, bij wie ze op haar knieën ging zitten. 'Kathy is ziek,' zei ze met trillende stem. 'Als ze doodgaat, weet ik niet of Kelly blijft leven. Ik kan u alles vergeven als u me Kathy nu teruggeeft. Ik zal tijdens uw proces voor u pleiten. Dat beloof ik, echt waar. Alstublieft.'

Clint probeerde zijn hoofd weg te draaien, maar hij kon zijn blik niet van Margarets fonkelende ogen losscheuren. Ze hebben me te pakken, redeneerde hij. Ik verraad de Rattenvanger nog niet, maar misschien is er nog een manier om aan een aanklacht wegens moord te ontkomen. Hij nam even de tijd om na te denken wat hij moest zeggen. Toen verklaarde hij: 'Ik wilde het andere kind niet houden. Dat had Angie bedacht. Op de avond dat we de kinderen zouden afzetten, schoot ze Lucas dood en liet ze dat nepbriefje achter. Ze is knettergek. Daarna ging ze er met al het geld vandoor, zonder me te zeggen waarheen. Vandaag belde ze om te vragen of ik hierheen wilde komen. Ik zei dat we het busje zouden dumpen en dan in mijn gestolen auto van Cape Cod zouden vertrekken. Maar alles liep anders dan gepland.'

'Wat is er gebeurd?' vroeg Realto.

'Angie weet de weg op Cape Cod. Ik niet. Ze wist een jachthaven in de buurt van dat motel waar we het busje van de pier in het water konden rijden. Ik reed achter haar aan, maar toen ging er iets mis. Ze kon niet op tijd uit het busje komen.'

'Is ze met het busje van de pier af getuimeld?'

'Ja.'

'Zat Kathy ook in het busje?'

'Ja. Angie wilde haar geen kwaad doen. We zouden haar meenemen. We wilden een gezinnetje vormen.'

'Een gezinnetje! Een gezínnetje?' De deur van de verhoorkamer stond nog open en Margarets hartverscheurende kreet weerklonk door de gang.

Steve, die al onderweg naar zijn vrouw was, wist wat die kreet betekende. 'O God,' bad hij, 'help ons dit verlies te dragen.' In de verhoorkamer zag hij Margaret aan de voeten van een mollige kerel liggen. Dat moest de ontvoerder zijn. Hij rende naar haar toe, tilde haar op en keek naar Clint Downes. 'Als ik nu een wapen had, zou ik je vermoorden,' zei hij.

Zodra Clint de jachthaven had beschreven, greep de commissaris naar de telefoon. 'De Seagull Marina, neem duikuitrustingen mee,' beval hij. 'Regel een boot.' Hij keek naar de agenten van de FBI. 'Onder die pier bevindt zich een laadsteiger,' zei hij, voordat hij naar Margaret en Steve keek. Hij wilde de Frawleys natuurlijk geen valse hoop geven. In de winter hoort er een ketting voor het dok te hangen. Misschien, misschien is er een wonder gebeurd en heeft de ketting het busje opgevangen en voorkomen dat het onder water verdween. Maar het wordt snel vloed, en zelfs als het busje op de ketting is blijven hangen, staat de onderste steiger over twintig minuten helemaal onder water.

104

We houden alle vliegvelden in de gaten, dacht Realto, toen hij met Reeves, Walter Carlson en de commissaris van Barnstable over Route 28 in de richting van Harwich reed. Downes zegt dat hij de Rattenvanger niet is, maar wil diens naam wel onthullen als de doodstraf tegen hem wordt geëist en hij over strafvermindering moet onderhandelen. Ik geloof hem. Hij is niet slim genoeg om die hele ontvoering te hebben bedacht. Als de Rattenvanger weet dat we Downes hebben, zal hij beseffen dat het slechts een kwestie van tijd is voordat Downes hem verraadt. Hij heeft ergens zeven miljoen dollar verstopt. Het enige wat hij nu nog kan doen, is het land ontvluchten voor het te laat is.

Naast hem zat Walter Carlson. Het was niets voor Carlson om zijn mond te houden, maar hij staarde zwijgend en met gevouwen handen recht voor zich uit. Kelly was met dokter Harris halsoverkop naar Cape Cod Hospital gebracht, maar Margaret en Steve hadden per se in een surveillancewagen mee naar de jachthaven willen rijden. Realto had het echtpaar liever niet mee willen nemen. Ik wil niet dat ze erbij zijn als Kathy uit een auto wordt gehaald die uit Nantucket Sound is gevist, dacht hij.

Het verkeer maakte haastig plaats voor de hele karavaan van politiewagens. Het duurde slechts negen minuten voordat ze Route 28 verlieten en verder over de smalle weg naar de jachthaven scheurden.

De politie van Massachusetts was al ter plekke en op de pier schenen spotlights door de dichte mist. In de verte voer een boot met grote snelheid door de hoge golven.

'Er is nog één sprankje hoop dat we niet te laat zijn,' merkte commissaris O'Brien op, die de indruk leek te maken een schietgebedje te doen. 'Als het busje op de laadsteiger is beland en de inzittenden niet bij de val zijn omgekomen…' Hij maakte zijn zin niet af.

De surveillancewagen kwam halverwege de pier met piepende remmen tot stilstand. De mannen haastten zich uit de auto en renden naar het uiteinde van de pier. Hun voeten roffelden over de houten planken. Aan het uiteinde stonden ze stil en keken omlaag. De achterkant van het busje stak nog uit het water, omdat de achterwielen op de zware schakelketting waren blijven hangen. De voorwielen hingen al onder water en hoge golven beukten tegen de motorkap. Realto zag dat de laadsteiger door het gewicht van de twee agenten en de zware drегankers naar voren helde. Terwijl ze daar stonden, rolde een van de achterwielen over de ketting en zakte het busje nog verder het water in.

Realto voelde dat hij opzij werd geduwd, en een seconde later stond Steve Frawley bij het uiteinde van de pier. Hij keek naar beneden, trok razendsnel zijn jas uit en dook het water in. Hij kwam bij de zijkant van het busje boven water.

'Schijn met die lichten op de auto,' blafte Reeves.

Het andere achterwiel werd door het wassende water opgetild. We zijn te laat, dacht Realto. De druk van het water is veel te hoog. Hij kan dat portier nooit open krijgen.

Margaret Frawley was ook komen aanrennen en stond bij de rand van de pier.

Steve keek in het busje. 'Kathy ligt achterin op de grond,' schreeuwde hij. 'Aan het stuur zit een vrouw. Ze beweegt zich niet.' In paniek sjorde hij aan het achterportier, tot hij besefte dat dat niet openging. Hij haalde uit en beukte op het glas, maar dat wilde niet breken. De golven sleurden hem weg van de auto. Hij hield zich aan de deurgreep vast en bleef maar met zijn vuist op het raam beuken.

Uiteindelijk ging het glas met veel kabaal en splinters kapot. Steve besteedde totaal geen aandacht aan zijn bloedende, gebroken hand, maar duwde de restanten van het glas aan de kant. Daarna stak hij zijn armen, zijn hoofd en vervolgens zijn schouders in het busje.

Het laatste wiel was nu helemaal losgekomen. Het busje begon naar voren te rollen, steeds verder het water in.

De boot van de kustwacht kwam bij de pier aan, voer naar het busje en ging langszij liggen. Twee mannen leunden over de rand om Steve om zijn middel en benen te pakken en in de boot te hijsen. In zijn armen klemde Steve een bundeltje in een deken. Op het moment dat hij tegen zijn redders aan viel, kiepte het busje over de rand en verdween in het schuimende water.

Hij heeft haar te pakken, dacht Realto. Hij heeft haar te pakken! Ik hoop maar dat we niet te laat zijn.

'Geef haar aan mij, geef haar aan mij!' schreeuwde Margaret, maar haar kreet werd overstemd door de luide sirene van een arriverende ambulance.

105

'Mam, ik heb net naar de radio geluisterd. Er schijnt een goede kans te zijn dat Kathy nog leeft. Ik wilde even zeggen dat ik niets met de ontvoering van Steves kinderen te maken had. Mijn hemel, dacht je dat ik mijn broer ooit zoiets zou aandoen? Hij heeft altijd voor me klaargestaan.'

Nerveus keek Richie Mason de vertrekhal van Kennedy Airport rond. Hij luisterde ongeduldig naar zijn moeders snikkende verzekering dat ze heel goed wist dat hij de kinderen van zijn broer nooit iets zou aandoen. 'O, Richie, als ze Kathy kunnen redden, stappen we in het vliegtuig en organiseren we een fantastische familiereünie, schat,' zei ze.

'Goed idee, mam,' zei hij. Voordat ze de kans kreeg om nog iets te zeggen, voegde hij eraan toe: 'Ik moet weg. Ik heb een nieuwe baan aangeboden gekregen. Daar heb ik veel zin in, en ik stap nu in het vliegtuig naar het hoofdkwartier van het bedrijf in Oregon. We moeten zo aan boord. Ik hou van je, mam. Ik bel je wel weer.'

'Passagiers voor vlucht 102 van Continental naar Parijs kunnen nu aan boord,' klonk de stem van een omroeper. 'Eersteklasreizigers en mensen die hulp nodig hebben…'

Na een laatste, steelse blik door de vertrekhal haalde Mason zijn ticket tevoorschijn en liep naar het vliegtuig om op stoel 2B te gaan zitten. Op het allerlaatste moment had hij besloten de laatste zending cocaïne uit Colombia niet op te halen. Toen de FBI hem had ondervraagd over de vermiste kinderen had zijn intuïtie hem gewaarschuwd dat het tijd werd om het land te verlaten. Gelukkig kon hij erop rekenen dat zijn jonge collega Danny Hamilton de koffer met cocaïne zou oppikken en verstoppen. Hij had nog niet nagedacht welke dealer betrouwbaar genoeg was om de koffer bij Danny op te halen, maar daar zou hij later nog wel een beslissing over nemen. Schiet toch op, wilde hij schreeuwen toen het vliegtuig langzaam volstroomde. Het komt vast allemaal goed, zo probeerde hij zichzelf gerust te stellen. Zoals ik al tegen mam zei, heeft mijn broertje Steve me altijd geholpen. Zijn paspoort werkte fantastisch, omdat we zoveel op elkaar lijken. Bedankt, Steve.

De stewardess had haar verhaal voor vertrek al afgestoken. Kom op, kom op, dacht hij met gebalde vuisten en voorovergebogen hoofd. Zijn mond werd droog toen er door het gangpad een paar mensen in zijn richting renden en bij zijn stoel bleven staan.

'Mr. Mason, wilt u alstublieft rustig met ons meekomen?' vroeg een stem.

Richie keek op. Er stonden twee mannen naast hem. 'FBI,' zei een van hen.

De stewardess wilde net Richies glas weghalen. 'Er moet sprake zijn van een misverstand,' protesteerde ze. 'Deze meneer heet Steven Frawley, niet Mr. Mason.'

'Ik weet dat hij onder die naam op de passagierslijst staat,' zei FBI-agent Allen vriendelijk. 'Maar Mr. Frawley is op dit moment met zijn gezin op Cape Cod.'

Richie nam een laatste slok van zijn whisky. Het zal heel lang duren voordat ik weer whisky krijg, dacht hij, terwijl hij opstond. Zijn medepassagiers staarden naar hem, en hij zwaaide vriendelijk terug. 'Goede reis,' zei hij. 'Jammer dat ik niet met jullie mee kan.'

106

'De toestand van Kelly is stabiel, maar ondanks het feit dat haar longen schoon zijn, heeft ze moeite met ademhalen,' zei de arts op de intensivecareafdeling voor kinderen. 'Kathy is er nog veel slechter aan toe. Ze is echt heel erg ziek. De bronchitis is overgegaan in longontsteking en iemand heeft haar

hoge doses toegediend van een geneesmiddel dat voor volwassenen was bestemd. Daardoor is haar zenuwstelsel aan-
getast. Ik had u graag een betere prognose gegeven, maar...'
Steve, die een dikke laag verband om zijn armen had, zat met
Margaret naast het bedje. Kathy was met haar korte, donkere haar en zuurstofmasker bijna onherkenbaar. Ze lag doodstil en het alarm dat haar ademhaling in de gaten hield, was
al twee keer afgegaan.
Kelly lag verderop op de kinderafdeling. Dokter Harris was
bij haar.
'U moet Kelly meteen hierheen laten brengen,' beval Margaret.
'Mrs. Frawley...'
'Nu meteen,' zei Margaret. 'Kathy heeft haar nodig.'

107

Norman Bond was de hele zaterdag in zijn appartement gebleven. Hij had het merendeel van de tijd op de bank naar de
East River zitten staren en naar de laatste nieuwsberichten
over de ontvoering geluisterd.
Hij vroeg zich af waarom hij Frawley eigenlijk had aangenomen. Wilde ik net doen of ik opnieuw kon beginnen? Wenste
ik dat ik de klok kon terugdraaien en weer met Theresa in
Ridgefield kon wonen? Wilde ik net doen of onze tweeling
nog leefde? Ze zouden inmiddels eenentwintig zijn.
Ze denken dat ik iets met de ontvoering te maken had. Wat
stom van mij om Theresa 'wijlen mijn vrouw' te noemen. Ik
heb juist altijd met opzet beweerd dat ik dacht dat ze nog
leefde, en dat ze Banks had gedumpt zoals ze mij had gedumpt.
Sinds de ondervraging door de FBI had Bond Theresa geen
minuut meer uit zijn hoofd kunnen zetten. Voordat hij haar

had vermoord, had ze gesmeekt voor het leven van de tweeling die ze verwachtte, net zoals Margaret Frawley om de veilige terugkeer van haar kinderen had gesmeekt.

Misschien leefde het tweede kind van de Frawleys nog. Het draait allemaal om het losgeld, dacht Norman. Iemand ging ervan uit dat het bedrijf dat geld zou betalen.

Om zeven uur schonk hij voor zichzelf iets te drinken in. 'Een verdachte in de ontvoeringszaak is vermoedelijk gesignaleerd op Cape Cod,' vertelde een nieuwslezer.

'Norman, nee... Doe het niet... Alsjeblieft...'

De weekends zijn altijd het moeilijkst, dacht hij.

Hij ging niet meer naar musea, want daar verveelde hij zich alleen maar. Concerten vond hij saai, een marteling. Tijdens hun huwelijk had Theresa hem altijd geplaagd met zijn rusteloosheid. 'Norman, je schopt het ver in de zakenwereld en misschien word je zelfs nog eens een mecenas, maar je zult nooit de schoonheid van een beeld, een schilderij of een opera begrijpen. Je bent hopeloos.'

Hopeloos. Hopeloos. Norman schonk een tweede glas in en nipte eraan. Intussen speelde hij met Theresa's trouwringen, die aan een kettinkje om zijn nek hingen. Hij droeg de trouwring die hij haar had gegeven en die ze op haar kaptafel had achtergelaten, en de diamanten ring die ze van haar rijke, beschaafde, tweede echtgenoot had gekregen. Hij herinnerde zich dat het lastig was geweest om die van haar vinger af te krijgen. Haar slanke vingers waren door de zwangerschap opgezwollen.

Om halfnegen besloot hij te douchen, zich aan te kleden en uit eten te gaan. Hij wankelde op zijn benen toen hij opstond om naar de kast te lopen. Hij legde een zakelijk pak en een wit overhemd klaar, vergezeld van een das die volgens de verkoper van Paul Stuart uitstekend bij het pak paste.

Veertig minuten later verliet hij het appartementencomplex en keek hij toevallig naar de andere kant van de straat, waar twee mannen uit een auto stapten. In het licht van de lantaarnpaal zag hij het gezicht van de bestuurder. Het was de FBI-agent die in zijn kantoor was geweest en achterdochtig en vijandig had gereageerd toen hij zich met dat 'wijlen mijn vrouw' versprak. Norman raakte opeens in paniek en rende nerveus over het trottoir weg. Even verderop stak hij Seventy-second Street over, maar hij had niet in de gaten dat een vrachtwagen was gekeerd en zijn kant opkwam.

De klap van de botsing met de vrachtwagen leek wel een explosie die hem uit elkaar reet. Hij merkte dat hij door de lucht vloog en voelde een afschuwelijke pijn toen hij op het trottoir kwakte. Hij proefde het bloed dat uit zijn mond stroomde.

Hij hoorde de consternatie om hem heen en hoorde iemand om een ambulance schreeuwen. Het gezicht van de FBI-agent zweefde boven hem. Het kettinkje met Theresa's ringen, dacht hij. Dat mogen ze niet vinden.

Hij kon zijn hand niet bewegen.

Hij voelde dat zijn witte overhemd kleddernat werd van het bloed. De oester, dacht hij. Ik weet nog dat die van mijn vork gleed en dat alle saus op mijn overhemd en das droop. Meestal voelde hij schaamte bij die herinnering, maar nu voelde hij niets. Helemaal niets.

Zijn lippen vormden haar naam: 'Theresa.'

Agent Angus Sommers knielde naast Norman Bond en legde zijn vinger op diens hals. 'Hij is dood,' zei hij.

108

FBI-agenten Reeves, Carlson en Realto liepen de cel in waar Clint werd vastgehouden.

'Ze hebben het meisje uit de auto kunnen halen, maar het is nog niet zeker of ze het redt,' zei Carlson nijdig. 'Je vriendin,

Angie, is dood. Er wordt een lijkschouwing verricht, maar zal ik je eens iets zeggen? We denken dat ze al dood was voordat ze het water raakte. Iemand heeft haar doodgeslagen. Wie zou dat nu zijn geweest?'

Clint had het gevoel dat hij een klap met een blok beton kreeg. Opeens besefte hij dat hij het verder wel kon vergeten. Bitter besloot hij dat hij in elk geval niet in zijn eentje ten onder zou gaan. Ik weet niet of ik een lagere straf krijg als ik vertel wie de Rattenvanger is, maar ik ben niet van plan om in de gevangenis weg te rotten terwijl hij lekker van zijn zeven miljoen geniet.

'Ik weet niet hoe de Rattenvanger heet, maar ik kan jullie wel vertellen hoe hij eruitziet,' zei hij tegen de agenten. 'Hij is lang, ik schat zo'n een meter vijfentachtig. Donkerblond haar. Chic voorkomen. Begin veertig. Hij zei dat ik Angie moest dumpen en achter hem aan moest rijden naar het vliegveld van Chatham, waar een vliegtuig op hem wachtte.' Hij zweeg even. 'Wacht eens, ik weet wél wie hij is!' riep hij uit. 'Ik dacht al dat ik hem een keer eerder had gezien. Hij is die hoge piet van dat bedrijf dat het losgeld heeft betaald. Hij zei op tv dat hij het niet had willen betalen.'

'Gregg Stanford!' zei Carlson. Realto knikte.

Reeves toetste meteen een nummer in op zijn mobieltje.

'Hopelijk kunnen we hem nog pakken voordat zijn vliegtuig vertrekt,' zei Carlson. Er klonk woede en minachting in zijn stem door toen hij tegen Clint vervolgde: 'En ga jij maar op je knieën zitten bidden dat Kathy Frawley het redt, klootzak.'

109

'De tweeling van de familie Frawley is met spoed naar Cape Cod Hospital gebracht,' meldde de nieuwslezer op kanaal 5. 'De toestand van Kathy Frawley is zeer kritiek. Het lichaam van een van de ontvoerders, Angie Ames, is in de jachthaven van Harwich uit een gezonken busje gehaald. Haar mede- plichtige, Clint Downes, is gearresteerd en zit in een politie- cel in Hyannis. De tweeling is vastgehouden in Downes' huis in Danbury in Connecticut. De 'Rattenvanger', de man die waarschijnlijk het brein achter de ontvoering is, is nog op vrije voeten.'

Ze zeggen niet dat ik op Cape Cod ben, dacht de Rattenvan- ger. De zenuwen gierden door zijn keel toen hij in de vertrek- hal van Chatham Airport naar het laatste nieuws op de tele- visie keek. Dat betekent dat Clint de politie nog niet heeft verteld hoe ik eruitzie. Ik ben zijn troefkaart in de onderhan- delingen om een lichtere straf.

Ik moet zo snel mogelijk het land uit. Maar door de plenzen- de regen en de opkomende mist bleven alle toestellen nog even aan de grond. Zijn piloot had gezegd dat hij hoopte dat het oponthoud niet lang meer zou duren.

Waarom raakte ik toch in paniek en bedacht ik dat idiote plan om die kinderen te ontvoeren? De vraag dreunde door zijn hoofd. Ik heb het gedaan omdat ik bang was, bang dat Millicent me had laten volgen en had ontdekt dat ik met an- dere vrouwen rotzooide. Als ze me had gedumpt, was ik mijn baan kwijtgeraakt, en ik heb zelf geen rooie cent. Ik heb het gedaan omdat ik dacht dat ik Lucas kon vertrouwen. Hij kon zijn mond houden. Hij zou me nooit verraden, zelfs niet als hem veel geld werd geboden. Uiteindelijk heeft hij me ook niet verraden. Clint had geen idee wie ik was.

Was ik maar nooit naar Cape Cod gekomen. Ik had allang het land uit kunnen zijn, op weg naar die miljoenen dollars die op me liggen te wachten. Ik heb mijn paspoort bij me. Ik laat me door het vliegtuig naar de Malediven brengen. Daar hebben ze geen uitleveringsverdrag met de Verenigde Staten. De deur van de vertrekhal vloog open en er kwamen twee mannen naar binnen rennen. Een van hen ging snel achter hem staan en droeg hem op met gespreide armen te gaan staan. Zodra de Rattenvanger aan het bevel gehoor gaf, werd hij vlug gefouilleerd.

'FBI, Mr. Stanford,' zei de ander. 'Wat een verrassing. Wat brengt u vanavond op Cape Cod?'

Gregg Stanford keek hem recht in de ogen. 'Ik ben bij een vriendin geweest, een jonge vrouw. Een privéaangelegenheid waar u niets mee te maken hebt.'

'Heette ze toevallig Angie?'

'Waar hebt u het over?' wilde Stanford weten. 'Dit is een schandaal.'

'U weet heel goed waar we het over hebben,' luidde het antwoord. 'U stapt vanavond niet in het vliegtuig, Mr. Stanford. Of wilt u misschien liever aangesproken worden als de Rattenvanger?'

110

Begeleid door dokter Harris werd Kelly met bedje en al naar de intensivecareafdeling gereden. Net als haar zusje had ze een zuurstofmasker op haar gezicht. Margaret stond op. 'Haal dat masker van haar gezicht,' zei ze. 'Ik leg haar bij Kathy in bed.'

'Margaret, Kathy heeft longontsteking.' Het protest bestierf op Sylvia Harris' lippen.

'Doe wat ik zeg,' zei Margaret tegen de verpleegkundige. 'U mag het weer aansluiten zodra ik haar in bed heb gelegd.'

De verpleegster keek naar Steve. 'Doet u maar wat mijn vrouw zegt,' zei hij.

Margaret tilde Kelly op en hield het kleine hoofdje even tegen haar hals. 'Kathy heeft je nodig, lieverd,' fluisterde ze. 'En jij hebt haar nodig.'

De verpleegster schoof de zijkant van het ledikantje omlaag

en Margaret legde Kelly bij haar tweelingzusje. Ze zorgde ervoor dat Kelly's rechterduim de linkerduim van Kathy raakte.

Dat is de plaats waar ze aan elkaar hebben gezeten, dacht Sylvia.

De verpleegster sloot Kelly's zuurstofmasker weer aan.

Terneergeslagen bleven Margaret, Steve en Sylvia de hele nacht bij het bedje waken. Alle drie baden ze in stilte voor het herstel van de meisjes. De tweeling was in diepe slaap en verroerde zich niet. Toen het allereerste daglicht door de ramen begon te filteren, werd Kathy wakker. Ze bewoog haar hand en verstrengelde haar vingers met die van Kelly.

Kelly deed haar ogen open en draaide haar hoofd om naar haar zusje te kijken.

Kathy sperde haar ogen open. Ze keek om zich heen en liet haar blik even op alle aanwezigen rusten. Daarna begonnen haar lippen te bewegen.

Er gleed een glimlach over Kelly's gezicht en ze fluisterde iets in Kathy's oor.

'Het tweelingentaaltje,' zei Steve zacht.

'Wat zegt ze tegen je, Kelly?' wilde Margaret fluisterend weten.

'Kathy zei dat ze ons heel erg heeft gemist en dat ze graag naar huis wil.'

Drie weken later zat Walter Carlson met Steve en Margaret aan de eettafel op zijn gemak van een tweede kopje koffie te genieten. Tijdens het eten had hij steeds moeten denken aan de eerste keer dat hij hen had gezien, het knappe, jonge stel in avondkleding dat bij thuiskomst te horen had gekregen dat hun kinderen werden vermist. Tijdens de dagen daarna waren ze met hun bleke gezichten en sombere blikken schimmen van zichzelf geworden. Ze hadden zich wanhopig en met rode, behuilde ogen aan elkaar vastgeklampt.

Nu zag Steve er ontspannen en zelfverzekerd uit. Margaret droeg een witte trui en een donkere lange broek. Haar haren hingen losjes om haar schouders en ze had een glimlach om haar mond. Ze zag er fantastisch uit en leek totaal niet meer op de doorgedraaide vrouw die de FBI had gesmeekt te geloven dat Kathy nog leefde.

Toch had Carlson tijdens het eten gemerkt dat haar blik vaak afdwaalde naar de woonkamer, waar de tweeling in hun pyjama een theepartijtje hield met hun poppen en teddyberen. Ze wil steeds met eigen ogen zien dat de tweeling er nog is, dacht hij.

De Frawleys hadden hem uitgenodigd om te komen eten. Margaret zei dat ze wilden vieren dat hun leven weer normaal werd, maar toch was het onvermijdelijk dat de ontvoering ter sprake kwam. Carlson vertelde een paar dingen die door de bekentenissen van Gregg Stanford en Clint Downes duidelijk waren geworden.

Hij was niet van plan geweest over Steves halfbroer Richard Mason te beginnen, maar toen Steve vertelde dat zijn ouders langs waren geweest, vroeg hij hoe het met hen ging.

'Tja, het valt voor mijn moeder natuurlijk niet mee dat Richie zich weer in de nesten heeft gewerkt,' antwoordde Steve. 'Cocaïnesmokkel is nog erger dan die zwendel waarbij hij jaren geleden betrokken was. Ze weet dat hij voor lange tijd achter de tralies verdwijnt, en net als alle andere moeders vraagt ze zich af wat ze tijdens zijn opvoeding fout heeft gedaan.'

'Ze heeft niets fout gedaan,' zei Carlson nuchter. 'Sommige mensen deugen gewoon niet.'

Na een laatste slokje koffie zei hij: 'Het enige voordeel van deze hele nare geschiedenis is dat we nu zeker weten dat Norman Bond zijn ex-vrouw Theresa heeft vermoord. Hij droeg de trouwring die ze van haar tweede echtgenoot had gekregen aan een kettinkje om zijn nek. Ze droeg die ring op de avond van haar verdwijning. Nu kan haar tweede echtgenoot de draad van zijn leven tenminste weer oppakken. Zeventien jaar lang is hij blijven hopen dat ze nog leefde.'

Carlson merkte dat zijn blik steeds naar de tweeling werd getrokken. 'Ze lijken echt als twee druppels water op elkaar.'

'Ja, dat klopt,' beaamde Margaret. 'Vorige week zijn we met Kathy bij de kapper geweest om die afschuwelijke verf uit haar haren te laten halen. Daarna hebben ze op ons verzoek Kelly's haar ook afgeknipt, zodat ze allebei hetzelfde korte kapsel hebben. Staat goed, vind je niet?'

Ze zuchtte. 'Ik sta minstens drie keer per nacht op om te kijken of ze er nog zijn. We hebben het allernieuwste alarmsysteem aangeschaft, dat 's nachts op scherp staat. Zodra er een deur of raam opengaat, hoor je een oorverdovend kabaal. Maar zelfs met die bescherming vind ik het vreselijk als ik mijn meisjes niet zie.'

'Dat gaat over,' verzekerde Carlson haar. 'Het kan even duren, maar op den duur zul je merken dat het beter gaat. Hoe gaat het met de meisjes?'

'Kathy heeft nog steeds last van nachtmerries. In haar slaap zegt ze: "Wil niet meer bij Mona. Wil niet meer bij Mona." Laatst gingen we boodschappen doen en toen zag ze een magere vrouw met slordig, lang bruin haar. Ik denk dat de vrouw haar aan Angie deed denken, want ze begon te gillen en klampte zich aan mijn benen vast. Dat vond ik zo zielig. Maar dokter Sylvia heeft ons een fantastische kinderpsychiater aanbevolen, dokter Judith Knowles. Het is de bedoeling dat we elke week met de tweeling naar haar toe gaan. Het zal tijd kosten, maar ze heeft ons verzekerd dat alles uiteindelijk weer goed komt.'

'Heeft Stanford schuld bekend om strafvermindering te krijgen?' vroeg Steve.

'Ik denk niet dat hij strafvermindering krijgt. Hij heeft de ontvoering bedacht omdat hij in paniek raakte. Hij was bang dat zijn vrouw achter zijn avontuurtjes was gekomen en een echtscheiding had aangevraagd. Als ze dat had gedaan, zou hij geen cent overhouden. Hij was vorig jaar betrokken bij het schandaal dat tot de financiële problemen van het bedrijf had geleid, en hij was nog steeds bang dat hij daarvoor gepakt kon worden. Hij had een appeltje voor de dorst nodig. Steve, toen hij jou op kantoor ontmoette en de foto's van de tweeling zag, werd het idee voor dit plan geboren.

Lucas Wohl en hij hadden een vreemde relatie,' vervolgde hij. 'Tijdens zijn buitenechtelijke avontuurtjes fungeerde Lucas als zijn trouwe chauffeur. Maar tijdens zijn tweede huwelijk kwam hij een keer onverwachts thuis en betrapte hij Lucas bij het openbreken van de kluis waarin zijn vrouw haar sieraden bewaarde. Hij gaf Lucas toestemming om de sieraden te stelen, maar wilde in ruil daarvoor een deel van de opbrengst. Sindsdien gaf hij Lucas soms tips waar hij het beste kon inbreken. Stanford heeft altijd graag risico's genomen. Wat wel grappig is, is dat hij in dit geval misschien nooit gepakt zou zijn als hij er gewoon van uit was gegaan dat Lucas Clint niet zou vertellen wie hij was. Hij stond hoog op onze lijst van verdachten en we hielden hem in de gaten, maar we konden hem nergens op betrappen. Dat zal Stanford de rest van zijn leven achtervolgen, en daar zal hij elke ochtend aan denken als hij in zijn cel wakker wordt.'

'En Clint Downes?' vroeg Margaret. 'Heeft hij bekend?'

'Hij heeft een ontvoering en een moord op zijn geweten. Hij beweert nog steeds dat Angies dood een ongeluk was, maar dat gelooft natuurlijk niemand. Er wacht hem een federaal proces. Ik ben ervan overtuigd dat hij nooit meer een biertje in de Danbury Pub zal drinken. Hij komt nooit meer op vrije voeten.'

De tweeling was klaar met het theepartijtje en kwam de eetkamer binnenhollen. Even later zat Kathy lachend op schoot bij Margaret en werd Kelly giechelend opgetild door Steve.

Walter Carlson kreeg een brok in zijn keel. Liep het altijd maar zo af, dacht hij. Konden we alle kinderen maar aan hun ouders teruggeven. Konden we alle gevaarlijke mensen maar van de straat halen. Gelukkig heeft dit verhaal een happy end gekregen.

De tweelingzusjes droegen pyjama's met blauwe bloemetjes. Twee meisjes in het blauw, dacht hij. Twee meisjes in 't blauw gekleed...

Het heeft me altijd gefascineerd dat sommige mensen telepathisch contact met elkaar hebben. Toen ik klein was, zei mijn moeder wel eens met een bezorgde frons op haar gezicht: 'Ik heb zo'n gevoel dat...' Haar voorgevoelens kwamen altijd uit. De persoon aan wie ze dacht, bleek inderdaad een probleem te hebben of op het punt te staan iets vervelends mee te maken.

In een paar van mijn boeken heb ik het verschijnsel telepathie gebruikt, maar de band die tussen tweelingen bestaat, en dan vooral tussen eeneiige tweelingen, is ronduit fascinerend. Ik was al heel lang van plan dat verschijnsel als plot voor een roman te gebruiken.

Mijn dank gaat uit naar de auteurs van boeken over dit onderwerp. Ik heb vooral veel gehad aan *Twin Telepathy: the Psychic Connection* van Guy Lyon Playfair; *Entwined Lives* van Nancy L. Segal, Ph.D; *Twin Tales: The Magic and Mystery of Multiple Births* van Donna M. Jackson; het artikel 'On Being a Twin' van Shannon Baker, en Jill Neimarks omslagartikel 'Nature's Clones' in *Psychology Today*. Ik heb bij het schrijven van dit boek erg veel gehad aan hun voorbeelden van telepathisch contact tussen tweelingen.

Zoals altijd heb ik bij het schrijven hulp van anderen gehad. Mijn dank gaat natuurlijk weer uit naar Michael V. Korda, de redacteur die me sinds jaar en dag terzijde staat, en naar hoofdredacteur Chuck Adams. Ik ben heel blij met hun vakkundige begeleiding.

Lisl Cade, mijn dierbare vriendin en agente, staat altijd aan mijn kant. Ik kan altijd terugvallen op dezelfde groep proeflezers. Dank aan hen en aan mijn kinderen en kleinkinderen, die me altijd aanmoedigen en mijn leven leuk en bruisend houden.

Dit boek is een eerbetoon aan de toewijding waarmee de FBI

in ontvoeringszaken onderzoek verricht. Ik wil vooral eer bewijzen aan de overleden Leo McGillicuddy, die onder zijn collega's een legende was.

Ik heb heel veel gehad aan Joseph Conley, die vroeger voor de FBI heeft gewerkt. Hij heeft me stap voor stap uitgelegd wat er bij de FBI achter de schermen gebeurt. Omwille van het verhaal heb ik sommige procedures ingekort, maar ik hoop dat ik de loyale toewijding en het medeleven dat de agenten typeert, heb kunnen behouden.

Nu zich in mijn hoofd weer een nieuw verhaal begint te vormen, wordt het tijd om dit verhaal los te laten, met mijn immer perfecte echtgenoot John Conheeney bij de open haard te gaan zitten en al mijn lezers veel plezier met dit boek te wensen. Tot de volgende keer!